GASTON D'ORLÉANS

DU MÊME AUTEUR

Odéon est ouvert : tribune libre, Nouvelles éditions Debresse, 1968.

Michel Particelli d'Emery : contrôleur général des Finances, Micro éditions universitaires, Hachette, 1974.

Le Folklore du boulanger, Maisonneuve et Larose, 1983.

Présentation et préface des *Mémoires* de la Grande Mademoiselle, deux volumes, Librairies Fontaine Éditeur, 1985.

La Grande Mademoiselle, Albin Michel, 1986.

Le Passeur de la Liberté (roman), Lieu commun, 1989.

Les Hommes d'argent : histoire des grandes fortunes de France du XVIIe siècle à 1914 (Essai), Olivier Orban, 1990.

Dictionnaire des reines de France, Perrin, 1992.

Histoire du papier, Brépols, Turnhout (Belgique), 1994.

Les Grands Discours républicains (en collaboration avec René Ponthus), Le Cherche Midi, 1998.

Christian Bouyer

GASTON D'ORLÉANS

(1608-1660)

Séducteur, frondeur et mécène

LE GRAND LIVRE DU MOIS

22, rue Huyghens, 75014 Paris

À Stéphanie.

Introduction

Il faut bien le reconnaître, si Gaston d'Orléans fut toute sa vie un charmeur de grand talent, il n'a pas beaucoup séduit les historiens [1]. Entouré d'adulateurs, auréolé de la culture, du bon goût, des dons multiples qu'il tenait assurément de son ascendance Médicis, Monsieur, comme on l'appelait, fut l'un des princes les plus cultivés de son temps. Malheureusement, dans un siècle qui a la manie d'estampiller de « grand » nombre d'hommes et de faits, l'histoire a privilégié la hauteur des vues politiques, la gestion absolutiste des peuples, la gloire des armes et l'éclat des arts et des lettres. Elle ne trouve pas son compte dans l'attitude de cette altesse royale pétrie de contradictions, perpétuellement révoltée, jugée trop souvent oublieuse de son rang et de son devoir. Là, sans doute, se cachent les véritables raisons qui perpétuent une image falote et peu exaltante du personnage.

Pourtant, cette négation s'explique aisément. Jusqu'en 1638, le duc d'Orléans est l'héritier de la couronne de France. Louis XIII, sans enfant, ne possède pas une solide santé. Loin s'en faut. Quoi de plus normal, alors, que d'associer un tant soit peu l'éventuel successeur aux affaires du royaume ? Mais Louis XIII, empêtré fort tôt dans des relations conflictuelles avec Marie de Médicis, sa mère, est un être méfiant, attaché à ses prérogatives, jaloux envers son frère, sournois et volontiers mesquin. Jamais il ne donnera une parcelle d'autorité, disons une véritable chance au jeune prince désireux de gloire, épris d'action valorisante qui constate au grand jour que le pouvoir échoit à un principal ministre, Richelieu, dominateur, calculateur, et surtout doté d'une ferme volonté et d'une imposante clarté de vue politique. Dès lors, pour Monsieur, les dés sont pipés. L'honneur du fils de France trouve son écho dans un long cortège de révoltes dangereuses, de complots hasardeux et de cabales peu gratifiantes. Si, du strict point de vue politique, le duc d'Orléans fut un authentique vaincu, rejeté et marginalisé, sa personnalité n'a pas fini de nous étonner. Prince des poètes, ami des artistes, collectionneur méticuleux et amoureux des beaux livres, l'homme présentait une formidable aptitude aux choses de l'esprit. Son intérêt pour les sciences, la géographie, l'histoire, l'astronomie et la botanique, qui n'était pas à l'époque l'apanage de maints grands seigneurs, mérite d'être salué. En léguant à Louis XIV toutes ses collections qui occupent toujours une place de choix dans les fonds de grandes bibliothèques parisiennes, Monsieur en évitait la dispersion et œuvrait pour l'avenir. Voilà au moins un geste qui ne manque pas de perspicacité, de responsabilité et de grandeur.

Médicis plus que Bourbon ? Prince de la Renaissance ou du siècle des Lumières, perdu dans le XVIIe siècle classique ? Nous ne trancherons pas. À la cour de Gaston d'Orléans, l'appétit de la vie, les penchants libertins, la gourmandise des plaisirs et la désinvolture à l'égard de toute contrainte morale conduisent à parler d'un milieu dont l'aspect baroque est indéniable. Bien entendu, cet ouvrage n'a pas vocation à réhabiliter le duc d'Orléans car, politiquement, il autorise l'interrogation et l'analyse mais non l'excuse. C'est donc à la découverte d'un homme riche de diverses facettes, vivant pleinement dans son temps, que nous convions le lecteur.

PREMIÈRE PARTIE

UN INTRÉPIDE FILS DE FRANCE

1.
L'enfance de Monsieur d'Anjou

Le 25 avril 1608, vers neuf heures et demie du matin, Marie de Médicis donne à son époux volage son cinquième enfant légitime. C'est un gros garçon que le Vert Galant, tout émoustillé, appela d'emblée « Monseigneur le duc d'Anjou ». Il n'y avait rien d'anormal, à cette époque, que l'on donnât un titre à l'enfant royal avant de lui attribuer un prénom définitif. Ondoyé à sa naissance, Monsieur d'Anjou recevra son véritable prénom : Gaston, auquel la reine ajoutera celui de Jean-Baptiste, patron de Florence, seulement lors de son baptême en juin 1614. Le choix de ce prénom, peu commun il est vrai, était une exigence du roi en souvenir de Gaston de Foix, l'un « des plus valeureux de ses ancêtres de la Maison de Navarre ». Vue de l'esprit ou réaction spontanée d'un père baignant dans une immense joie, n'importe ! Aux yeux du roi, l'enfant était né pour la gloire. Voulant se rassurer, il demanda à Cosimo Ruggieri, l'un des plus fameux astrologues florentins du temps de la cour des Valois, perdu au fond d'une abbaye bretonne, d'étudier l'avenir de Monseigneur[1]. Moins sûr de ses prédictions, compte tenu de son grand âge, ou peut-être par volonté de ne pas déplaire, l'horoscope que Ruggieri livra six mois plus tard satisfaisait parfaitement la prime impression du père, mais se révéla on ne peut plus faux quant au « destin brillant » promis à l'enfant. Tout au plus avait-il discerné avec justesse quelques traits et dispositions du caractère : « Sera de naturel fort soigneux, ingénieux, versé en beaucoup de belles choses, amateur des lettres et sciences, de naturel doux. » Pointe d'ironie ou clin d'œil amusé, l'astrologue avait précisé « qu'il sera extrêmement paillard et adonné au changement en matière d'amour, et y sera fort heureux, étant beau, riche et libéral en ses plaisirs ». Henri IV était comblé. Monseigneur d'Anjou ne pouvait être dans son berceau que l'image exacte du Béarnais.

Le petit duc d'Anjou arrivait au bon moment. L'inconstant époux avait, depuis un an, pris ses distances à l'égard d'Henriette d'Entragues, marquise de Verneuil, qui était sa maîtresse depuis neuf ans et dont il avait eu deux enfants. Contrairement à sa précédente grossesse qui s'était déroulée dans un climat intolérable de crise conjugale, ponctué de disputes, d'intrigues et de contrariétés, Marie avait attendu la naissance de l'enfant dans une sorte de sérénité. Apparemment, Henri était revenu vers elle ou du moins se montrait-il plus aimable. La Verneuil ? Plus question ! mais ceci est vite dit car déjà, en octobre 1605, Henri IV, après une violente dispute avec son épouse, lui avait écrit un billet peu flatteur pour la marquise : « Elle n'est plus marchandise pour ma boutique, car je ne me fournis que de blanc et de gras. » En somme, une femme bien en chair, que la reine fort potelée et dotée d'un visage d'une grande blancheur prit pour une gracieuseté à son égard. Et pourtant, Henri avait revu la grande et brillante jeune femme qui savait si bien trouver dans les sens de son amant celui qui allait le transporter de bonheur. Mais pouvait-il faire autrement ? Lorsque le 1er octobre 1599, à Malesherbes, le Vert Galant, follement épris de la jeune fille, lui avait signé une promesse précisant que, si « dans six mois elle devient grosse et accouche d'un fils, alors, et à l'instant, nous la prendrons pour femme », il ne se doutait pas de l'avalanche d'ennuis que ce simple mot allait lui procurer. Il n'avait pas épousé Henriette, mais il la présenta d'une manière déconcertante à sa nouvelle femme, à son arrivée à Paris en 1601, en ces termes : « Celle-ci a été ma maîtresse, elle veut être votre particulière servante. » Les deux femmes s'étaient mesurées du regard avec hauteur. Même si la princesse florentine n'avait guère d'illusions sur l'homme qu'on lui avait donné, ce sont là des mots qui ne font guère chaud au cœur. Au vrai, la réputation du roi n'était plus à faire. Fontenay-Mareuil la résume bien lorsqu'il décrit « cette fameuse passion qu'Henri IV avait pour les femmes, laquelle avait commencé à l'obséder dès la jeunesse, continuera toujours depuis, de telle sorte que ni son second mariage, ni rien n'y apportèrent aucun changement ».

À une époque où les ministres participaient aux choses quotidiennes de leur maître, le sage Sully n'échappa pas aux mille tracasseries que les tensions dans la vie des époux royaux lui imposaient. Certes, il prenait cela avec philosophie, expliquant que le roi était « fort sujet aux femmes et débauché après elles et aux amourachements, par récréation, galantise et simple divertissement, ou toutes telles badineries »... Que cela est dit avec franchise, mais non sans jugement, car, à deux reprises au moins, la présence du courageux ministre fut une aubaine... En 1604, lorsque le roi, excédé par une compagne « têtue et acariâtre », désirait tout simplement la renvoyer à Florence, et une autre fois, lorsque Marie, hors d'elle-même, s'était précipitée sur son époux le poing levé, le ministre s'était jeté entre les deux protagonistes prêts à en découdre comme des vilains. Tremblant de colère, Henri était sorti, tandis que le ministre calmait une femme pantelante, avec sévérité :

— Êtes-vous folle ? Madame, il peut vous faire trancher la tête en une demi-heure !

Mais cela relevait du passé. Une sorte de compromis avait été établi sans qu'aucun ne se voilât la face. Henri continuait à trouver sa femme grognante, rechignante chaque fois « qu'il la voulait baiser, caresser, rire et s'éjouir avec elle ». Il se plaint encore de ne recevoir d'elle « ni compagnie, ni réjouissance, ni consolation ». Pouvait-elle faire plus ? Rien n'est moins sûr, tant le jugement connu de tous éclate de vérité dans sa concision : « Une épouse infime, altière, fougueuse, qui ne l'aimait point, qu'il n'aimait pas davantage et qui faisait son malheur domestique[2]. »

Au bout de quelques semaines, le duc d'Anjou alla rejoindre au château de Saint-Germain « le troupeau » des enfants royaux : au total dix ou onze enfants légitimes et bâtards élevés ensemble sous le même toit. Il y avait là le Dauphin, Louis, né en 1601 ; sa cadette, Élisabeth, venue au monde l'année suivante ; Christine, plus jeune de quatre ans (1606) et Nicolas, âgé de un an et de santé fort délicate. Henriette-Marie, une dernière fille, naîtra l'année suivante.

À ceux-là s'ajoutent les trois enfants de Gabrielle d'Estrées, les Vendôme : César, duc de Vendôme, Alexandre qui sera plus tard grand prieur de France, et Catherine-Henriette qui, pour respecter le vœu de son père, deviendra duchesse d'Elbeuf. On n'en croit pas ses yeux si l'on remarque que la liste complète comporte en plus les deux enfants issus d'Henriette d'Entragues : le petit marquis de Verneuil et sa sœur Gabrielle, ainsi que le comte de Moret, un bambin né des fredaines du roi et de Mademoiselle de Bueil qu'il avait fait comtesse de Moret.

Tout ce petit monde grandit à Saint-Germain sous la houlette de Madame de Monglat, femme du premier maître d'hôtel du roi. C'est une femme grande, un peu sèche, d'une extrême maigreur et surtout d'une imposante autorité. Mais princes et princesses s'attachent à elle et l'appellent « mamanga ». Marie de Médicis, qui n'a jamais manifesté à l'égard de ses enfants qu'une affection tout à fait médiocre, lui fait entièrement confiance. Elle lui écrit souvent et la réconforte : « Je n'écouterai point les mauvais offices que l'on voudrait rendre, je me repose entièrement sur vous. » En fait, les recommandations pour l'éducation du « troupeau » sont très brèves : le fouet d'abord et les cadeaux ensuite. Dieu sait si la gouvernante eut recours au premier, surtout à l'égard du Dauphin, d'un caractère opiniâtre et obstiné, qui lui tenait souvent tête ainsi qu'à son gouverneur, Gilles de Souvré. Mais Marie était fort inquiète chaque fois qu'un enfant tombait malade. Si chaque enfant disposait d'un appartement, d'une sous-gouvernante, de serviteurs et de valets, ils vivaient ensemble, jouaient aux mêmes jeux, malgré les différences d'âge, suivaient les mêmes services et prenaient leurs repas en commun. Seuls les rangs changeaient et le Dauphin savait parfaitement le faire sentir... Que dans ce contexte, il y ait eu des tensions, quoi de plus normal ? Les Vendôme sont plus grands et d'un tempérament insupportable, alors que les petits Verneuil, doux, aimables, craintifs, sont faciles à vivre. La reine n'aime pas le duc de Vendôme mais a un faible pour le fils d'Henriette, « Féfé Verneuil ». Elle n'est pas la seule. Le Dauphin déteste lui aussi son demi-frère auquel il n'est d'humiliation qu'il ne fasse subir. Il rudoie aussi le frère Alexandre qu'il appelle « Féfé chevalier ». Les filles sont mieux traitées ainsi que « Féfé Verneuil » que Louis semble avoir pris sous sa protection. On sait que le Dauphin organisa au château le baptême du petit marquis dont il fut le parrain, et sa sœur Élisabeth la marraine.

La marquise de Verneuil, au grand dam de la reine, était autorisée à rendre visite à ses enfants. Ils recevaient « maman mignonne », souvent en tête à tête, car le roi ne souhaitait pas qu'elle eût des contacts avec ses enfants légitimes. Lors d'une maladie, il lui arrivait de passer la nuit au château mais elle ne pouvait y demeurer bien longtemps, laissant à Héroard, médecin personnel du Dauphin mais qui, en fait, soignait tout le monde, la diligence à apporter en l'occasion. Le couple royal se rendait régulièrement auprès du « troupeau » et le roi passait de longues heures à discuter avec le Dauphin. Et pourtant, à Saint-Germain, il y avait un privilégié...

Dès sa naissance, Marie de Médicis entoure Gaston d'une pressante sollicitude. Elle veille au moindre détail qui touche à sa personne. S'agit-il de choisir une nourrice et la voilà dans tous ses états. Lorsque d'Argouges en propose une, la malheureuse est interrogée comme une coupable. Marie tient à savoir « si son lait est toujours bon ; si elle en a en quantité ; si elle aime le vin ; la qualité et condition de ses parents ; s'il ne se trouve rien à redire en elle. Et si elle est telle qu'on s'y doive arrêter, faites-la habiller incontinent afin qu'elle soit nette et propre et toute prête quand je l'enverrai quérir ».

Que Gaston soit malade à Fontainebleau, qu'il soit pris

de la petite vérole et d'emblée, elle écrit à Madame de Monglat : « Il faut que cette maladie suive son cours et j'ai espérance que l'enfant sera bien guéri... Apportez-y, je vous prie, tout le soin et l'assistance qui s'y pourra. » Mais l'inquiétude demeure et, sur son ordre, le petit malade est installé à Saint-Germain dans la grande chambre du roi. Et lorsqu'il va mieux, « que les pustules se dessèchent », les recommandations pleuvent : « Ouvrez les fenêtres afin de l'éventer, faites faire bon feu et brûlez du bois de genièvre afin que la pièce demeure sans soupçon de mauvais air. » Gaston était un enfant très vif, très actif, amoureux de grand air et de longues promenades. La reine autorisait sa gouvernante à le conduire dans Paris pour le montrer à la population : « J'approuve bien que vous le meniez promener par aucune des grandes rues de Paris, afin de donner ce contentement au peuple de le voir sain et gaillard, mais le séjour doit être court : qu'il ne s'y arreste point à cause du mauvais air et des maladies qui y courent. »

Pour être juste, on doit reconnaître que Gaston reçut le fouet lui aussi, et ne l'appréciait pas plus que le Dauphin. Mais qu'il soit gentil et les cadeaux arrivaient.

Dans ses *Lettres*, le poète officiel Malherbe raconte les corrections ordonnées par la reine ; par moments, elles étaient sévères. Mais était-ce bien un moyen efficace pour brider un caractère entier qui cherchait à s'affirmer rapidement au milieu du troupeau ?...

Mai 1610. Les enfants royaux quittent Saint-Germain pour le Louvre. Un séjour prévu de courte durée à l'occasion du sacre de leur mère, au cours duquel, hormis les festivités dans la basilique de Saint-Denis, ils assisteront à l'entrée solennelle de la reine dans la capitale, dans la liesse populaire. Depuis dix ans, Marie de Médicis n'avait toujours pas coiffé la couronne, mais, fin 1609, le couple commence à en parler. À cela, il y a deux raisons : la première est politique. La France envisage d'entrer en guerre contre les Habsbourg, Autrichiens et Espagnols. Le roi conduira lui-même l'une des trois armées qui doivent venir en Allemagne aider les princes protestants. Son départ est prévu pour le 19 mai. Toute guerre est un danger même si Henri possède une solide expérience. Il lui faut donner la régence à son épouse durant son absence. La seconde raison est intime. Si le couple royal paraît plus uni, à cinquante-cinq ans, le Vert Galant n'a rien perdu de sa gaillardise. Et le voilà depuis un an amoureux comme un page : le tendron a quinze ans et s'appelle Charlotte de Montmorency. Afin de préserver la jeune fille de la lubricité du barbon, elle est incontinent mariée. Rien n'y fait. Comme la jeune épousée n'est pas insensible aux avances empressées de son soupirant royal, son mari, le prince de Condé, la met en sûreté à Bruxelles et, trahissant son souverain, il propose son épée aux Espagnols, et s'en va combattre en Italie. La reine, peinée, prête l'oreille à la propagande espagnole qui reprend la rumeur selon laquelle la France va entrer en guerre uniquement pour que le roi aille, puissamment armé, dans les Pays-Bas enlever la belle enfant qui n'a de cesse de l'appeler à son secours. Fi des racontars ! mais il n'est pas impossible qu'inconsciemment, l'innocente jeune femme ait favorisé le couronnement de la Florentine.

Bref, le 13 mai 1610, devant ses enfants et toute la cour réunie, Marie reçoit la couronne. Fête magnifique s'il en est : « Une des plus belles choses que l'on puisse faire en France », dira plus tard la reine, ponctuée d'événements qui n'avaient échappé à personne. La couronne mal fixée avait failli tomber de la tête juste honorée et, dans une tribune, le roi, ayant pris le Dauphin dans ses bras, le montra aux invités étonnés en disant : « Messieurs, voilà votre roi. »

La prémonition d'Henri IV s'avéra fondée. Le lendemain, 14 mai, le roi était assassiné. Si sa mort tragique provoqua une grande émotion à la cour et dans le pays, elle fut une véritable catastrophe pour les enfants du défunt. Selon son médecin Héroard, le nouveau roi, en apprenant la tragédie, se serait écrié en pleurs : « Ha ! si j'y eusse été avec mon épée, je l'aurais tué. » Quant à Gaston, on lui fait dire « qu'il n'avait plus rien à perdre puisque Dieu lui avait ôté celui duquel il pouvait tout espérer [3] ». Le gamin, âgé de deux ans, était bien incapable de formuler une telle phrase, mais elle résumait parfaitement la pensée qui ne manqua pas d'habiter plus tard le futur duc d'Orléans.

Le roi mort, la vie continuait.

Très jeune, le duc d'Anjou participa aux fêtes organisées à Saint-Germain. L'une est particulièrement connue[4]. Il s'agit de la comédie de Garnier, *Bradamante*, qu'Élisabeth, âgée de neuf ans, désire monter dans la grande salle de bal du château au cours de l'été 1611. La reine, consultée, accepta : « Je veux bien volontiers accorder à ma fille aînée la permission qu'elle désire pour réciter sa comédie, mais elle doit bien apprendre les vers. J'ai l'intention d'aller dans peu de jours à Saint-Germain pour voir si elle s'en acquittera bien et si elle les aura bien retenus ; vous l'en avertirez de ma part afin qu'elle se dispose à bien faire. »

On ne ménagea pas les moyens. Comme la fête avait lieu l'après-midi, aux chandelles, il fallut cacher les grandes fenêtres avec des tapisseries et l'intendant des meubles du roi, Delafont, fut sollicité pour faire parvenir « douze ou quinze pièces des moyennes et des plus usées ». Pendant plusieurs jours, les enfants répétèrent leur rôle. Parmi les nombreux acteurs figuraient Élisabeth jouant Brada dans une charmante tenue d'amazone, la petite Christine dans un rôle modeste, Gaston pour lire quelques vers, ainsi que le duc de Vendôme, les Verneuil et le comte de Moret. Très sérieusement, les invitations furent envoyées aux grands de la cour : princes, princesses, grands seigneurs. On n'oublia ni le chancelier ni le Président Jeannin, pas plus que le président du Parlement de Paris. Aussi la salle était-elle comble lorsque, le 2 août, Gaston, du haut de ses trois ans, ouvrit sans crainte le spectacle en récitant un petit prologue de six vers et provoqua par son assurance un bel enthousiasme. Selon le poète Malherbe, présent, « il tenait une pique qu'il branla vers la compagnie de si bonne grâce que cette action et un petit saut qu'il fit en achevant lui attira un monde de bénédictions ». Son succès fut malheureusement atténué par la suite. Empêtré dans des hauts-de-chausses auxquels il était peu familiarisé, il fallut les lui retirer pour lui remettre sa robe. La fête fut une réussite si bien propagée qu'on l'appela dans le public « la comédie de Messieurs les enfants de France ». Seul, le peu aimable Tallemant des Réaux, relatant l'événement bien plus tard, écrira « qu'à part le comte de Moret, les acteurs étaient pitoyables ».

L'automne 1611 fut triste à Saint-Germain. La vie nonchalante de la petite troupe, disloquée par le départ de Louis, nouveau roi, et qui résidait maintenant au Louvre auprès d'une mère soudain devenue très prévenante, allait à nouveau être frappée. Nicolas, duc d'Orléans, était mort dans la nuit du 16 au 17 novembre après quelques convulsions. Il est vrai que l'enfant était souvent malade, mais comme d'habitude les astrologues lui avaient prédit un destin resplendissant. Le compagnon de jeu s'en était allé, laissant le vide absurde qu'on imagine parmi les rires, les cris et les éclats de voix fusant par les fenêtres du château de Saint-Germain.

2.

Sur les pas du jeune roi

La mort d'Henri IV avait été une perte irrémédiable pour l'ensemble des enfants royaux. Dieu sait s'ils aimaient leur père. Ceci était vrai pour Gaston, mais combien plus pour le petit roi de neuf ans qui s'appliquait à satisfaire de son mieux aux charges que lui imposait le destin. La brutale rupture de 1610 impliquait un ensemble de cérémonies officielles auxquelles tous les membres de la famille Royale étaient tenus de participer malgré leur jeune âge. C'est ainsi que Gaston, malgré ses deux ans, dut suivre son frère et grandir sur les pas de l'enfant-roi. Le 15 mai 1610, Louis XIII est conduit au parlement qui siège au couvent des Augustins, pour la proclamation de la régence en faveur de Marie de Médicis. Fort acclamé par une foule avide de spectacle, il est accueilli par sa mère habillée en grand deuil. À son entrée, tout le monde se lève et il se dirige vers le trône installé en haut d'une estrade. La reine, fort émue, lit un texte dans lequel elle précise à l'adresse des parlementaires : « Je vous ai amené le roi, mon fils, pour vous prier tous d'en avoir le soin que vous êtes obligés, par ce que vous devez à la mémoire du père, à vous-mêmes et à votre pays. »

Louis s'adresse ensuite à l'assemblée, suivi par le chancelier de Sillery qui demande que l'on confie à la reine mère la régence du royaume. Puis, du roi au dernier conseiller, chacun doit exprimer son suffrage, lors d'un long et fastidieux rituel. Le chancelier proclame alors le résultat acquis à l'unanimité en ces mots : « Le roi séant en son lit de justice confie le royaume à sa mère pour avoir soin de l'éducation et nourriture de sa personne et administration des affaires du royaume pendant son bas âge. » On le sait, l'usage veut que le roi ne meurt jamais. « Mais le nouveau roi doit cependant être sacré. » Henri IV l'avait été à Chartres en 1594, cinq ans après sa proclamation au trône en 1589. Pour son fils, les choses étaient différentes. Marie de Médicis était régente et il convenait de conduire le nouveau roi à Reims au plus vite afin d'éviter les intrigues de la marquise de Verneuil au profit de son fils. L'événement était important car un premier membre de la famille des Bourbons allait recevoir à Reims la couronne des mains du cardinal de Joyeuse, archevêque de la ville. La nouvelle dynastie qui a dû conquérir le royaume par les armes s'intègre à la tradition séculaire de la monarchie française. Le sacre doit avoir lieu le dimanche 17 octobre. Henri IV est mort depuis à peine cinq mois et les préparatifs sont longs. Il faut convier les grands personnages d'Église, mais aussi les laïcs, les ducs et pairs, la haute noblesse, des représentants des cours étrangères. Tout le pays doit être informé de l'événement, le couronnement d'un roi n'est pas une mince affaire. Rien à voir avec le sacre de Marie de Médicis à Saint-Denis, le 13 mai. Cependant, si, à neuf ans, Louis XIII va pouvoir présider aux principales fonctions de sa charge, il n'en demeure pas moins que la direction des affaires du royaume reste entre les mains de sa mère qui s'était empressée de se faire remettre la régence.

La famille royale arrive dans la bonne ville de Reims quelques jours plus tôt, le 14, retardée par les pluies d'automne. Sans doute pour se mettre dans l'état d'esprit du couronnement, elle visite des monastères, des églises et les saintes reliques. On explique au petit roi le déroulement du sacre lors de longues répétitions, et le 16, il reçoit le sacrement de confirmation. Le lendemain, en procession, Louis XIII, la famille royale, les grands du pays se dirigent vers la cathédrale où l'on a déjà déposé les insignes de la royauté, ainsi que la sainte ampoule contenant le saint chrême. Devant toute l'assistance au comble de l'émotion et ses frères et sœurs qui, quelques mois plus tôt, jouaient avec lui à Saint-Germain, Louis, qui a appris par cœur certaines formules, fait les promesses rituelles et prête le serment du sacre sur les Évangiles : celui de protéger ses peuples, ses évêques et de maintenir l'unité religieuse du royaume.

La coutume veut qu'en souvenir des premiers rois élus sur le pavois, Louis n'échappe pas à l'élection virtuelle du roi de France. Les évêques de Laon et Beauvais demandent aux grands dignitaires du royaume présents dans le sanctuaire de Reims s'ils acceptent Louis XIII comme souverain ; on entend alors sous les voûtes un long murmure témoignant d'une flatteuse approbation. Il signifie que le choix est positif. Louis XIII qui est le premier noble et seigneur du royaume reçoit alors les symboles de la chevalerie : les éperons d'or et l'épée. C'est la reconnaissance de sa fonction militaire qui fait de lui le protecteur de tous les sujets qui sont en même temps ses vassaux. Arrive le moment de l'onction sainte. Elle va faire du jeune enfant l'oint du seigneur, le représentant de Dieu sur terre. Le cardinal de Joyeuse prend un peu d'huile sainte et l'applique sur diverses parties du corps du roi : sur la tête, la poitrine, les épaules et la saignée des bras, puis sur les paumes des mains. La cérémonie est loin d'être terminée. Le grand chambellan va le revêtir d'une triple série de vêtements qui évoquent la fonction religieuse et, dans cette tenue, Louis reçoit une seconde investiture, celle de la justice (il est avant tout roi justicier) et de la souveraineté. Le cardinal de Joyeuse lui remet l'anneau qui l'unit à la France en une sorte d'alliance mystique, le sceptre, symbole de souveraineté, et la main de justice aux deux doigts recourbés.

À cet instant capital, le roi reçoit sa souveraineté de Dieu par l'intermédiaire de l'évêque qui le représente à l'autel. Le couronnement peut alors intervenir. Douze pairs du royaume, six laïcs et six ecclésiastiques, y participent. À l'appel du chancelier, ils portent du bout des doigts la couronne au-dessus de la tête de l'enfant-roi et le cortège avance lentement vers le trône sur lequel le roi va s'asseoir. Dès que la couronne a été déposée sur sa tête, des « Vive le roi ! » fusent de toutes parts tandis que l'on jette dans l'assistance des jetons d'or et des médailles. On libère alors de leurs cages, dans la cathédrale, sept cent cinquante oiselets : moineaux, chardonnerets, mésanges et rouges-gorges, qui préfigurent l'amnistie et la remise en liberté des prisonniers qui interviendra dans les semaines suivantes. À la fin de la messe, le nouveau roi offre un vase, des pains d'or et d'argent et treize pièces d'or, symbolisant la richesse du royaume.

La cérémonie du sacre est achevée. Les participants se dirigent vers le palais cardinal dans lequel est prévu un somptueux festin. Le séjour à Reims se prolonge durant quelques jours. Le roi reçoit le collier de l'ordre du Saint-Esprit et surtout doit procéder au toucher des écrouelles. Comme leurs prédécesseurs, les Bourbons sont guérisseurs, rois thaumaturges, et Louis va toucher huit cent cinquante malades, porteurs d'excroissances des glandes, au cou, dans les aines et sous les aisselles, au sanctuaire de Saint-Marcoul. On imagine la lassitude de Louis XIII au terme d'une pareille manifestation. La famille royale rentre ensuite à Paris après s'être attardée en chemin. Il était nécessaire que le peuple puisse applaudir son nouveau roi. L'entrée dans la capitale et le Te Deum à Notre-Dame sont grandioses. Installé au Louvre, Louis XIII règne, ce qui ne l'empêchera pas de recevoir encore quelques coups de martinet lorsque l'intraitable Florentine l'estimera nécessaire. Mais déjà la régente avait d'autres préoccupations.

Bien marier ses enfants était pour elle une affaire primordiale. Tout projet d'union d'un fils ou d'une fille de France sur l'échiquier matrimonial européen faisait l'objet de longues négociations dans lesquelles les considérations diplomatiques étaient loin d'être absentes, surtout en temps de guerre. Sensible à tout ce qui venait d'au-delà des Pyrénées, Marie de Médicis espérait dans son for intérieur un double mariage espagnol. Le roi épouserait l'infante Anne d'Autriche et sa fille aînée Élisabeth convolerait avec Philippe, héritier de la couronne d'Espagne. Ce double mariage ne déplaisait pas à Madrid. Lors du sacre de Louis XIII, l'ambassadeur extraordinaire d'Espagne, le duc de Féria, s'en était ouvert auprès de la reine mère.

Mais il faudrait cinq ans pour aboutir, car de gros intérêts étaient en jeu tant sur le plan intérieur qu'extérieur. Deux ans plus tard, le 26 janvier 1612, lors d'une réunion du Conseil, l'annonce en est faite officiellement, et le 25 août, jour de la Saint-Louis, le contrat est signé au cours d'une cérémonie solennelle à laquelle participent, dans la chambre du roi, la famille royale, les princes du sang, des princesses, des maréchaux de France et les membres du gouvernement. Louis et Élisabeth mariés en Espagne, restaient les autres. L'Angleterre se mit sur les rangs pour la main de Christine, la fille cadette, dès le mois de septembre 1612. Mais le prince de Galles à qui on la destinait meurt deux mois après, victime d'un refroidissement. On envisage alors de la donner au nouveau prince de Galles, âgé de douze ans. Sage, le roi d'Angleterre arrêta les négociations. En fait, Christine épousera plus tard le fils du duc de Savoie. Et c'est Henriette-Marie, troisième fille d'Henri IV, qui épousera le prince Charles devenu entre-temps Charles Ier d'Angleterre.

En principe, la conclusion de ces unions devait être admise par les princes du sang. Parmi ceux-là, deux n'étaient pas en bonne intelligence avec la régente : le prince de Condé et le comte de Soissons. Ce dernier, pour prix d'un ralliement sans arrière-pensée, désirait que l'on réservât pour son fils Mademoiselle de Montpensier, la plus riche héritière du royaume. Les Montpensier étaient bien en cour et la petite Marie, âgée de sept ans, avait été fiancée au duc d'Orléans, mort en 1611. De cette alliance des Soissons et des Montpensier, la régente ne voulait pas entendre parler. La simple évocation la mettait en transes. Promise au frère cadet du roi, elle devait le rester et s'unir à Gaston qui venait de se voir attribuer le titre de Monsieur à la mort de son frère. Le fils préféré de Marie devait nécessairement concrétiser les vœux de sa mère, ce qui fut fait. Marie de Montpensier fut présentée à Gaston comme étant sa future épouse. La reine se contenta de prévenir la petite princesse : « Vous n'en serez pas tant respectée que vous ne l'étiez de feu Monsieur : il ne vous baisait jamais sans vous en demander permission, mais celui-ci n'en fera pas de même [1]. »

La reine avait vu juste, pleine d'indulgence et d'affection pour le duc d'Anjou qui, à quatre ans, savait déjà utiliser tout le charme dont la nature l'avait comblé. C'était un enfant affectueux, séducteur, intrépide, délaissant un jeu pour poser des questions pertinentes à son entourage, ou taquiner son frère le roi. Le 15 avril 1614, Monsieur et sa sœur cadette Henriette-Marie avaient été baptisés au Louvre dans la chapelle de la reine. En habits de satin blanc, les enfants avaient reçu, devant l'autel, le baptême des mains du cardinal de Bonzi, sous le regard attendri et sans doute amusé de Marguerite de Valois, marraine de Gaston. Margot, qui s'entendait très bien avec la reine, n'était plus la belle jeune femme insouciante et primesautière, couverte d'amants, du temps de la cour des Valois. Elle était devenue une imposante dame, au visage bouffi, mais dont l'étincelle des yeux n'en finissait pas de s'éteindre. Sans enfant, elle avait su charmer son filleul et Gaston lui manifestait un vif attachement. Margot jouait avec l'enfant, lui faisait des cadeaux et pardonnait ses incartades. L'influence qu'elle eut sur le prince concernant l'amour des belles choses, du bon goût et une excessive quête de liberté fut loin d'être négligeable. Mais la bonne marraine devait disparaître un an plus tard, en 1615, provoquant une nouvelle rupture dans les sentiments de l'enfant.

Gaston continuait de participer au lot de manifestations et de représentations insupportables. L'une d'elles, extrêmement importante, fut l'inauguration des États généraux réunis par la régente, en 1614. La séance inaugurale était prévue pour le 22 octobre. Mais les salles pour les recevoir n'étaient pas prêtes. Les représentants élus du tiers état devaient se réunir à l'Hôtel de Ville, ceux de la noblesse au couvent des Cordeliers, et le clergé chez les Augustins. Finalement, tous les représentants travaillèrent sur les propositions de la reine au couvent des Augustins.

Le 26 octobre, l'ensemble des députés est réuni dans une salle de l'Hôtel de Bourbon, lors d'une procession à laquelle participe la famille royale. Louis XIII, assis sur son trône, domine sa mère figée au-dessous, à sa droite, et Gaston à sa gauche. Le jeune roi ouvre la séance en lisant un texte écrit à son intention. Puis le chancelier de Sillery impose à l'assemblée un long discours d'une heure et demie. Le roi lui réplique que chaque ordre de la nation doit faire la synthèse de ses cahiers de doléances particuliers et promet qu'il écoutera toutes les suggestions. Lorsqu'il quitte la salle en fin de soirée, suivi de Gaston qui lutte contre le sommeil, la foule massée aux abords de l'Hôtel lui renouvelle par ses acclamations le témoignage de son affection.

3.

Une éducation soignée

Le moment était venu. Le 13 juillet 1615, Gaston, âgé de sept ans, est confié à un gouverneur afin de façonner son éducation de prince[1]. Il s'agit de François Savary de Brèves. L'homme était un personnage de haut rang qui avait occupé un poste de diplomate pendant vingt ans au Moyen-Orient, dont seize auprès du sultan. On lui doit, d'ailleurs, une relation de ses voyages dans l'empire ottoman. Ambassadeur à Rome depuis 1608, il avait acquis la reconnaissance des Concini, alors bien en cour auprès de la reine, et ceux-ci obtinrent pour lui la charge de gouverneur. En même temps, la régente assurait au jeune prince une maison somptueuse avec surintendant, compagnie d'hommes d'armes, gentilhommes de la Chambre, pages et tout un ensemble de serviteurs. Monsieur de Marsan, capitaine aux gardes françaises et commandant des troupes faisant le service d'honneur des enfants royaux à Saint-Germain, fut nommé sous-gouverneur, et l'on plaça également près du duc d'Anjou Antoine de Laage, futur duc de Puylaurens, élevé comme enfant d'honneur auprès de Gaston, et qui fut son premier conseiller avant de devenir un compagnon de beuveries, de turpitudes et de révoltes.

Marie de Médicis consacra plus de deux cent mille livres aux frais annuels de la maison de Gaston*, ce qui n'était pas pour plaire au roi. De Brèves sut prendre l'enfant

---

* Les frais de la maison de la reine étaient à cette époque de 400 000 livres.

comme il fallait et obtint sans difficulté son amitié et son affection. Il est vrai que le duc d'Anjou souhaitait déjà depuis longtemps fuir les réprimandes de la sévère Madame de Monglat. Pendant l'été 1615, la cour devait se rendre à Bordeaux pour les mariages espagnols. C'était un été torride et la régente préféra laisser à Paris Gaston et sa jeune sœur. Juste avant de partir, elle avait convoqué au Louvre une délégation du Parlement afin de lui confier « la garde des deux choses qui lui étaient le plus chères, Paris et Monseigneur le duc d'Anjou ».

Si le roi, présent à la cérémonie, avait encore quelques illusions sur les sentiments de sa mère, cette fois-ci, il était édifié. La séparation définitive avec sa sœur Élisabeth fut empreinte d'une grande émotion. On raconte que pour calmer les pleurs de la future reine d'Espagne, le jeune prince se serait lancé dans l'une de ses fanfaronnades coutumières en lui avouant : « Je ne veux pas vous cacher mon intention de reprendre votre royaume de Naples. Vous aurez là quelque jour de mes nouvelles. »

Le mot d'adieu, plein d'humour, résume bien l'état d'esprit de Gaston, continuellement animé d'une humeur guerrière.

La cour quitte Paris le 17 août, alors que de Brèves et son élève s'installent à l'abbaye de Saint-Germain-des-Prés dans l'attente du retour de la famille royale.

Les préceptes d'éducation appliqués par de Brèves étonnent par leur modernité. L'enfant est intelligent, et même s'il a du mal à se fixer longtemps sur une activité, sa vivacité d'esprit, sa mémoire et son imagination débordante facilitent les enseignements. Gaston adore l'histoire, l'Antiquité romaine, la vie des « hommes illustres ». Comme on le ferait de nos jours dans une classe d'école primaire, de Brèves fait mimer les événements par les garçons d'honneur du prince. Les cours se transforment alors en affrontements entre les centurions romains ayant l'empereur à leur tête et des peuples non soumis mais qui ne vont pas tarder à l'être ; c'est l'occasion de mettre en scène un triomphe d'Imperator dans la Rome antique, maîtresse du monde méditerranéen.

Le gouverneur qui connaît parfaitement l'ancienne cité

explique les monuments, fait revivre le forum, rallume le passé glorieux des Sept collines. La géographie n'est pas négligée. Pour fixer l'attention de son élève, le précepteur a fait tapisser tout un cabinet de cartes murales devant lesquelles, ensemble, ils partent en imagination vers des terres étrangères parées de mille légendes et de fabuleux combats guerriers. De Brèves possède une foi catholique solide et, sans doute aidé par le désir de la reine, il n'oublie pas la vie des saints avec tout leur apparat hagiographique. Rien d'étonnant dans ces conditions à ce que l'esprit de son élève s'enflamme pour l'action et les exercices du corps. Dans les couloirs de l'abbaye de Saint-Germain-des-Prés, il entraîne sa troupe de pages déguisés en soldats à l'assaut d'une troupe ennemie, et un jour, il fait même le siège et s'empare de la chaire du chapitre dans laquelle il voit probablement une forteresse inexpugnable. Un autre volet très moderne de l'éducation consiste à mettre l'enfant en contact avec des personnes capables de développer à la fois ses connaissances et sa personnalité. De Brèves ne manque pas d'inviter des voyageurs, revenant de pays étrangers, ou des savants ayant mis au point une nouvelle expérience à venir raconter devant Gaston le résultat de leurs activités. C'est l'occasion pour l'enfant, impatient, aux yeux brillants, de poser une multitude de questions qui font l'admiration de tous.

De Brèves, lui-même, avait les dons d'un indéniable conteur. Comme il prenait tous ses repas avec le prince, c'était l'occasion pour lui de rafraîchir la mémoire d'une vie bien remplie. Que d'histoires sur les Ottomans, leurs mœurs, leur religion, leurs coutumes, n'a-t-il pas racontées entre deux conseils de bonne tenue à table et quelques réprimandes lorsque Monsieur prétendait ne pas avoir faim...

Le gouverneur et l'élève s'entendaient à merveille. Si quelquefois il pouvait y avoir malentendu, le litige était rapidement réglé car il avait souvent son origine dans un réveil un peu difficile de Gaston qui prétendait, alors, avoir « beaucoup d'ennemis, premièrement les barbiers, les apothicaires, les médecins et les précepteurs ».

Malgré son jeune âge, le duc d'Anjou ressent bien le climat tendu qui règne au Louvre au début de l'année 1617. La régente a confié trop de pouvoir à ses favoris Leonora Galigaï et son mari Concini, devenu maréchal d'Ancre et véritable chef du Conseil. Louis XIII souhaite vivement se débarrasser de ces intrus italiens, et sans doute, par la même occasion, signifier à sa mère qu'il est le maître dans son royaume. Ce qu'il faut bien appeler un coup d'État est préparé dans l'entourage du roi par Charles d'Albert de Luynes, fauconnier du roi. Le 24 avril au matin, les conjurés sont réunis dans la salle de billard. Le roi qui a fait préparer les équipages pour la chasse attend en jouant plusieurs parties. Gaston est à ses côtés. Vers dix heures trente, on entend dehors des hurlements et des coups de pistolet. Concini vient d'être abattu par Vitry, capitaine des gardes du corps. On a dit qu'au bruit des armes, Louis XIII, entraînant son frère avec lui, serait monté sur le billard pour montrer sa victoire avant de sortir de la salle et de murmurer : « Merci ! Grand merci à vous ! À cette heure, je suis roi. »

La reine mère, atterrée, retient mal sa douleur. Elle sait que la vengeance de son fils ne s'arrêtera pas là. Effectivement, les jours suivants, Richelieu, au service de la reine, est chargé des négociations en vue d'un exil. Marie de Médicis est complètement isolée. Si le roi autorise ses sœurs Christine et Henriette à voir leur mère, Gaston se heurte à un refus catégorique. Le 3 mai, la régente se prépare à quitter le Louvre pour Blois où elle est assignée à résidence. Le roi, Gaston et les deux filles viennent prendre congé de leur mère. Aucun des enfants ne l'accompagnera dans sa retraite. C'est une femme défaite que les enfants royaux découvrent dans l'antichambre. Louis XIII, tout à fait serein, précise clairement ses intentions : « Madame, je viens ici pour vous dire adieu et vous assurer que j'aurai soin de vous comme de ma mère. J'ai désiré de vous soulager de la peine que vous preniez en mes affaires. Il est temps que vous vous reposiez et que je m'en mêle. C'est ma résolution de ne plus souffrir qu'un autre que moi commande en mon royaume. Je suis roi à présent. Adieu, Madame, aimez-moi et je vous serai bon fils. » En sanglots, la reine serre contre elle ses filles puis s'attarde un instant, étreignant Gaston dans ses bras. Les adieux sont achevés, ils ont duré quelques minutes.

Il n'est pas certain que Gaston et ses sœurs aient bien saisi la complexité de la situation. Il ne fallait surtout pas que le duc d'Anjou se laissât aller à la mélancolie ou à un quelconque autre sentiment. Louis XIII y veilla. En décembre, le prince accompagna le roi en Normandie à l'assemblée des notables réunie dans la ville de Rouen.

Charles d'Albert de Luynes, désormais tout-puissant auprès de Louis XIII, savait attiser sa jalousie à l'endroit du duc d'Anjou, de ses belles manières et de son esprit enjoué. Il lui fit découvrir que le gouverneur de Brèves était une créature de la reine mère et qu'il serait bon de l'éloigner de son élève. En réalité, il souhaitait disposer de la charge pour l'un de ses anciens protecteurs. L'éviction du gouverneur eut lieu en avril 1618. Georges Dethan l'a décrite dans le détail, suivant le récit que le gouverneur en avait laissé[2].

La décision fut prise le 19 avril au Conseil. Le 23, de Brèves est convoqué chez le chancelier Sillery. Il sait ce qui l'attend et fait un détour par la chambre de Gaston. Le prince, réveillé, apprend, en présence de son aumônier Passart, qu'il doit se séparer de son gouverneur. Profondément choqué, le duc d'Anjou demande des explications et éclate en sanglots. D'abord sa mère et maintenant de Brèves ; visiblement, il ne comprend pas. Le 25 avril, devant le Conseil réuni, de Brèves confia Gaston à son frère et prit congé d'eux. Le nouveau précepteur était le comte de Lude, un libertin à la vie tapageuse, joueur invétéré et doté d'un langage grossier.

À Blois, Marie de Médicis était informée des faits et gestes du gouvernement et de la vie de ses enfants au Louvre. À l'annonce du départ de De Brèves, elle entra dans une colère digne d'une matrone. On avait osé toucher à son fils préféré... On s'en doute, elle n'avait pas attendu cette circonstance pour mettre en place son réseau d'intrigues, tant son espoir de revenir au pouvoir était grand. Le chef de son Conseil, Richelieu, essayait tant bien que mal de calmer son impatience. Le roi, de son côté, n'ignorait rien des agissements de l'exilée et du duc d'Épernon, prêts à la révolte. Le 11 juin, Richelieu en fait les frais ; il est prié de rejoindre son évêché de Luçon, « le plus crotté de France ».

Durant deux ans, la brouille du roi et de la reine connue sous le nom de « guerres de la mère et du fils » fit le bonheur des gazettes. Haute en couleur, on y trouve tous les ingrédients des romans de cape et d'épée avec son lot d'intrigues, d'évasions, de levée de troupes et de trahisons.

Le 23 février 1619, la prisonnière s'évade du château de Blois dans des conditions rocambolesques. On avait ficelé la grosse femme dans des couvertures avec ses cassettes de bijoux et de diamants, et on l'avait laissé glisser le long de la paroi sur une quarantaine de mètres, jusque dans les fossés. Un carrosse l'attendait au pont de Blois, de l'autre côté de la Loire, et la conduisit à Loches où l'accueillit d'Épernon. Le gouvernement, aussitôt averti, leva plusieurs armées et s'apprêta à en découdre.

D'aucuns commencent alors à penser que l'exil de Richelieu, d'abord à Luçon puis à Avignon, compte tenu de son influence, est probablement une erreur. On demande à l'évêque de se rendre à Angoulême où vont s'entamer des négociations. Le 30 avril, la reine mère accepte les propositions de Louis XIII et signe la paix d'Angoulême. Richelieu se voit récompensé par le titre de chancelier de la reine. La mère et le fils se retrouvent le 5 septembre près de Tours, au château de Couzières.

Mais loin de faire litière de ce qui vient de se passer, au lieu de regagner Paris pour retrouver sa famille, Marie de Médicis s'installe à Angers et continue à comploter durant toute la première moitié de l'année 1620. Anne d'Autriche, enceinte, a fait une fausse couche, et cette malheureuse circonstance ajoute au désir du roi d'en finir une fois pour toutes avec sa mère et son parti. Le 7 juillet, Louis XIII quitte Paris avec sept mille hommes de troupe. Après avoir apaisé la Normandie, il se dirige vers la Loire, où sa mère a massé son armée aux Ponts-de-Cé. Il faudra seulement trois heures, le 7 août, pour écraser les troupes rebelles commandées par le comte de Saint-Aignan.

Cette « drôlerie des Ponts-de-Cé » oblige l'ouverture de

nouvelles négociations. Et, à nouveau, Richelieu entre en scène. Le 10 août, une nouvelle paix est signée ; la mère et le fils se sont une nouvelle fois réconciliés, mais pour combien de temps ?...

En novembre 1620, Marie de Médicis rentre à Paris et retrouve ses enfants après trois ans d'absence.

Le comte de Lude était mort en septembre 1619, et l'éducation de Gaston avait été confiée à Jean-Baptiste d'Ornano, colonel des gardes corses. Né en 1581, il avait succédé à son père dans sa charge militaire. Grâce à ses qualités d'intelligence, d'énergie et d'autorité, l'homme avait fait une carrière très honorable : conseiller d'État en 1610, lieutenant en Normandie en 1618, avant de devenir le gouverneur de l'héritier éventuel du trône. C'était un fidèle de Luynes et cette simple circonstance en faisait automatiquement un ennemi de la reine mère. Grâce à son prestige, il était parvenu à acquérir sur Gaston une réelle autorité, annihilant ainsi les tendances de paresse et de détachement que le prince avait acquises avec de Lude. Il lui faudra néanmoins, à diverses reprises, menacer le duc d'Anjou de verges pour obtenir une meilleure compréhension.

Tallemant des Réaux est de mauvaise foi lorsqu'il fait dire ironiquement à Gaston dans « l'historiette » qu'il lui a consacrée « qu'on ne lui avait donné pour gouverneur qu'un Turc et qu'un Corse : M. de Brèves et le maréchal d'Ornano[3] ». De Brèves avait été un bon éducateur et d'Ornano réussit à susciter l'affection de Gaston. Reprenant l'enseignement pratique de De Brèves, d'Ornano met son élève en contact avec les célébrités littéraires et scientifiques de l'époque. Les jeunes poètes, tels Saint-Amant et Voiture, écrivent pour Monsieur, et le vieux Malherbe fait usage pour le prince d'une touchante verve poétique malgré son grand âge. Les scientifiques continuent à venir dialoguer avec l'adolescent qui s'intéresse à leurs travaux. Ce type d'éducation allait faire du frère du roi l'un des esprits les plus curieux de son temps et un vrai mécène. Mais, on le sait, Gaston avait besoin d'activités physiques, et quelle ne fut pas sa joie lorsque, au lendemain de ses quatorze ans, le roi l'autorisa à apprendre l'équitation, trois fois par semaine, avec des gentilshommes de son âge, dans la grande galerie du Louvre transformée en manège... Rêveur, le prince allait souvent sur la Seine discuter avec des matelots. Il les écoutait raconter leurs histoires de voyages sur des mers déchaînées et leurs aventures dans des contrées encore sauvages. Le roi allait lui donner l'occasion de voir la guerre de près.

En 1621, toute la France protestante s'est révoltée.

Le roi et Marie de Médicis quittent Fontainebleau le 18 avril. À Saumur, ils sont rejoints par Gaston qui avait dû, à treize ans, remplacer son frère à Paris pour faire un petit discours dont il s'était fort bien sorti, devant la cour des Aides et la Chambre des comptes. La famille royale réunie se dirige vers Saint-Jean d'Angély dont le siège est entrepris le 17 mai. La ville capitule le 21 juin. Pendant que Louis XIII, suivi de son frère Gaston, continue son avance vers le Midi, la reine reçoit l'hospitalité de l'évêque de Luçon dans son château de Richelieu. La campagne militaire qui avait bien débuté marque le pas devant Clairac en Agenais. La cour se trouve à Moissac lorsque Gaston tombe sérieusement malade « d'une fièvre continue pestilentielle », en réalité une dysenterie. Il s'en remet vigoureusement, mais le roi a compris que le duc d'Anjou est bien jeune et trop fragile pour la dure vie des camps*. Lorsqu'il repartira en guerre l'année suivante, le 21 mars 1622, il refusera que son frère le suive en expliquant : « Je ne doute pas de sa bonne volonté ni de son courage, mais je désire être assuré de ses forces. » Le plus simple est de confier à Gaston des fonctions de représentation lorsque le roi est éloigné de la capitale. C'est ainsi qu'en mai 1623, il inaugure le début des travaux du chœur de l'église Saint-Eustache.

L'entente parfaite entre les deux frères se double d'excellentes relations entre le duc d'Anjou et Anne d'Autri-

---

* Luynes mourra, de son côté, le 14 décembre 1621 lors du siège de Monheurt.

che. Même si elle se garde de le dévoiler d'une manière voyante, la jeune reine apprécie véritablement son beau-frère, sa culture, sa drôlerie et son bon goût. La compagnie de Monsieur la change de son intimité un peu austère avec le roi. Louis XIII le sait et s'en accommode. Un jour qu'il invite son épouse à venir le rejoindre en province, il lui écrit très simplement : « Vous aurez mon frère pour parler avec vous. Cette bonne compagnie me fait croire que le chemin vous durera moins. » Mais, en 1624, un événement faillit troubler cette belle sérénité. Le 29 avril, poussé par la reine mère, le cardinal de Richelieu entrait au Conseil malgré la répugnance du roi à l'y voir siéger*. Pour d'Ornano, cette nomination était la porte ouverte à bien des ennuis. Richelieu va chercher à dominer le Conseil, à éliminer son chef, La Vieuville. Il va surtout entreprendre une action de séduction envers le roi, et une prise en charge de la formation du duc d'Anjou qui, pour l'instant, est héritier du trône. Cela ne peut se faire que par l'éviction de D'Ornano auquel la reine mère reproche d'avoir voulu éloigner d'elle son fils préféré.

Le 20 mai, Louis XIII enlève au colonel sa charge de gouverneur. Seulement, Gaston, à seize ans, se moque bien de ce De Préaux qu'on veut placer auprès de lui. Et voilà le prince qui, entraînant les jeunes gentilshommes de sa maison, jette par-dessus l'épaule les livres et les études, et se lance dans une vie de patachon. Il donne des fêtes et des repas à ses amis, sort la nuit dans Paris et, un peu éméché, éventre en compagnie de ses « vauriens » quelques portes de boutiques marchandes avant de rentrer à l'aube au Louvre. Dans la journée, il chasse, usant des chevaux dans une course effrénée. C'est sans doute à ce moment-là que, dans les bras d'une femme stipendiée par le duc d'Elbeuf, il découvrit les plaisirs de l'amour.

Louis XIII et sa mère se trouvaient démunis. Faire la morale ? À quoi bon ! La solution était simple. Puisque tout ce désordre était dû au renvoi de D'Ornano, alors il fallait le rappeler, ce qui fut fait le 22 août 1624.

Richelieu n'avait pas renoncé à dire son mot au sujet du

* Il avait reçu le chapeau de cardinal en septembre 1622.

prince et surtout à essayer de se faire aimer de lui. Il pensa trouver la solution dans l'amitié soudaine nouée entre Gaston et Robert Arnauld d'Andilly, frère de l'abbesse Angélique Arnauld d'Andilly liée, comme on le sait, aux solitaires de Port-Royal. Arnauld d'Andilly était un personnage parfois austère, réfléchi, très religieux et moralisateur, mais qui plaisait à Monsieur pour son savoir. Peu à peu, durant l'hiver 1624-1625, une complicité intellectuelle naquit et d'Andilly étendit son influence et parvint à redresser le comportement noceur du prince, à la grande joie de D'Ornano qui se sentait, après trois mois d'exil, dépassé par les événements. Le colonel était persuadé que Richelieu cherchait sa perte et il voyait juste. Il suffit de suivre les écrits d'Andilly ; chaque fois qu'il rencontrait le cardinal « il me fallait sans cesse soutenir ses assauts pour M. le colonel ».

A la fin de 1624, d'Andilly devient, grâce au cardinal, intendant général de la maison du duc d'Anjou. Pour Gaston, la vie s'écoule entre fêtes et cérémonies de représentation où il remplace le roi. Déjà, en avril 1624, a lieu un grand bal en l'honneur des ambassadeurs anglais. Ils sont venus en France pour relancer le projet de mariage d'Henriette et du prince de Galles. Marie de Médicis regarde évoluer son grand garçon qui fait si bien danser sa sœur, mais surtout sa fiancée, Marie de Montpensier. Avant Noël, on danse au Louvre un ballet créé par Monsieur. Puis, le 11 février 1625, c'est un autre spectacle dédié aux « Fées de la forêt de Saint-Germain ». Le 21 mai 1625, le légat pontifical Barberini apporte à Paris la dispense du pape Urbain VIII pour permettre à Henriette d'épouser Charles Stuart qui est protestant. Il est accueilli par Gaston dans une atmosphère délirante et tout à fait romanesque. Henriette peut maintenant se marier. Le mariage par procuration a lieu à Notre-Dame et, quelques jours plus tard, Monsieur accompagne jusqu'à Boulogne sa sœur qui quitte le sol français. Dans la suite, il y a la reine mère, Anne d'Autriche et, surtout, le charmant Buckingham. Il fait beau sur les routes du Nord mais l'atmosphère est à l'orage. En effet, Louis XIII a refusé à son frère l'entrée au Conseil et le commandement de l'armée contre les protestants.

4.

Mariage contre apanage

Fin 1625, Gaston a dix-sept ans. S'il eût été roi, on l'aurait marié, compte tenu des circonstances, depuis plusieurs années. Au bout de dix ans de vie commune, le couple royal est resté stérile après, semble-t-il, deux fausses couches de la reine. En outre, Louis XIII a une santé délicate et incertaine. Qu'il vienne à disparaître et la voie est grande ouverte pour l'arrivée au trône du duc d'Anjou.

Dans l'entourage de la petite reine, on parle beaucoup. Un groupe de jeunes femmes rêveuses et de brillants seigneurs désœuvrés détestent le cardinal, et font des gorges chaudes des relations du roi et de son principal ministre. Madame de Chevreuse, favorite expansive et agitée, n'est pas la dernière à souffler la médisance, amplifiant le trouble né un peu plus tôt à Amiens, lors du malheureux épisode du beau Buckingham. On sait, d'après certains chroniqueurs et, en particulier, Tallemant des Réaux, qu'un soir, trompant la vigilance des dames de compagnie, « le galant culbuta la reine et lui écorcha les cuisses avec ses chausses en broderie ». Si l'échec avait été patent, il n'en fut pas sans suite. Louis XIII et Richelieu, informés, n'avaient rien trouvé de mieux que de persécuter un peu plus l'imprudente jeune femme. Alors, si son mari disparaissait, que deviendrait-elle ? Sans doute lui réserverait-on un rôle effacé. Devrait-elle supporter en pleine jeunesse une mise à l'écart, la solitude, et peut-être l'exil ? Tout était possible.

Anne, jeune et veuve, et Gaston devenu soudain roi...

Pourquoi ne l'épouserait-elle pas ? On mûrit des plans et l'on échafaude des hypothèses. Anne laisse vagabonder son imagination d'épouse sevrée et de femme insatisfaite. De confidences secrètes en bavardages innocents, de propos badins en clins d'œil amusés, la toile se tisse, enveloppant tout entière la reine dans l'entrelacs de ses mille fils. Quel crédit attacha-t-elle à ce qui peut paraître des billevesées ? Nul ne le sait ! Mais lorsque son époux lui fera, plus tard, le reproche d'avoir souhaité sa mort pour épouser son beau-frère, amère et dédaigneuse, elle se contentera, dans une laconique protestation, d'affirmer qu'elle « n'eut guère gagné au change ».

Gaston, il est vrai, est assez bien fait de sa personne, mais n'incarne cependant pas « la beauté d'Alcibiade dans la force de Coriolan ». Ce n'est pas non plus un parangon de vertu. Son confesseur, le père Condren, le dit « emporté et débauché ». À son âge, il peut s'améliorer, affiner sa personnalité, affermir son caractère. Pour le moment, il suscite plutôt l'interrogation et le doute, avec ses grands yeux étonnés et sa lèvre inférieure tombante. L'expression générale, malgré une pointe de malice, est loin de provoquer l'enthousiasme. On le dit timide, timoré, perpétuellement en mouvements incontrôlés, incapable de tenir en place, ajoutant, pour compléter le tableau, un esprit confus et une excessive vanité. Dans sa prison, Chalais dira de lui : « Monseigneur est de tous les hommes le plus léger, il est de petit esprit et de point de résolution, il a déjà perdu si peu qu'il a de serviteurs par sa faiblesse. »

On se souvient que Monseigneur le duc d'Anjou avait été fiancé, fort jeune, à Marie de Montpensier. La fille d'Henri de Bourbon, duc de Montpensier, et d'Henriette Catherine de Joyeuse. C'était l'une des plus riches héritières du royaume : princesse souveraine des Dombes, duchesse de Montpensier, de Saint-Fargeau, de Châtellerault, Dauphine d'Auvergne, princesse de La Roche-sur-Yon, marquise de Mézières, baronne de Beaujolais, comtesse de Bar-sur-Seine et Mortain, vicomtesse d'Auge, de Bresse, de Domfront, Dame de Champigny-sur-Veude, de Cambrailles et de Montaigu ! La liste des seigneuries que ses ancêtres ont rassemblées au fil des générations pourrait être complétée. De vrais ancêtres ! Et quels fameux noms ! Les Bourbon-Vendôme, les Bourbon-Montpensier, les Gonzague marquis de Mantoue, les d'Orléans : comtes d'Angoulême et de Périgord, les Polignac, les Joyeuse, les Nogaret. Des terres chèrement acquises au cours des siècles dans toutes les provinces de France et qui doivent tomber dans l'escarcelle de celle que Marie de Médicis appelle tendrement « ma fille ». Quinze ans plus tard, la reine mère n'avait pas changé d'avis. Elle désirait ce mariage et pensait que le moment était venu de le conclure.

À vingt ans, Marie de Montpensier était une agréable jeune femme, pétrie de grâce et de dignité, fort courtisée, en particulier par le comte de Soissons. Après avoir longtemps hésité, probablement en accord avec Richelieu, Louis XIII avait fini par accepter, et l'annonce du mariage fut rendue publique. Mais l'étonnement fut général à la cour, car si on connaissait le projet depuis longtemps, nul n'aurait parié sur sa réussite. Le plus difficile était de convaincre Monsieur de la nécessité de ce mariage car il avouait à qui voulait l'entendre, qu'il aimerait « mieux être diable que marié ».

Cette circonstance était une aubaine pour l'entourage d'Anne d'Autriche qui cherchera par tous les moyens à retarder le mariage. Dans une lettre adressée à Richelieu, Chalais précisera que « c'est Madame de Chevreuse qui est seule cause que toute la terre s'oppose au consentement et qui incita tout le monde à nuire à Mademoiselle de Montpensier ». Mais comment si prendre avec une personne aussi peu contrôlable que le duc d'Anjou ? Seul un proche, aimé et respecté de lui, aurait assez de persuasion pour le convaincre de renoncer. Les Dames de la reine découvrirent rapidement que cet homme ne pouvait être que d'Ornano, le gouverneur du prince. Aussi, Mesdames de Chevreuse, de Conti, de La Valette et quelques autres vinrent-elles faire le siège de la chambre où le colonel, malade, était alité. Un engouement aussi soudain pour cet honnête vieillard, assez peu sollicité à l'ordinaire, ne passa point inaperçu. Si, pour un courtisan comme Fontenay-Mareuil, cela « n'avoit aucune importance parce qu'il étoit laid », il n'en fut pas de même pour Richelieu toujours bien informé, qui en conçut une inquiétude justifiée.

Richelieu avait compris le manège. Si Gaston, pour une raison quelconque, venait à monter sur le trône, son gouverneur se verrait offrir une place considérable. Et d'Ornano ne fut pas insensible aux propositions des Dames de la reine. Il finit par accepter l'idée de jouer de son influence sur Monsieur. Richelieu en eut connaissance. Comme il était difficile de s'attaquer à d'Ornano sans froisser Monsieur, le mieux était de se l'attacher davantage et le colonel fut promu maréchal de France au début de 1626. Peine perdue pour le cardinal : Louis XIII ayant refusé d'admettre son frère aux délibérations du Conseil, Monsieur et le maréchal en éprouvèrent un ressentiment si vif qu'ils basculèrent dans le complot. Mais de quel complot s'agit-il ? Dans ce ballet de la « jungle en dentelles », jusqu'où le quadrille des intrigants est-il allé ?

Les questions abondent, mais les réponses sont obscures. S'il ne fut question que d'empêcher le mariage de l'héritier présomptif de la couronne, l'affaire est regrettable mais non unique dans l'histoire. Si un véritable complot fut fomenté, allant jusqu'à renverser Louis XIII pour le remplacer par son frère, les choses sont bien plus graves et participent du coup d'État. Convenons que, dans ce cas, rien n'aurait pu se faire sans qu'Anne d'Autriche, d'une manière ou d'une autre, ne soit au courant. Mais la reine a toujours démenti en avoir eu vent. À Chavigny qu'Anne avait dépêché auprès du roi mourant à Saint-Germain-en-Laye en mai 1643, pour « le supplier de ne pas croire qu'elle fût entrée dans l'affaire d'Ornano ni qu'elle eût jamais trempé dans le dessein d'épouser Monsieur », le roi à bout de forces se contenta de murmurer : « En l'état où je suis, je dois lui pardonner, mais je ne suis pas obligé de la croire. » En réalité, il y a bien eu une affaire d'une certaine gravité au début de l'année 1626. Sinon il est impossible d'expliquer l'arrestation du maréchal d'Ornano, des frères Vendôme et la condamnation à mort de Chalais.

Ce fut l'une de ces sautes d'humeur des grands du royaume comme il y en eut tant à cette époque. Son déroulement est à peu près connu, même s'il reste de nombreuses zones d'ombre. On fait d'abord appel à d'éminents seigneurs, puis on sollicite l'étranger. Le Conseil du roi réagit, fait arrêter certains protagonistes, et condamne l'un d'eux à la peine capitale. Ici Chalais paiera le prix de sa trahison ; quelques années plus tard, ce sera Cinq-Mars. Il ne fait aucun doute que la duchesse de Chevreuse fut l'un des principaux comploteurs. Ayant obtenu, grâce à d'Ornano, le consentement de Gaston, elle prit des contacts avec le prince de Condé, le comte de Soissons, les ducs de Montmorency et de Nevers, et surtout avec Madame de Rohan dont le rôle devait être déterminant comme relais dans une action en direction des protestants. Le haut rang de la favorite auprès de la reine, son charisme à la cour constituaient une indéniable référence de sérieux pour l'opération. Ne parlait-elle pas au nom de la reine ? N'était-il pas question de protéger Gaston ? Il n'en fallait pas plus pour échauffer des esprits prompts à la révolte. Le duc de Nevers assura qu'en cas de conflit armé il était prêt à lever des troupes en Champagne. Plus précis, le comte de Soissons promit de verser 400 000 écus à la cause de Monsieur, à condition que celui-ci lui laissât la main de Marie de Montpensier.

Le signal des hostilités était simple. Gaston devait quitter la cour, fuir vers la province et peut-être l'étranger. Le symbole était fort. L'héritier du trône s'exilait, car il n'était pas traité à son juste rang par un frère au pouvoir amoindri, sous la coupe d'un cardinal pétri d'ambition. Parmi les comploteurs de haute volée, deux fameux personnages ne ménagèrent pas leurs efforts. Il s'agit des frères Vendôme, César et Alexandre, enfants naturels d'Henri IV et de Gabrielle d'Estrées. Élevés au milieu des enfants royaux, peu aimés du Dauphin Louis, ils avaient très mal vécu la mort de leur père et estimaient être encore l'objet de méfiance. Si, à la cour, on les craignait, on n'hésitait pas à les cataloguer de personnages peu enclins à susciter la sympathie.

César, duc de Vendôme, était gouverneur de Bretagne. Son rêve était d'acquérir une certaine indépendance et, pour cela, il n'hésitait pas à user d'espèces sonnantes et d'attributions de privilèges, « recherchant la faveur du peuple par tous les moyens qu'il jugeait être propres pour se rendre populaire ». Un acte d'accusation rédigé quelques mois plus tard précisera les faits : « Le dessein de M. de Vendôme de se rendre souverain de la Bretagne paraît par diverses conjectures et par diverses actions pour lesquelles il mérite d'être qualifié fol[1]. » L'acte lui reprochera aussi une lettre écrite à d'Ornano dans laquelle il admettait sans détours « que la couronne siérait bien sur la tête de Monsieur ». Son frère Alexandre était grand prieur de France. Lui aussi se verra plus tard accusé de s'être opposé au mariage de Gaston et d'avoir sollicité le prince pour qu'il quittât le royaume.

Le choix des Vendôme, certes bâtards mais demi-frères du roi et de Gaston, pesait lourd. Dans la stratégie mise en place, cela paraissait insuffisant et l'on convint qu'il ne pouvait y avoir à l'époque de bonne révolte sans appel à l'étranger. Ce n'était pas la première fois et ce ne sera pas la dernière. Certains nobles répugnaient à satisfaire cette extrémité : Alexandre Campion, hors de lui, écrivait : « Je trouve honteux pour moi de servir le roi d'Espagne contre ma patrie. » Même Gaston interrogé le 23 juillet 1626 par Richelieu reconnut que le procédé était fâcheux et admit que « la plus grande faute qu'il eut commise était de traiter avec les étrangers », ce qui était le fait du maréchal d'Ornano. À la tête des conjurés, l'essentiel était qu'on obtînt une aide efficace. Le rôle de Gaston dans la sollicitation des appuis extérieurs est indéniable. D'abord avec l'Angleterre. Le comte de Carlisle, informé par Buckingham, montra « le déplaisir qu'on avait de le voir maltraité [Gaston]... et l'assurait qu'il serait servi du côté de l'Angleterre comme il pourrait le désirer[2] ». L'ambassadeur de France à Londres, Blainville, signale par lettre que « les discours que Monsieur lui a faits [à Carlisle] sont si pleins de haine et de mépris pour le roi que, par respect, on n'ose les écrire[3] ». Suite à plusieurs lettres de Gaston, le duc de Savoie promettait sans conviction d'envoyer dix mille hommes. L'ambassadeur des Provinces-Unies, Aarsens, sollicité, resta très évasif ainsi que le nonce apostolique qui n'entendait pas intervenir dans cette querelle. Beaucoup plus attentif fut l'ambassadeur d'Espagne.

Lors de ses aveux au roi, le 12 juillet 1626, Gaston révélera le plan de l'affaire. Il était question de soulever le peuple de Paris, lors d'une absence du roi, et d'occuper le fort de Vincennes et la Bastille. Monsieur s'enfuierait à Dieppe ou au Havre dépendant du duc de Longueville. En cas d'échec en Normandie, Gaston trouverait refuge à Metz où le gouverneur était le duc d'Épernon, tandis que les protestants de La Rochelle se soulèveraient.

Il semble que, sur les conseils de ses favoris Puylaurens et Bois d'Ennemetz, Gaston ait rejeté ce plan. Mais il y a plus fort dans cette étrange intrigue. La véritable interrogation est la suivante : a-t-on vraiment voulu déposer ou assassiner Louis XIII ? Richelieu s'en est fait l'écho en écrivant : « L'exécrable attentat contre la personne du roi a été confirmé premièrement par Chalais... » Le 17 octobre, Bullion signale à Louis XIII « qu'on n'attendoit en Savoie autre chose, sinon un changement absolu de l'État au préjudice de la personne du roi qu'on parloit de reclure », et Richelieu d'ajouter : « Deux personnes de qualité découvrirent au roi qu'on vouloit l'abaisser pour élever Monsieur. » Le roi lui-même dut reconnaître dans sa déclaration publique du 5 août 1626 « avoir reçu avis de plusieurs conspirations faites contre notre personne et notre autorité ».

Nous ne saurons jamais l'exacte vérité, mais il est nécessaire d'exposer divers faits, même si certains sont, il est vrai, difficiles à vérifier. L'arrestation du maréchal d'Ornano, elle, est indéniable. Sans preuve, le bruit courut que les Vendôme désiraient tuer Richelieu. Le cardinal, à ce moment-là, logeait dans son château de Fleury et traversait la forêt pour rejoindre le roi à Fontainebleau. Il était question de l'enlever. Averti, Louis XIII fit accompagner, à chaque visite, le carrosse de son ministre, et demanda au régiment des Gardes françaises de s'installer à Fontainebleau. Les troupes arrivèrent le 4 mai 1626. Le soir même, sur les dix heures, Louis XIII manda d'Ornano auprès de lui, le fit aussitôt arrêter par le capitaine des gardes du Hallier, et conduire au château de Vincennes. Restaient les Vendôme. Louis XIII était décidé à les briser rapidement afin d'éviter que le duc ne continuât à se fortifier dans sa province. Pour cela, s'étant mis en route vers la Bretagne, il s'était arrêté à Blois. Le grand prieur de Vendôme, inquiet, souhaitait que son frère s'accommodât avec le roi. Mais Louis XIII refusa. Les frères Vendôme résolurent alors de se rendre auprès du roi malgré l'avis de Gaston. Arrivés le 11 juin à Blois, ils furent arrêtés le lendemain.

Le troisième personnage impliqué dans le complot est le marquis de Chalais sur lequel il convient de s'attarder un peu. Il s'appelait Henri de Talleyrand et était le troisième fils de Daniel de Talleyrand et de Jeanne de Montluc. À dix-huit ans, c'est un jeune homme bien fait de sa personne, robuste et fort apprécié des dames de la cour pour « ses manières gracieuses ». Henri avait grandi comme enfant d'honneur à la Cour auprès de Gaston et avait bien connu le roi. Très fière de lui, sa mère s'était presque ruinée pour lui offrir la charge de maître de la garde-robe du roi ; charge importante qui place le bénéficiaire quotidiennement en relation avec le souverain. Grâce au duc de Bellegarde, grand écuyer, le jeune marquis avait fait un beau mariage en convolant avec Charlotte de Castille, veuve du comte de Charny et appartenant à la grande famille financière des Jeannin de Castille. Ainsi Henri, possédant fortune et dignités, voyait un plus bel avenir encore s'ouvrir devant lui. Mais ses capacités n'étaient pas à la hauteur des espérances maternelles.

Le jeune marquis était d'une intelligence moyenne, d'un caractère versatile et l'énergie n'était pas sa première qualité. Follement épris de Madame de Chevreuse, il se livra avec fougue à sa passion. Bois d'Ennemetz écrit qu'« il était passionnément amoureux » de la duchesse. Il la suivait partout, « aux églises, aux promenoirs et le plus souvent à la chapelle du Louvre ». Cette passion délirante fut-elle partagée ? Oui, écrit Madame de Motteville. Mais les lettres écrites par Chalais de sa prison révèlent que l'inconstante favorite ne lui avait pas cédé. D'Ornano arrêté, la duchesse perçut sans doute tout l'intérêt qu'elle avait de mettre Chalais dans son jeu. Et rapidement, il fut entièrement subjugué et dupé, allant jusqu'à confier à la belle intrigante qu'il avait lui-même révélé au gouvernement le projet d'enlèvement de Richelieu par les Vendôme à Fleury.

Qu'importe, la duchesse devait faire avancer ses pions... Chalais offrit de « se donner » entièrement à Gaston, même au prix de sa charge auprès du roi. Mais Richelieu veillait et on offrit à Henri la charge de maître de camp de la cavalerie légère, dont il devait prendre possession dès le mariage de Gaston. Il accepta. Surprise, la duchesse l'interrogea et se rendit compte qu'il était redevenu fidèle du cardinal, pas pour longtemps car elle parvint à se l'attacher par la séduction. Chalais était de nouveau retourné, ce qui déplut fortement au roi et à son ministre.

À Blois, Chalais rencontrait chaque soir Gaston et tenait avec lui de longs conciliabules au cours desquels on évoquait la fuite de Monsieur de la cour. La cour quitta Blois, arriva à Tours le 27 juin, puis partit pour Nantes où Marie de Montpensier devait la rejoindre. Richelieu n'avait de cesse de tancer le jeune homme afin qu'il obtienne le consentement de Gaston au mariage. Henri promettait et, en même temps, songeait à fuir avec Monsieur. Excédé, le roi décida l'arrestation du maître de la garde-robe. Le 9 juillet au matin, Henri était arrêté dans sa chambre par le capitaine des gardes de Tresmes qui le conduisit dans l'une des prisons du château. Au même moment, le roi désignait une commission judiciaire chargée de faire la clarté sur les agissements de Chalais. Tout au long de ses interrogatoires, l'accusé, affolé, adopta une attitude pitoyable, demandant grâce au cardinal, vantant les mérites du roi, et dénonçant ses amis de l'entourage de Gaston dans lesquels il voyait de « grands remueurs de ciel et terre » dont la seule préoccupation était de « danser, baller et coucher ensemble ». Il fut, dans sa détresse, encore plus dur pour la duchesse de Chevreuse. C'en était fini du complot.

Contre un bel apanage, Gaston se décida au mariage. Le 5 août à Nantes, lors d'une réunion à laquelle assistaient le roi, la reine, le duc d'Anjou, Richelieu, le garde des Sceaux et plusieurs grands officiers de la couronne, le Conseil attribua au frère du roi le duché d'Orléans et de Chartres, la ville et le château de Blois (comté) comme maison de plaisance et 700 000 livres de rentes annuelles versées par le trésorier de l'épargne. Le soir même, le contrat de mariage était signé et Richelieu bénissait les fiançailles du nouveau duc d'Orléans et de Marie de Montpensier. La messe nuptiale fut célébrée le lendemain dans l'église des Jacobins de Nantes. Mariage bâclé s'il en fut et sans apparat selon les Mémoires de Bois d'Ennemetz : « Il ne fut jamais vu mariage si triste ; Madame était vêtue d'une robe de satin blanc, parée de perles. Monsieur n'avait pas un habit neuf ; on n'entendit ni violons ni musique de tout ce jour-là. » Chalais avait sans doute raison en affirmant qu'on avait pris Gaston entre « bond et volée ». N'importe ! Chacun y trouva son compte. La cour désirait laisser de l'événement une image plus altière. Un savoureux narrateur relata l'événement en signalant qu'on ne vit « jamais une réjouissance plus universelle en la ville de Nantes ». Il poursuit à propos de l'épousée : « Il faudrait avoir le style et le langage des dieux pour parler dignement d'une si belle déesse... ni Diane sur les montagnes de Delphes, ni Minerve dans Athènes, ni Junon sur l'isle de Samos, n'ont paru jamais si belles[4]. »

Quelques jours plus tard, le couple princier quittait Nantes. Gaston éprouvait quelque répugnance à assister à l'exécution publique du comte de Chalais qui n'avait pas obtenu, lui, le pardon royal. Les choses étaient allées bon train. Au moment où Gaston convolait en noces précipitées, le 5 août, le roi instituait une chambre de justice criminelle chargée d'expédier définitivement le procès de Chalais. Dans une salle du couvent des Cordeliers de Nantes, la chambre siégea plus d'une semaine. Le 18 août, les interrogatoires de l'accusé et des témoins étant clos, la chambre rendit son arrêt : Chalais était condamné à mort pour crime de lèse-majesté. Il serait décapité sur une place de la ville : « La tête serait exposée au bout d'une pique [...] à une porte des remparts et son corps coupé en quatre serait attaché à quatre potences dressées aux principales avenues de la ville. »

La mère du condamné supplia Louis XIII, dans une lettre d'une grande beauté, de garder son fils en vie : « Sire, je vous demande, les genoux en terre, la vie de mon fils. Que cet enfant que j'ai élevé si chèrement ne soit pas la désolation de ce peu de jours qui me restent. Je vous l'ai donné à huit ans, il est petit-fils du maréchal de Montluc et du Président Jeannin. » Le roi consentit seulement à limiter les suites infamantes de la décollation. Le mercredi 19 août, l'exécution eut lieu dans des conditions atroces. La famille de Chalais ayant fait enlever le bourreau, il fut remplacé au pied levé par un condamné au gibet sans expérience qui, à l'aide d'une « doloire de tonnelier », parvint au trente-sixième coup à détacher la tête du tronc.

Restaient les autres conjurés, en particulier d'Ornano et la duchesse de Chevreuse. Pour le maréchal, l'affaire était sensible. Son procès conduirait automatiquement à Gaston qu'il faudrait interroger. On évoquerait à nouveau le complot, le rôle de la reine qui avait prié Gaston « par diverses fois en trois jours de ne pas achever le mariage » ; la participation des grands du royaume, l'appel à l'étranger. De plus, le nouveau duc d'Orléans avait laissé entendre qu'il quitterait la cour si l'on faisait procès à son gouverneur. Les hésitations du roi et du cardinal étaient fondées. Mais le destin les servit à propos. Le 2 septembre, d'Ornano mourut dans sa cellule de Vincennes après quelques jours, d'une peu banale « dysentrie accompagnée de rétention d'urine ». Qu'allait-on faire alors de la duchesse de Chevreuse ? Elle avait, de l'avis même de Richelieu, « fait plus de mal qu'aucun autre ». N'était-elle pas, aux dires de Chalais, l'auteur de la cabale, poussant Gaston à fuir la cour, qui, par l'intermédiaire de Madame de Rohan, avait fait appel à la révolte des Huguenots, qui avait sollicité l'entrée des Vendôme dans le complot ? N'était-elle pas à l'origine de la tentative d'assassinat du cardinal à Fleury ? Tout cela constituait un dossier fort lourd, mais il était bien délicat d'arrêter la favorite de la reine. Elle appartenait à une très grande famille et lui faire un procès ne manquerait pas d'irriter de fameuses maisons de la haute noblesse prêtes à se serrer les coudes dans de telles circonstances. Lors d'un Conseil, Louis XIII décida que la duchesse serait exilée au château du Verger en Poitou. Mais l'obéissance n'était pas une vertu cultivée par la favorite, elle se déroba à la décision royale en fuyant vers la Lorraine, inaugurant ainsi une pratique que n'oublièrent par la suite ni Marie de Médicis ni Gaston d'Orléans.

5.
Espoirs et déceptions

Louis XIII pensait que le mariage devait stabiliser Monsieur. Sans doute avait-il trop compté sur cette union. Une telle précipitation d'événements n'alla pas sans influer sur le comportement fantasque d'un garçon de dix-huit ans, même s'il était frère du roi et évoluait dans l'antichambre du pouvoir. Dès l'automne, à Paris, délaissant son épouse au palais du Louvre, il recommença avec son groupe de fidèles à fréquenter des endroits assez peu recommandables. Le soir, déguisé en page, parfois en soldat, il s'échappait malgré les remontrances acerbes du roi qui connaissait ses agissements par les rapports de Richelieu. Toute la cour voyait bien que la jeune épousée passait seule le plus clair de son temps, qu'elle cherchait tant bien que mal à combler les longues soirées d'hiver auprès de ses dames d'honneur en occupations frivoles. Gaston « prenait plaisir de passer souvent la nuit à se promener dans les rues de Paris, et ce sans autre dessein que de suivre son inclination naturelle qui ne lui permettait pas de rester longtemps en place ». Marie de Montpensier pardonnait les incartades et payait les dettes de jeu.

Fin octobre, la princesse annonça à la cour qu'elle était enceinte. On imagine aisément la joie qu'elle dut éprouver et manifester à l'endroit de la reine toujours sans enfant. Très orgueilleuse, Marie de Montpensier avait peu apprécié l'hostilité dressée contre son alliance avec le frère du roi. Elle était en bons termes avec Marie de Médicis qui, il faut l'avouer, avait fait preuve depuis très longtemps d'une belle constance dans son choix matrimonial. La jeune femme affirma sa position avec un certain humour, « tournant la tête quand la princesse de Condé lui tendait sa serviette ou s'obstinant à appeler “ma sœur” la reine Anne » qui appréciait peu cette familiarité. La duchesse d'Orléans savait que le 10 septembre Anne avait subi une humiliation extrême. Devant le Conseil du roi au grand complet, on lui avait montré et lu avant de les détruire toutes les pièces du procès Chalais qui sans conteste la mettaient en cause. Selon Lasseré, on vit Marie « faire parade de son ventre dans le Louvre, croyant déjà avoir un fils qui dût tenir place d'un dauphin. Chacun lui porte ses vœux et ses acclamations et tout le monde va à Monsieur comme au soleil levant ».

Il est vrai que si l'enfant naît mâle, la situation peut être bouleversée. C'est sans doute ce que pensent bon nombre de courtisans qui s'affairent autour de Gaston. En fin politique, Richelieu se prête au jeu et profite de l'accalmie dans ses relations avec Gaston pour lui vendre à prix d'or son château de Limours. Tout à ses espoirs, Monsieur taquine le puissant ministre : « Si Madame accouche d'un fils, je voudrais qu'il fût cardinal », annonce-t-il un jour à un Richelieu décontenancé, avant de poursuivre avec une pointe d'humour non feinte : « Les cardinaux font tant en France... »

Durant les mois de grossesse où chacun attend l'heureux événement, Gaston est tout en nuances. En décembre 1626, il préside une assemblée de notables réunie par Richelieu qui souhaitait faire connaître plus précisément sa politique. Durant de longs mois, Gaston assiste aux débats, y participe, reçoit des hommages et des marques de fidélité. Le cardinal est ravi de cette nouvelle attitude. Pourrait-on bientôt confier à Monsieur de véritables responsabilités ? Las, les réunions achevées, Monsieur accourt rejoindre son « conseil de vauriennerie ». Durant des heures, qui entament largement les nuits, on discute, on suggère, on échafaude mille projets. On joue aussi et on danse, le vin coule à flots et les tables sont garnies à souhait. Gaston mêle le sérieux et l'insouciance avec la complaisance tacite de son épouse.

Que de rêves écroulés, d'espoirs déçus en cette matinée du 27 mai 1627 dans le clan des Orléans, mais aussi, disons-le, quelle satisfaction mal contenue du côté du roi et du cardinal ! Sur les 10 heures, Marie de Montpensier venait de donner naissance à une fille : Anne Marie Louise d'Orléans, la future Grande Mademoiselle. Encore haletante, le visage défait, marquée par l'épuisement et les douleurs d'un accouchement difficile, la jeune maman s'est laissé retomber avec lourdeur sur la soie rose de ses draps. On le comprend, Monsieur se donne beaucoup de mal pour paraître heureux. Il va de l'un à l'autre, écoute, agacé, les compliments, esquisse un sourire et s'esquive dès que l'on veut l'entretenir. L'héritier, sur lequel il avait tant fondé d'espoirs, ce n'est pas pour cette fois. Louis XIII qui, anxieux, avait attendu la naissance, enfermé dans son cabinet d'armes, retrouve ses couleurs, laissant éclater sa joie dès qu'il apprend la nouvelle, par un « gloire soit à Dieu » qui en dit long. Selon Tallemant des Réaux, il aurait même salué l'événement d'une façon peu prosaïque en s'exclamant : « Tout est fendu ! » La reine n'est pas en reste pour chasser d'emblée les craintes qui l'avaient assaillie durant neuf mois. Blanche et potelée, Anne se penche avec satisfaction sur l'enfant nouveau-né. Quant au cardinal, mêlé à la foule des courtisans, il ne manque pas de dire avec une parfaite ironie que sa joie eût été entière « s'il eût plu à Dieu de donner à son altesse un fils au lieu d'une fille ». Pour lui, effectivement, Gaston d'Orléans cessait de présenter un danger, il se rangeait parmi les fidèles sujets de Sa Majesté.

Dans la chambre aux meubles sombres, délaissant maintenant la mère, on se bouscule autour du berceau : hommage des velours princiers, des collerettes de dentelles plissées, des brocarts rehaussés de diamants à l'héritière des Bourbons, des d'Orléans, des Polignac et des ducs de Joyeuse. C'est le moins que puisse faire la cour...

Marie de Montpensier mourut huit jours plus tard, le 4 juin. Le lendemain, son corps ouvert et embaumé fut mis dans un cercueil de plomb dans sa chambre du Louvre, recouvert d'un grand drap mortuaire de velours noir. Il resta là deux semaines. Le 20 juin, la dépouille fut transportée aux Tuileries dans une vaste salle basse où pendant cinq jours fut orchestré un ballet incessant de courtisans pour un dernier adieu. Ce n'est que le 25 juin, à une heure du matin, que le corps fut transporté à l'abbaye de Saint-Denis pour y être inhumé, posé sur un chariot traîné par six chevaux blancs et accompagné de cinquante flambeaux de cire. Comme pour les autres obsèques royales, ce fut l'occasion d'un grand festin dans le réfectoire de l'abbaye, au total vingt-cinq tables de quatre services.

Depuis le décès de son épouse, Gaston s'était retiré à Saint-Cloud chez l'un de ses fidèles, le président Lecoigneux. De retour à Paris, le 2 juillet, fuyant le Louvre, il s'installa à l'Hôtel de Bellegarde chez son premier gentilhomme, où il reçut tous ceux qui désiraient le visiter. La cour fut étonnée de l'intensité de sa douleur et des manifestations d'émotion qu'elle suscita. Mais Marie de Médicis veillait déjà jalousement sur le berceau de la petite Anne Marie Louise. Au cours de ces semaines, un événement n'était pas passé inaperçu et aurait pu toucher Monsieur, si les circonstances n'avaient pas suscité un certain ménagement à son égard. Le 21 juin, deux nobles, le comte de Montmorency-Bouteville, lié aux grandes familles du royaume, et des Chapelles étaient exécutés place de Grève.

Las de voir la fine fleur de sa noblesse s'entre-tuer pour de pointilleuses questions d'honneur, si ce n'était pour le plaisir de s'affronter en combat singulier, la monarchie avait fait paraître plusieurs édits sur les duels dont celui de mars 1626 auquel Louis XIII tenait beaucoup. L'affaire était sérieuse. On sait que le frère aîné de Richelieu était mort de cette façon et que, depuis vingt-cinq ans, cinq à six mille gentilhommes avaient péri pour avoir eu l'épée trop prompte. François de Montmorency-Bouteville était un récidiviste. Compromis dans vingt et un duels, il s'était enfui à Bruxelles sans obtenir le pardon du roi. Pour se venger, il voulut braver l'édit et jura qu'il viendrait se battre à Paris, sur la place Royale, en plein midi. Il tint parole et fut arrêté le 12 mai 1626 en pleine action, puis condamné avec son complice, par le parlement, à la peine capitale. Sa famille essaya de le sauver et, comme il était au service de Gaston, ce dernier était intervenu mais sans succès. La justice du cardinal avait été impitoyable. Comme l'écrit Lasseré, Gaston dut « boire ce nouveau calice d'amertume ».

Il est vrai que, depuis un an, la charge était bien lourde pour un jeune homme de dix-neuf ans : Chalais décapité, d'Ornano mort, les Vendôme en prison, la duchesse de Chevreuse exilée et en fuite, et Madame morte en couches, laissant une fillette de quelques jours... Une accumulation d'événements qui semblait porter atteinte à la personne du prince. Sans doute fallait-il sortir Monsieur de cette spirale d'éléments négatifs. Mais que lui proposer pour le responsabiliser ? Le hasard vint à son secours. Au moment de partir début juillet faire le siège des protestants de La Rochelle, Louis XIII tomba malade. Incontestablement, le commandement des troupes revenait à Gaston qui le réclama. Malgré les atermoiements dus à Richelieu, Gaston l'obtint grâce à l'appui de Marie de Médicis, non mécontente de voir son fils préféré valorisé par les armes. Il est possible qu'en contrepartie il lui ait promis d'épouser une Florentine du clan Médicis, sœur du grand-duc de Toscane. Le pari était tentant. Que Gaston soit victorieux, qu'il mette les Rochelais au pas et c'était la gloire, un bond en avant extraordinaire et surtout la confiance retrouvée du roi. La Rochelle était très bien fortifiée, remplie d'approvisionnements, défendue par des habitants dont l'indépendance et la foi doublaient le courage. Les troupes du roi étaient dirigées conjointement par les maréchaux de Bassompierre, de Schomberg et le duc d'Angoulême.

Parti de Paris le 28 août, Gaston n'arrivera à La Rochelle que le 15 septembre au matin et connut le jour même le baptême du feu alors qu'il prenait connaissance des travaux militaires en cours. Un groupe de cavaliers rochelais n'avait pas trouvé mieux que d'attaquer à l'improviste. Le comportement de Monsieur est décrit par le duc de Bellegarde qui, dans une lettre à Richelieu, révéla : « Nous avons eu le contentement de le voir fort assuré, sans changer ni ses actions, ni son visage ordinaire. » D'Aytré où il avait son quartier général, Gaston rassura sa mère inquiète du danger qu'il avait encouru au cours de cet échange de tirs : « Tous les volontaires de notre armée ont acquis beaucoup d'honneur et de gloire en la chasse qu'ils donnèrent à vos ennemis. » Gaston encouragea la construction de treize forts flanqués de redoutes, mais son action principale reste le secours de la citadelle de Saint-Martin dans l'île de Ré. Cernées par la flotte de Buckingham, les troupes françaises commandées par le maréchal de Toiras allaient manquer de vivres. Monsieur fit venir des Sables-d'Olonne une flottille transportant vivres et munitions qui parvint à tromper la vigilance de l'ennemi et à accoster près du fort de Saint-Martin. L'île pouvait désormais résister.

Rétabli de sa maladie, Louis XIII s'était mis en route pour La Rochelle afin de prendre lui-même la direction des opérations. La venue du roi annonçait une nouvelle étape dans la stratégie du siège. D'abord la présence du souverain mobilisait plus fortement les troupes qui attendaient de lui d'être nourries convenablement et surtout de percevoir leurs soldes. Louis XIII arriva à La Rochelle le 12 octobre et Gaston sentit aussitôt que son rôle serait amoindri. L'affaire de l'île de Ré était sienne mais le roi soucieux de la sécurité de son frère refusa qu'il débarque avec les troupes venues prêter main-forte aux assiégés. Au début du mois de novembre, les Anglais étaient chassés de l'île sans la participation de Gaston. Alors, à quoi bon rester à l'armée ? Le 16 novembre, avec l'autorisation du roi, Monsieur, déçu, reprit le chemin de la capitale, suivi par tous les gentilhommes et serviteurs qui l'avaient accompagné « pour faire le siège de La Rochelle ».

À Paris, en cette fin d'automne, Gaston retrouve sa fille âgée de six mois et surtout sa mère qui n'a pas changé d'avis sur son désir d'un mariage florentin. Seulement, les sentiments de son fils sont ailleurs : depuis peu, Gaston s'est énamouré de Marie-Louise de Gonzague, fille de Charles de Nevers, nouveau duc de Mantoue. Il lui écrit des déclarations enflammées et fait durant tout l'hiver le siège de sa chambre. La reine mère déteste les Gonzague-Nevers et, en particulier, le duc Charles qui, en 1616, alors qu'elle était régente, s'était dressé contre son autorité. Il ne peut, en aucune façon, être question pour elle d'une telle union. Durant toute l'année 1628, les amours contrariées des jeunes gens alimentent les causeries et parlotes de la cour. Y aurait-il à nouveau un complot de dames autour de Gaston en faveur de Marie-Louise ? Les rumeurs courent dans Paris au point que la vie privée de Gaston prend la tournure d'une véritable fable.

Les choses n'avancèrent guère lors du séjour à Paris de Louis XIII en mars-avril. Le roi essaya en vain de concilier le fils et la mère. Gaston voyait plus loin... Le père de Marie-Louise connaissait de grosses difficultés dans ses États, Mantoue et le Montferrat. Les Espagnols, pour gêner la France aux prises avec les protestants, revendiquaient Mantoue, la Savoie et le Montferrat.

Les troupes de Charles de Nevers sont assiégées dans Casal. De plus, le Duché est un fief impérial ; or, le 20 mars, l'empereur refuse l'investiture au nouveau duc. Pour Marie de Médicis, cet échec confirme son refus de toute ouverture matrimoniale. Gaston voit les choses autrement. Charles de Nevers étant désigné comme successeur, il est de son devoir de le protéger. Sans doute Louis XIII et Richelieu vont-ils dans ce sens, sans l'avouer. Pour eux, la question de cette intervention des Espagnols en Italie est grave, mais il faut d'abord se débarrasser du siège de La Rochelle. Aussi, lorsque Monsieur demande à son frère une armée pour se porter au secours du père de sa dulcinée il obtient une réponse dans laquelle perce l'ironie. Si Monsieur, tout émoustillé pour une grande cause, désire combattre, alors qu'il aille à La Rochelle. Ici se joue une page d'Histoire du royaume et le frère du roi y a toute sa place.

Peut-être convaincu de la justesse de ces arguments, Gaston décida le 5 octobre de rejoindre la ville assiégée en Aunis. La situation avait beaucoup évolué depuis l'automne précédent. Le cardinal avait pris lui-même la direction du siège. L'homme d'Église s'était érigé en général, ingénieur, amiral. Secondé par ses lieutenants « d'Église militante », comme il les appelait : Sourdis, le futur archevêque de Bordeaux, le père Joseph, l'évêque de Mende. Au printemps 1628, il avait fermé le port au moyen d'une digue construite par le maître maçon Thériot et l'architecte Métezeau. Le 30 avril, les Rochelais qui avaient reçu des encouragements d'Angleterre et repoussé des propositions d'accommodement avaient désigné comme maire l'amiral de leur flotte, Jean Guiton. Le nouveau maire avait enflammé ses administrés : « Je serai maire, puisque vous le voulez. Mais je jure d'enfoncer ce poignard dans le sein du premier qui parlera de se rendre. »

Le 11 mai, une flotte anglaise s'était présentée puis était repartie au bout de huit jours. Une seconde flotte, apparue le 20 septembre, entra en négociations avec Richelieu. Durant un mois, La Rochelle résista encore, mais le 30 octobre au matin le duc d'Angoulême et le maréchal de Schomberg pénétrèrent dans la ville meurtrie à la tête des troupes royales. Le lendemain, Louis XIII et sa suite allèrent écouter les vêpres à l'église Sainte-Marguerite. La Rochelle avait perdu plus des deux tiers de sa population. Même si une amnistie complète était accordée aux Rochelais, une chappe de plomb s'abattait sur la fière cité océane.

Richelieu n'avait pas d'opinion arrêtée concernant le projet de mariage. Il paraissait légitime qu'à vingt ans Gaston souhaitât convoler à nouveau en justes noces. Tout ce qui concourait à l'assagir en lui donnant satisfaction au moindre prix était bon pour la sécurité du royaume et surtout pour la paix dans la famille royale. Le cardinal n'avait pas oublié les deux guerres de la reine mère avec le roi. Et, surtout, il y avait eu l'affaire Chalais. Dans son for intérieur, il n'est pas certain que le ministre ait eu une continuelle prévention à l'encontre du prince. Bien au contraire ! Les conflits répétés entre les deux frères lui donnaient des soucis à satiété. Bien entendu, il donnait raison au roi, en dernier ressort, mais il connaissait le caractère difficile de son souverain, son insondable jalousie qui le conduisait à des agissements non dénués de mesquinerie. Il est vrai que Gaston était enjoué, fier, tortueux, imprévisible, mais Louis XIII n'avait-il pas un rôle de « père » et d'éducateur politique à jouer ?... Georges Dethan note très judicieusement cette remarque du ministre à son maître concernant Monsieur et le conseil vaut son pesant d'or : « Contenter Monsieur en tout ce qui n'est point préjudiciable à l'État et lui résister en ce qui pourrait porter atteinte à l'autorité du roi sont les deux maximes qu'il faut pratiquer avec le prince, qui, étant traité honorablement, n'entreprendra jamais rien contre le repos du royaume et les vrais intérêts de l'État, qu'il affectionne si naturellement que, lors même qu'il a eu des mécontentements, je lui ai toujours vu prendre les opinions les plus saines pour le bien public[1]. »

Louis XIII fut sans doute sensible à ces arguments puisque, dès son retour à Paris, il confia à son frère la direction des troupes françaises en partance pour l'Italie. Joie immense du duc d'Orléans, qui non seulement trouvait là l'occasion de se mettre en valeur aux yeux de sa bien-aimée (rien n'est mieux que de conquérir la fille en sauvant le père), mais aussi de glaner des lauriers dont il avait bien besoin. L'affaire était entendue à la fin décembre et, semble-t-il, Richelieu y était pour beaucoup. Seulement, il allait combattre les Espagnols, ce qui posait de gros problèmes de conscience à Marie de Médicis qui aurait bien voulu qu'on laissât le duc de Mantoue se débrouiller tout seul.

C'est dans cette atmosphère que Louis XIII décida, lors des fêtes de fin d'année, de prendre lui-même la direction de l'armée d'Italie. L'effet de surprise fut désastreux pour tout le monde. D'abord pour Richelieu qui envisagea un instant de remettre sa démission. Ce n'était pas la première fois que le cynique cardinal avait recours à cette extrémité qui faisait partie du jeu de ses relations avec le roi, ce ne serait pas non plus la dernière. Mais la pilule était difficile à avaler. Depuis deux mois, il cherchait à raccommoder la famille et, en quelques jours, le roi renversait d'un revers de main sa belle construction... Qu'allait faire Gaston ? Accepterait-il même de se déplacer et de laisser Marie-Louise seule à Paris ?

Le roi partit le 15 janvier sans son frère qui faisait traîner ses préparatifs. Et lorsqu'il se mit enfin en route, l'enthousiasme était si faible qu'il n'alla même pas jusqu'à Grenoble avant de faire demi-tour. Les raisons invoquées pour ce soudain retournement existent et elles touchent le prince au plus profond de lui-même. Coup sur coup, Gaston venait d'apprendre la mort dans sa cellule du grand prieur de Vendôme, l'un des protagonistes de l'affaire Chalais, mais surtout la nouvelle que sa mère, régente du royaume pendant l'absence de Paris de son fils, avait de façon expéditive décidé de renvoyer Marie-Louise à Mantoue. Richelieu savait bien qu'il fallait s'attendre, dès leur départ du Louvre, à un coup de pied de l'âne. Il était arrivé et touchait une fois de plus l'héritier présomptif de la couronne.

S'il est possible d'invoquer une excuse pour expliquer l'attitude de Marie de Médicis, sans doute faudrait-il sonder le cœur d'une mère. Les mariages princiers n'échappent pas aux arcanes de la grande politique, même s'ils relèvent parfois d'attachements et d'affections privés. À sa façon, la reine mère souhaite le bonheur de son fils préféré qu'elle considère comme un Médicis. Mais Gaston est si jeune, si inexpérimenté, et elle se targue, elle, d'une solide expérience... Il est vrai que ses filles ont toutes été mariées dans les plus grandes familles régnantes. En vérité, elle pense que, depuis de longs mois, Gaston est sevré d'un amour sincère, en fait celui d'une femme digne de devenir sa belle-fille. Il avait hésité à épouser Marie de Montpensier, il ne fallait pas manquer la nouvelle union. Elle ne croyait pas en la sincérité de ses sentiments. Quant à Marie-Louise, timide et peu chaleureuse, il était bien difficile de faire le tri dans ses émotions de précieuse. Aussi était-il préférable de tourner court à cette liaison à laquelle, pensait-elle, Richelieu était favorable. Réfugié dans son duché d'Orléans, Monsieur était à l'affût. Craignant un enlèvement de Marie-Louise et un mariage secret dans l'apanage de son fils, Marie de Médicis l'envoya chercher, sur les conseils de Bérulle, dans sa résidence de Coulommiers, le 4 mars de bon matin, pour la conduire au château de Vincennes sous bonne escorte.

Il est fort malaisé de saisir le comportement de Monsieur durant plusieurs mois. L'impression qui prévaut est celle d'un remue-ménage autour de lui sans que l'on en perçoive clairement le sens. Des correspondances circulent entre la reine mère et Gaston. La régente écrit à Richelieu sur le front d'Italie. Des émissaires sillonnent les routes de France. Sans doute le cardinal obtint-il la libération de Marie-Louise mais avec la promesse qu'elle quitterait prochainement la France. Une chose est sûre, Louis XIII n'a pas apprécié l'absence de son frère à ses côtés au-delà des monts, et lui en tient rigueur. Faut-il raccommoder les deux frères avant le retour du roi à Paris, c'est ce que pensent bien des gens à la cour et le cardinal de Bérulle chargé d'établir des liens entre eux n'échappe pas au désespoir. À une lettre de Gaston à son frère écrite de Montargis le 1er juillet, Louis XIII fit répondre de vive voix avec beaucoup de sécheresse de ton par son garde des Sceaux : « Je me plains de vous, du peu de respect que vous rendez à la reine, notre mère. Je me plains du peu de compte que vous faites de garder les paroles que vous m'avez si souvent et si solennellement données. Je me plains de quoi vous vous tenez si souvent loin de moi. Je me plains des désordres et débauches de votre vie [2]... » On appelle cela un lavage de tête à l'eau froide et Gaston prit peur. Face à son désarroi, ses conseillers préconisèrent la fuite car ils craignirent aussi pour eux. À l'abri derrière une frontière, il serait bien plus facile de négocier un retour en grâce. L'héritier du trône obligé de se protéger hors du royaume de la vindicte du roi...

Le 5 juillet, le groupe entourant le prince s'arrête à Sens, quinze jours plus tard, ils sont à Troyes. Véritable pied de nez à sa mère, Gaston lui écrit le 21 qu'il souhaite « prendre les eaux à Spa... pour guérir du mal que lui causent les vapeurs de la rate ». Dans les premiers jours d'août, le peloton de cavaliers s'installe à Saint-Dizier à quelques lieues de la frontière lorraine. Dernière démarche, ultime échec infligé au vieux Bellegarde par un Louis XIII intransigeant. Au début du mois de septembre, le prince passe la frontière et accepte à Nancy l'hospitalité du duc Charles IV qui met tout en œuvre pour rendre à son hôte la vie la plus agréable possible. Sans argent, les réfugiés mènent cependant un train fastueux. Les relations laissées par certains participants vont toutes dans le même sens : fêtes, bals, promenades, jeux où les gentilshommes français, fort galants auprès des dames lorraines, suscitent au-delà de la simple curiosité bien des épanchements sentimentaux. Le fidèle Puylaurens s'est entiché de la princesse de Phalsbourg, sœur aînée de Charles IV, et ne voit plus que par elle, tandis que Gaston trouve que la sœur cadette Marguerite, âgée de dix-sept ans, a bien des attraits. Le Louvre, informé de la tournure des événements, ne tarde pas à réagir et, dès le 19 octobre, le contact est rétabli par le maréchal de Bellegarde.

Mais, dans les négociations qui se tissent, certains gentilshommes souhaitent ne pas être oubliés. C'est le cas de Jacques Lecoigneux, de Puylaurens et de quelques autres. Ils ont encore présent à l'esprit le sort de Chalais et de d'Ornano. Pas question pour eux de rentrer en France sans l'assurance de rester libres et, pourquoi pas, de recueillir quelques avantages comme fruit de leur soumission... Les allées et venues durèrent deux longs mois pour aboutir le 2 janvier 1630. Le roi accordait à son frère le gouvernement d'Orléans et le duché de Valois. Il consentait à payer ses dettes (200 000 livres). Mais les gentilshommes n'obtinrent, eux, rien de concret, si ce n'est la promesse du gouvernement d'Amboise pour Puylaurens et l'abbaye de Corbeil pour Lecoigneux. Un mois et demi plus tard, le 15 février, l'ensemble des fugitifs se retrouve à Orléans pour fêter le nouveau gouverneur. Mais Gaston n'oubliait pas Marie-Louise à laquelle il rendit visite quelque temps après et à laquelle il prodigua mille hommages, lui demandant même de l'épouser. La jeune fille est trop avisée pour déplaire au roi qui ne manquerait pas de lui en faire grief. Son refus a valeur de rupture. Le 17 avril 1630, les deux frères se rencontrent à Troyes. Contre toute attente, les retrouvailles ont lieu dans une atmosphère fort détendue, une exceptionnelle bonne humeur. Le roi doit retourner sur le théâtre des opérations en Italie et nomme Gaston « lieutenant général du roi en la ville de Paris et provinces voisines ». Enfin, une véritable marque de confiance doublée d'une occupation assujetissante dans lesquelles Richelieu n'est sans doute pas pour rien. Depuis le 21 novembre 1629, le cardinal avait été nommé « premier ministre de l'État », il possédait une garde personnelle, ses propres mousquetaires et vivait dans le luxe, dans le fastueux Palais-Cardinal (l'actuel Palais-Royal) qu'il s'était fait construire. Installé au Louvre, très courtisé, Monsieur pense que l'avenir est en train de s'éclaircir.

6.

L'année des dupes (1630)

La cour avait en partie suivi le roi, la reine mère et le cardinal qui, par Lyon et Grenoble, devaient rejoindre l'armée. Seul, à Paris, Monsieur ne resta pas inactif, prenant très au sérieux les recommandations de son frère. La séparation allait durer dix longs mois et être fertile en événements. Cela faisait surtout l'affaire de la petite princesse Anne Marie Louise d'Orléans, la fille de Gaston ; qui, il faut l'avouer, avait peu vu son père compte tenu des circonstances. La fillette avait trois ans. Marie de Médicis s'était substituée auprès de la petite fille à la défunte Marie de Montpensier. Elle l'avait fait avec amour et affection. Mademoiselle le reconnaîtra plus tard en rédigeant ses *Mémoires* à Saint-Fargeau : « Elle m'aimait extrêmement et témoignait beaucoup plus de tendresse pour moi qu'elle n'en avait eu pour ses propres enfants. » Les choses en vont souvent ainsi.

Pour une princesse de sang royal, les simples gâteries et les douceurs habituelles d'une aïeule ne pouvaient suffire. Il fallait en plus du sublime, du grandiose. Loin des odeurs malsaines du Louvre, à l'architecture sombre et sévère, elle avait fait ses premiers pas aux Tuileries sur la terrasse à l'italienne, parmi les jardins somptueux, un décor de rêve d'où l'on apercevait au loin, dans la verdure et les fleurs, la butte de Chaillot. Gaston avait obtenu du roi la jouissance de ce palais. On avait choisi pour sa fille les vastes et luxueux appartements du dôme qui en composaient la partie centrale. Mademoiselle écrira : « On fit ma maison et l'on me donna un équipage bien plus grand que n'en a jamais eu aucune fille de France, même pas une de mes tantes, les reines d'Espagne et d'Angleterre[1]. »

Marie de Médicis veillait à tout. Rien, en effet, n'est trop beau pour la petite-fille d'Henri IV qui, empruntant le passage de la Grande Galerie, peut rendre visite, au Louvre, au roi et à la reine. Pour la servir, une nombreuse domesticité avait été engagée : officiers, écuyers, archers de la garde croisaient dans les antichambres, une nuée de valets, de dames d'atour, de cuisinières, de marmitons et de cochers. Marie de Médicis ne faisait pas les choses à moitié. Certes, au-delà de l'affection maternelle dont la reine mère rayonnait à profusion, il y avait aussi un fin calcul politique. En entourant d'autant de prestige le berceau de Mademoiselle, elle donnait à la fille de Gaston une importance exceptionnelle. Pour diriger tout ce monde, on avait fait appel à une personne de mérite et d'esprit : la marquise de Saint-Georges, dont la mère, Madame de Monglat, avait élevé les enfants du Vert Galant. La marquise de Saint-Georges avait appris à se mouvoir parmi les grands de la cour. Elle en savait les qualités et les défauts, les mérites et les bassesses. Que pensait-elle de Gaston d'Orléans ? Là n'était sans doute pas sa préoccupation première. Son objectif — inculquer à l'enfant royal l'alphabet compliqué de la cour — réussit à merveille. Dès son plus jeune âge, la princesse eut connaissance de la grandeur de sa naissance, de l'importance de sa maison. Flattée, encensée, adulée. Mademoiselle forge un caractère dont l'une des composantes essentielles est surtout faite de vanité : « S'il paraît en moi quelques bonnes qualités, elles y sont naturelles. On n'en doit rien attribuer à l'éducation ; quoique très bonne, car je n'ai jamais eu l'appréhension du moindre châtiment. »

Les moments que Gaston consacre à sa fille paraissent sans doute bien courts à l'enfant qui, pourtant, semble montrer à son égard un attachement profond, qu'elle perpétuera tout au long de sa vie malgré les vicissitudes qu'il lui imposera, ne serait-ce que dans la gestion de ses biens. Sans doute, n'était-elle pas informée, vu son âge, du grave problème de santé que rencontra le roi à Lyon au mois de septembre. La maladie prit le roi lentement, sournoisement, alors qu'il rentrait des opérations militaires d'Italie, à la fin du mois de juillet. Le 22 septembre, son état s'est subitement aggravé. Il dut s'aliter alors que la fièvre qui le tenait depuis près de deux mois avait brusquement monté.

Durant une semaine, Louis XIII délire. Mais, dans la nuit du 29 septembre, il rejette pus et sang. Le père Suffren estime que le moment est venu pour le roi de se confesser et de voir sa famille une dernière fois. On imagine la scène. Le roi, allongé dans un état pitoyable, fiévreux, recroquevillé, le front perlé de sueur, fait ouvrir les portes de sa chambre, puisqu'un roi doit mourir en public. Anne et Marie de Médicis approchent du lit. Anne, très pâle, entortille un mouchoir dans ses mains pour s'essuyer les yeux. L'imposante Marie, le visage dur, la suit, pétrie elle aussi d'émotion. Tout cela est allé si vite ! Dans un souffle de voix, Louis parle, les yeux dans le vague. Il demande pardon à ses proches, à ses sujets et d'un signe demande à son épouse de s'approcher pour l'embrasser. Cette lugubre cérémonie achevée, le cardinal de Lyon, un frère de Richelieu, administre l'extrême-onction. Le premier ministre, lui, est tenu à l'écart. Alors ce fut un véritable miracle quand le lendemain, 30 septembre, le roi reprit connaissance et que la fièvre baissa. On mit cela sur le compte des centaines de messes dites pour sa guérison. Plus prosaïquement, il s'était débarrassé de son abcès intestinal.

À nouveau guéri mais paralysé par une extrême faiblesse, Louis XIII est l'objet de maintes manifestations d'affection de la part des deux reines qui se rendent en pèlerinage de remerciements à Notre-Dame-des-Grâces dans l'île Barbe. Mais les marques d'affection ne sont pas innocentes. Louis XIII a sollicité de sa femme le pardon « pour n'avoir pas bien vécu avec elle ». Lui a-t-il promis d'être plus attentif à ses conseils ? C'est possible, car sa convalescence est un continuel assaut des deux reines pour le renvoi du ministre. Ce que le roi ne sait pas, mais peut-être s'en doute-t-il, c'est que l'on n'a pas manqué de spéculer sur sa disparition. Durant près d'un mois, Gaston reçoit à Paris des courriers quotidiens, précisant l'évolution de la santé du roi. L'un de ces courriers a probablement apporté une lettre de Madame du Fargis, dame de la reine, à celui qu'à Lyon on commence à considérer comme le futur roi. Gaston veuf, Anne veuve... Qui pourrait empêcher un rapprochement dont tant de personnes se font l'écho ? De son côté, Marie de Médicis se considère déjà régente et fabrique un ministère à son idée. Le garde des Sceaux Marillac, premier ministre ! Richelieu évincé ! Mais que faire de lui ? Le maréchal de Marillac avait proposé de le supprimer de sa propre main. Bassompierre souhaite le mettre en prison, tandis que le duc de Guise le verrait très bien en exil à Rome.

Aux Tuileries où il guette les courriers, Monsieur fait preuve de sagesse ; même si certains fidèles se voient déjà pourvus de charges mirobolantes, il sait, lui, l'héritier du trône, que l'on ne peut crier « Vive le roi ! », que lorsque son prédécesseur est vraiment décédé.

Au milieu du mois d'octobre, la cour regagna Paris. Une partie du voyage s'effectua par la Loire. Sur le même bateau, on trouve le roi, la reine mère et le cardinal. Dans le chassé-croisé des conversations, le roi évoque avec son ministre la mauvaise humeur de Marie de Médicis à son égard et lui demande de prendre sur lui afin que leurs rapports ne s'enveniment pas. Peine perdue, car les hostilités ont repris dès l'arrivée dans la capitale. Les travaux entrepris au Louvre ont nécessité la fermeture de nombreuses salles et le roi s'installe rue de Tournon, dans l'ancien Hôtel de Concini, baptisé Hôtel des ambassadeurs extraordinaires. Sa mère réside au Luxembourg. Le roi et Richelieu sont tout à la joie de la paix retrouvée en Italie, le 26 octobre sous les murs de Casal. Giulio Mazarini, un jeune diplomate au service du pape, capitaine de son état, avait obtenu la paix et l'avait apportée au galop de son cheval, s'interposant entre les armées prêtes à en découdre.

Marie de Médicis fête l'événement à sa façon, par un feu de joie dans les jardins de son palais. En réalité, elle prépare un véritable incendie au Conseil, lors de réunions secrètes qui se tiennent au couvent des Carmélites de la rue Saint-Jacques. Les conjurés dressent une véritable liste des griefs faits au cardinal. On discute pêle-mêle de son pouvoir sur le roi, de son népotisme, dont le plus bel exemple est sa nièce, Madame de Combalet, dame d'atour de la reine ; on n'oublie pas son immense fortune rassemblée dans des conditions de favoritisme exacerbé. Richelieu a connaissance de cette effervescence et cherche à prendre les devants. Début novembre, il adresse une longue lettre à la reine mère ; lettre explicative, démonstrative et surtout pathétique : « Madame, écrit-il, épargnez-moi, de grâce, par cette pitié qui vous est naturelle, car la pourpre que je porte, dont vous m'avez revêtu, perdra son éclat et son lustre, si le rebut de Votre Majesté y imprime de si noires taches. Quelle apparence y a-t-il que le plus obligé des hommes fût le plus ingrat, et que ma conscience, mes intérêts et ma première inclination m'attachant à votre service, je m'en sois séparé pour le seul avantage d'acquérir le nom de traître à la meilleure et à la plus grande reine de l'univers ? »

Cependant la décision de Marie est prise depuis longtemps. Gaston est certainement au courant lorsque le 9 novembre, il rencontre, à la demande du roi, le cardinal qu'il n'a pas vu depuis son retour. Il assure Richelieu qu'il est toujours prêt à aimer son frère « pourvu qu'il lui en donnât plus de sujets à l'avenir qu'il n'avoit fait par le passé ». Il est toutefois probable que Monsieur n'ait pas souhaité soutenir sa mère, mais ait voulu attendre de voir comment les choses évolueraient pour en tirer parti, ce qu'il ne manqua pas de faire. La journée des Dupes, telle que l'Histoire l'a retenue, se déroule en fait sur trois jours : les 10, 11 et 12 novembre 1630, selon un scénario improvisé dans un climat de grande tension et de tragédie.

Dimanche 10 novembre, un Conseil doit se tenir au Luxembourg en fin de matinée. Chez lui, de bon matin, le ministre rédige comme d'habitude ses notes pour la séance. Parmi elles, se trouve une faveur pour la reine : la nomination du maréchal de Marillac au commandement en chef de l'armée d'Italie. Lors du Conseil, la proposition est entérinée. À la fin de la réunion, Marie de Médicis prie le ministre de rester et lui signifie « qu'elle ne veut plus aimer le cardinal, ni le voir dans sa maison, ni aucun de ses parents et amis, auxquels elle donne congé ». Elle lui enlève les charges qu'il occupe auprès d'elle : chef de son Conseil, surintendant, grand aumônier. L'événement se répand comme une traînée de poudre et déjà bien des courtisans affichent des mines qui en disent long. Encore faut-il que le roi accepte.

Lundi 11 novembre au matin... Le roi a décidé une entrevue d'explication entre les trois protagonistes, dans la chambre de la reine mère. Louis XIII et sa mère sont en conférence lorsque Richelieu se présente et, à sa grande surprise, se voit refuser la porte. Par un passage dérobé, il parvient à accéder à la chambre et surprend le fils et la mère dans une vive conversation. À sa remarque mal assurée : « Je suis sûr que Vos Majestés parlaient de moi », Marie réplique avec une incisive cruauté : « Oui, nous parlions de vous comme du plus méchant et du plus ingrat de tous les hommes[2]. » Ne se contrôlant plus, la Florentine, fondant en larmes, déverse alors un flot de ressentiments à l'égard du cardinal qui, à genoux et en pleurs aussi, baise le bas de sa robe et la prie de l'écouter. Louis XIII, d'abord impassible, demande alors à son ministre de se retirer. Ce dernier l'attend en bas de l'escalier. Les sources ici divergent. Pour certains, le roi passera devant lui sans un mot ; pour d'autres, il lui aurait recommandé de se retirer quelques jours à Pontoise, le temps que les esprits se calment. En début d'après-midi, avant de se rendre à Versailles, le roi fait porter un billet à Richelieu et un autre au chancelier Marillac, leur demandant de le rejoindre le soir même.

Au Petit-Luxembourg, le premier ministre est perplexe ; il se croit perdu. Madame de Combalet envisage de se retirer dans un couvent. Il écoute cependant l'un de ses fidèles, le cardinal de La Valette, souvent désigné sous le sobriquet de cardinal-Valet : « Allez rejoindre le roi à Versailles, lui dit-il, il ne faut jamais laisser seul un souverain... Si vous n'y allez pas, il vous abandonnera... » En fin de journée, Richelieu gagne Versailles. Aussitôt son ministre introduit, Louis XIII lui confirme son choix : « Continuez à me servir comme vous l'avez toujours fait et je vous maintiendrai contre les intrigues de vos ennemis. » Marillac, lui, n'est pas reçu. Inquiet de la tournure des événements, il avait détruit une grande partie de ses papiers dans l'après-midi. À Versailles, on lui intime l'ordre de se rendre dans un petit village proche, appelé Glatigny, et d'y attendre les ordres. En pleine nuit, ministres et secrétaires d'État, venus de Paris, entendent au cours d'un Conseil improvisé de la bouche du roi le maintien de Richelieu et le renvoi de Marillac, remplacé au poste de garde des Sceaux par Châteauneuf, un homme du cardinal.

Mardi 12 novembre. Louis XIII et Richelieu rentrent ensemble à Paris. Les décisions prises au cours de la nuit sont connues dès l'aube. Le roi charge le surintendant des Finances Claude de Bullion d'en avertir sa mère en personne. Le fils et la mère ne se verront qu'une semaine plus tard, le 19 novembre à Saint-Germain. L'entrevue ne donnera rien, Marie de Médicis refusant de revoir le cardinal. Le 21 novembre, recevant une délégation du parlement, le roi résume l'affaire avec des mots très simples : « Je veux honorer et respecter ma mère, mais je veux assister et protéger le cardinal contre tous. » Quelle humiliation pour Marie de Médicis qui rumine sa rancœur, alors que, dès le 13 novembre, Gaston reprend contact avec un Richelieu remis en selle par son maître et négocie avec lui... Tant de précipitation charme sans doute le ministre miraculé qui acquiesce à ses principales demandes : une charge de président au Parlement de Paris pour Lecoigneux et 50 000 écus pour Puylaurens avec la promesse d'un duché-pairie. Le 9 décembre, les deux hommes se rencontrent, Gaston a compris la leçon et se montre peut-être sincère lorsqu'il affirme : « Je vous ai bien haï depuis deux ans... Maintenant je veux vous aimer autant que je vous ai haï [3]. »

En dehors de la famille royale, les personnages compromis dans la tentative de coup de force avaient bien raison d'être inquiets. Les premières victimes furent les frères Marillac que Richelieu avait essayé quelques années auparavant de s'attacher. Mais ils avaient fait un autre choix. Le chancelier, auteur du code Michau, un ensemble de mesures concernant la vie intérieure du pays, était un personnage d'envergure mais ses idées politiques n'étaient pas celles du principal ministre dont il convoitait la place. Si près du but, la chute n'en était que plus terrible. Arrêté dans la nuit du 11 novembre, le chancelier Michel de Marillac est assigné à résidence au village de Glatigny avant d'être enfermé dans la citadelle de Châteaudun où il mourra deux ans plus tard. Son frère, le maréchal Louis de Marillac, est arrêté à l'armée d'Italie le 21 novembre et conduit après un long voyage à la prison de Sainte-Ménehould. Son procès interviendra deux ans plus tard, non devant le Parlement de Paris mais devant une commission extraordinaire, comme celle qui avait jugé Chalais, réunie à Rueil dans la maison de campagne de Richelieu. Parodie de justice ! Procès bâclé ! Les juges trouvèrent à sa charge des exactions commises lorsqu'il commandait en Champagne. Il fut condamné pour péculat le 8 mai 1632 et décapité le 10, place de Grève à Paris. Les ducs de Guise et de Bellegarde furent bannis du royaume et le vieux maréchal de Bassompierre fut embastillé après, dit-on, avoir détruit six mille lettres d'amour. Condamné à la réclusion à vie, celui qui avait été lieutenant-général au siège de La Rochelle et qui s'était illustré en Italie en 1630 sortira de sa geôle, Richelieu mort, au début de 1643. Peut-être l'anecdote rapportée est-elle véridique : Louis XIII, le revoyant après une si longue détention, s'enquit de son âge : « Sire, répondit le maréchal, j'ai cinquante ans. » Devant l'étonnement du roi, il précisa : « Sire, je retranche dix années passées à la Bastille, puisque je ne les ai pas employées à vous servir. » Le maréchal, il est vrai, avait franchi le pas de la soixantaine.

L'entourage des deux reines ne fut pas épargné. La princesse de Conti, maîtresse de Bellegarde et amie de la reine mère, est exilée. Les proches d'Anne d'Autriche sont touchés, ceux qui constituaient la maison espagnole de la reine et que l'on avait déjà réduits à diverses reprises. On éloigna Madame du Fargis qui souhaitait tant réunir Anne et Gaston sur le trône et dans un lit. On écarta même l'ambassadeur d'Espagne Mirabel et son épouse qui virent leur rôle limité aux strictes nécessités de la diplomatie. La vindicte du cardinal était passée. Il avait eu trop peur pour ne point se venger. En ce mois de décembre 1630 c'est, bien au-delà d'une simple journée, une année de dupes qui s'achève. La maladie du roi, la tentative de coup d'État de la reine mère : deux événements marquants dans lesquels les participants passent en quelques heures du Capitole à la roche Tarpéienne. Des clans bien marqués qui s'observent, se disputent, se détestent, se combattent à mort. L'ambition personnelle, l'amour du pouvoir, mais aussi le système des créatures et des fidélités s'étalent en une vaste toile de fond. Voilà un chancelier qui rêve de devenir premier ministre et qui finit lamentablement dans une geôle, son frère maître des opérations en Italie, décapité plus tard alors que, dans son procès, il ne s'agit « que de foin et de paille... pas de quoi fouetter un laquais ».

Perdus, Guise, Bellegarde, Bassompierre, de valeureux militaires marqués par toutes les batailles livrées depuis des décennies au service du roi. La victoire de Richelieu est complète. C'est un triomphe personnel mais l'alerte fut chaude. La fin de l'année approche et les fêtes devraient, du moins en apparence, réunir tout le monde dans la célébration de la Nativité. Le 23 décembre, le cardinal Bagni, nonce apostolique, provoque en vain une rencontre entre la reine mère et Richelieu. Deux autres auront lieu le 24 et le 25. On parle mais les regards en disent long tant ils sont chargés de haine. L'atmosphère est irrespirable, chargée, prête à exploser à la moindre étincelle. Gaston la provoquera lui-même un mois plus tard.

7.

Monsieur se révolte

Marie de Médicis n'avait pas admis l'accord passé entre Gaston et Richelieu le 9 décembre 1630. Que le bel édifice mis en place depuis la maladie du roi se soit effondré lamentablement n'impliquait nullement la soudaine allégeance de Monsieur au cardinal. Cela au moment où Anne d'Autriche, blessée par l'attitude du roi à l'égard de la maison espagnole, s'était tacitement rapprochée de la reine mère dans une commune bouderie. Dans un climat d'attente passive, de moiteur psychologique, la reine mère participe à quelques Conseils en se gardant bien d'adresser la parole au ministre. Chacun le sent, le perçoit, le sait et l'envisage mais se calfeutre dans le non-dit. La famille royale est prête à partir en éclats. Le signal de la révolte est donné par Gaston. Au départ, on peut y voir la réaction normale d'un fils adulé qui veut défendre l'honneur de sa mère bafoué par le roi pour maintenir au pouvoir un ministre détesté de tous. Le problème est que, dans son affection filiale, Gaston n'avait pas mesuré l'étendue de la lassitude et de la rancœur de Louis XIII pour qui la coupe était largement pleine. Le 30 janvier 1631, elle va déborder.

Ce jour-là, Gaston se présente accompagné d'un nombre important de gentilshommes chez Richelieu au Palais-Cardinal. Malgré sa surprise, le cardinal le reçoit bien et doit écouter une longue déclaration récriminatoire. Gaston lui dit « qu'il venait rétracter la parole qu'il lui avait donnée peu de jours auparavant d'être son ami, lui déclarer au contraire qu'il n'était pas pour demeurer sans ressentiment qu'un homme de sa sorte se fût tant oublié que de mettre toute la famille royale en combustion : que devant sa fortune et toute son élévation à la reine sa bienfaitrice, au lieu de lui en témoigner sa gratitude, ce qu'un homme sage et un fidèle serviteur eût fait, il fût devenu au contraire son plus grand persécuteur ; continuant par ses artifices ordinaires à la noircir dans l'esprit du roi [1]... »

Puis, Gaston, laissant sur place le ministre stupéfait, remonte sur son cheval et suivi de son escorte va sur-le-champ se mettre à l'abri dans sa ville d'Orléans. Louis XIII, aussitôt informé, met sur le compte de Marie de Médicis cette crise soudaine de son frère et souhaite une franche conversation avec sa mère à Compiègne où il est arrivé le 12 février. Les conseillers de Marie ne sont pas hostiles à une négociation. Ils ont compris depuis la journée des Dupes qu'il était désormais impossible de s'attaquer à Richelieu. Mais la reine mère s'entête, voulant amener le roi à choisir entre elle et le ministre. Lors d'un Conseil tenu le 22 février où toutes les hypothèses sont envisagées pour trouver une solution, la décision est arrêtée. Louis XIII souhaite se séparer d'elle quelque temps « afin que son esprit eût loisir de se désabuser et éloigner d'elle pour toujours ceux qui étaient les auteurs de ses maux [2] ».

Marie de Médicis est avertie le lendemain par Anne d'Autriche et le maréchal d'Estrées, commandant les Gardes françaises de Compiègne. Dans la journée, le couple royal regagne Paris sans prendre congé de celle qu'il faut bien désigner maintenant comme une prisonnière. Les mesures d'éloignement prises à l'encontre de ses proches éclairent parfaitement les intentions du roi. Parmi les victimes, reléguées sur leurs terres, on trouve la princesse de Conti et les duchesses d'Ognano et d'Elbeuf. Comme il n'est pas possible de laisser la reine mère à Compiègne où le roi aime séjourner avec la cour, on la prévient qu'elle devra s'installer à Moulins.

Cette affaire résolue, il restait à connaître la réaction de Gaston. Le roi et son ministre s'étaient sans doute fait forts de ramener le jeune étourdi à de meilleurs sentiments. Le problème était que si Gaston avait bien envoyé des messagers auprès du roi en guise d'ouverture, son chancelier Lecoigneux intriguait pour lever des troupes en Poitou et en Limousin. Il fallait donc briser ce début de rébellion dans l'œuf. Le 10 mars, Louis XIII quitte Paris à la tête d'une modeste armée. Prévenu, Gaston quitte Orléans pour la Bourgogne où il pense recevoir l'appui de son ami Bellegarde, gouverneur de la province. En route, il s'arrête le 13 mars à Sully-sur-Loire où il s'entretient durant plusieurs heures avec le maître des lieux, l'ancien ministre de son père, éloigné du pouvoir depuis vingt ans. La petite troupe progresse rapidement dans un climat d'allégresse. Sur son passage, des fidèles crient « Vive Monsieur et la liberté du peuple ! ». Ils sont à Bléneau le 14 mars, à Toucy le 15, à Montbard le 18. Dijon ayant fermé ses portes à son approche, le prince s'installa le 22 mars à Seurre, sur la Saône. Les négociations avec le roi n'ayant pas abouti, il passa en Franche-Comté qui était une terre espagnole.

La situation devient inconfortable pour Louis XIII. Sa mère refuse de quitter Compiègne et voilà son frère réfugié chez l'ennemi... Le 31 mars, il décide à Dijon de frapper les gens qui ont suivi Monsieur. Le comte de Moret, son demi-frère, les ducs de Roannez, d'Elbeuf et de Bellegarde ainsi que Lecoigneux, Puylaurens, Monsigot et le père Chanteloube qui sont déclarés coupables de crimes de lèse-majesté. Leur faute ? Avoir mal conseillé Gaston ! Dans une lettre au roi du 1er avril, Gaston précisait que sa fuite n'avait rien d'une révolte : « Je ne suis point sorti de la cour pour troubler votre État, ni pour altérer le repos de vos sujets. » Il craignait tout au plus la vindicte de Richelieu. Ses émissaires avaient divulgué la lettre parmi des membres du Parlement de Paris dans lequel elle attisa un climat d'inquiétude tel que le parlement refusa le 26 avril d'enregistrer la déclaration royale contre Monsieur. Il fallut recourir à l'exil de quelques parlementaires pour amener, le 13 mai, la digne assemblée à de meilleurs sentiments. Ayant obtenu de Charles IV, duc de Lorraine, une autorisation de séjour, Gaston arriva à Nancy, le 28 avril, épuisé et tomba aussitôt malade.

Comme le roi ne semblait pas avoir saisi les idées et le comportement de son frère, Gaston publia à Nancy, le 30 mai, un manifeste explicatif d'une grande impétuosité à l'encontre du cardinal. La véhémence du prince dénonce : « un prêtre inhumain et pervers pour ne pas dire scélérat et impie qui trahissait son ordre et sa vocation [...] avait introduit dans le ministère la perfidie, la cruauté et la violence ». Il rappelle au roi l'ingratitude du ministre envers la reine mère qui avait fait sa carrière au début et le peu de sentiment pour lui, l'héritier du trône. Assurément, Richelieu est un nouveau « maire du palais » dont l'ambition est de vouloir devenir « souverain de cette monarchie sous le titre de ministre ». L'action du ministre est si néfaste que la France est dans un « déplorable état ». Et cela « par les effets de l'ambition du cardinal [...] il détruit la force de tous les ordres de votre royaume [...] étouffe les fonctions des compagnies souveraines [...] leur ferme la bouche et leur ôte l'accès vers Votre Majesté, quoique leur principal devoir consiste à représenter la vérité librement aux rois pour le bien de leur service ».

Gaston se veut libéral, défenseur des libertés publiques atteintes par la tournure que prend la connivence politique du roi et de son ministre vers un absolutisme jugé de mauvais aloi. Gaston est généreux envers le peuple, qualité héritée de son père, aussi brosse-t-il un tableau fort noir de la misère populaire qu'il a rencontrée sur les routes de son exil lorrain : « Je vous dirai ce que j'ai vu. C'est qu'il n'y a pas un tiers de vos sujets dans la campagne qui mange du pain ordinaire ; l'autre tiers ne vit que de pain d'avoine et l'autre tiers n'est pas seulement réduit à la mendicité mais languit dans une nécessité si lamentable qu'une partie meurt effectivement de faim. L'autre ne se sustente que de glands, d'herbes et choses semblables comme les bêtes, et les moins à plaindre de ceux-ci ne mangent que du son et du sang qu'ils ramassent dans les ruisseaux des boucheries. » Le rappel d'une situation aussi funeste aurait dû alerter Louis XIII s'il n'avait été lui-même averti des graves difficultés de ses sujets.

Du côté de Marie de Médicis, les choses n'allaient guère mieux. Dans une lettre du 1er juin, le roi intimait à sa mère l'ordre de rejoindre dans les quinze jours Moulins ou Angers où elle serait libre de ses mouvements. Peine perdue ! Le 15 juin, le maréchal d'Estrées renouvela la demande expresse de son souverain, qui resta sans écho. Il est probable que la reine mère prépare elle aussi sa fuite organisée par Gaston et à laquelle ses gendres d'Espagne, d'Angleterre et de Savoie ont souscrit. Dans la nuit du 18 au 19 juillet, Marie de Médicis quitte furtivement Compiègne en direction de la Lorraine mais la citadelle de La Capelle refuse de la recevoir. Il lui faut changer de cap. Le 29 juillet au soir, elle entre dans les Pays-Bas espagnols : elle ne sait pas encore qu'elle ne reverra jamais la France.

La réplique du roi ne se fit pas attendre. Le 13 août 1631, Louis XIII demandait au Parlement de Paris d'enregistrer une nouvelle déclaration mettant en cause cette fois-ci son frère et sa mère. Les biens de Monsieur sont mis sous séquestre. On lui enlève également la gestion des biens immenses de sa fille Anne Marie Louise d'Orléans, âgée de quatre ans qui est confiée aux conseillers d'État Favier et d'Irval, et à Grasteau, conseiller au parlement. La petite princesse se rendait bien compte de l'absence de son père et de sa grand-mère et en souffrait : « J'eus en cette occasion-là, écrit-elle dans ses *Mémoires*, une conduite qui ne répondait point à mon âge, et je ne voulais me divertir à quoi que ce fût... L'état où Monsieur était à la cour n'empêchait pas que l'on n'ait tous les soins possibles de moi : le roi et la reine me traitaient avec des bontés non pareilles et me donnaient toutes sortes de témoignages d'amitié [3]. »

À Nancy, Gaston ne se mêle pas seulement d'intrigues, ce serait mal le connaître que de faire fi des fredaines de cœur. On se rappelle que, lors de son premier exil à Nancy en 1629, il n'avait pas été insensible aux charmes juvéniles de la plus jeune sœur du duc, Marguerite de Vaudemont-Lorraine, âgée de quinze ans. Voilà la belle enfant à nouveau courtisée, tandis que le fidèle Puylaurens retrouvait les faveurs de la sœur aînée, Henriette, princesse de Phalsbourg. Seulement le duc Charles IV a mis des conditions au second exil sur ses terres du prince français. L'une d'elles est le mariage de Gaston et de Marguerite. Bien entendu, le mariage d'un fils de France ne peut se faire qu'avec l'assentiment du souverain. Après avoir obtenu l'autorisation de sa mère, Gaston négligea d'en référer à Paris. Tout au plus accepta-t-il que le mariage fût secret. Le 3 janvier 1632, dans une chapelle du prieuré de Saint-Romain à Nancy, un moine bénédictin bénissait l'union à laquelle assistaient quelques membres de la famille ducale. Du côté français, seuls Puylaurens et le duc d'Elbeuf étaient présents.

Charles IV n'avait pu mener lui-même sa sœur à l'autel. Louis XIII, sans doute informé des intrigues de Nancy, était aux portes du duché à la tête d'une armée. Sans véritable combat, le duc dut traiter le 6 janvier, à Vic, avec son puissant voisin. Craignant l'invasion de la Lorraine et d'être livré à son frère, Gaston eut juste le temps de consommer son mariage et, délaissant la petite épousée, prit la route des Pays-Bas espagnols. Le 19 janvier, il était à Luxembourg où, selon Goulas, le gouverneur lui avait fait préparer « le plus plaisant souper qui fût jamais, un vrai repas à l'Allemande sans politesse, sans délicatesse, sans propreté aucune ».

Le 28 janvier, Gaston et ses gentilshommes étaient accueillis à Bruxelles par l'infante Isabelle, gouverneur des Pays-Bas. La reine mère et son fils préféré exilés, se démenant dans de continuelles intrigues, la coupe était pleine et l'épreuve de force difficile maintenant à éviter. Mais la situation ne semblait pas perturber outre mesure la joie de vivre du prince. Au printemps 1632, les plaisirs sont, à Bruxelles, à l'ordre du jour. Les gentilshommes français, fort appréciés, font avec tapage chanceler les cœurs des Bruxelloises désœuvrées. Gaston lui-même fait une cour empressée à la belle Bianca Colomma alors qu'il est marié depuis deux mois. Il ne le cache pas à sa jeune femme : « Je fais ici force galanteries. Mais je suis bien sage. Du reste, ma galanterie est par maxime d'État. Cela ne m'empêche pas que je vous aime plus que toutes les choses du monde. Aimez-moi bien aussi. »

Les fameux Mémoires de Gaston d'Orléans ne sont pas avares de détails sur le comportement de ces Français qui mènent joyeuse vie aux frais de l'infante d'Espagne. Ainsi, chaque repas dresse six tables. Celle de Monsieur, celle de Puylaurens composée de quinze couverts ; une troisième de vingt couverts pour les maîtres d'hôtel et gentilshommes ordinaires et appointés ; la quatrième de vingt couverts rassemble les jeunes nobles de la suite princière. À la cinquième, on trouve les officiers de la chambre et de la garde-robe et, à la dernière, les officiers de rang inférieur. L'atmosphère y est insouciante, irréelle, désordonnée. Cela n'empêche pas les choses sérieuses de suivre leur cours. Elles ont évolué rapidement avec l'intervention de l'Espagne. Quelle aubaine que l'héritier du trône de France sollicite son aide contre son frère le roi... Gaston est entendu au-delà de toute attente. En avril 1632, l'infante s'entend avec lui sur un plan de campagne. Madrid envoie cent mille écus, somme à laquelle s'ajoutent vingt mille écus versés mensuellement durant cinq mois pour payer les troupes de Gaston. Une armée sera levée en Allemagne et placée sous le commandement du comte d'Emden. Il est recommandé à Gaston de se diriger vers une province proche de l'Espagne afin qu'il puisse y recevoir des secours en hommes, en armes, en vivres et en argent.

Mais dans l'entourage de Monsieur, l'unanimité était loin d'être la règle générale. L'alliance espagnole effrayait des fidèles et non des moindres. Le duc de Bellegarde et Lecoigneux, chancelier du prince, conscients de la tournure des événements, préférèrent s'accommoder avec Richelieu, très au courant des machinations. Le point d'orgue de cette affaire reste la révolte du Languedoc. Les motifs du soulèvement sont multiples. Ils tiennent des conséquences de la politique financière du gouvernement et de la situation faite à Marie de Médicis et à Gaston. Comme d'autres provinces du royaume, le Languedoc avait le statut de pays d'État en matière fiscale. Les représentants à l'assemblée provinciale votaient leur contribution à l'impôt national. Mais, depuis 1629, afin de recouvrer des recettes plus conséquentes, Richelieu s'efforçait d'en faire un pays d'élection, dans lequel les élus, fonctionnaires royaux, avaient en charge l'assiette et le recouvrement des impôts dont le montant serait fixé au Conseil du roi dans le brevet annuel de la taille et des impositions accessoires. Bien entendu, cette modification était une atteinte flagrante aux libertés provinciales reconnues de longue date.

L'élite languedocienne, choquée, va suivre son gouverneur, le duc de Montmorency, dans sa révolte en faveur de Monsieur et de sa mère. Henri II de Montmorency est un personnage important. Âgé de trente-sept ans, maréchal de France, c'est un filleul d'Henri IV, de plus beau-frère du prince de Condé. Il doit beaucoup à Louis XIII et surtout à Richelieu. Les Mémoires de Gaston d'Orléans sont clairs à ce sujet : « Monsieur de Montmorency ayant porté hautement les intérêts du cardinal de Richelieu contre la reine mère pendant leur brouillerie de Lyon, pensait que la récompense dût suivre immédiatement un service si signalé. » Deux éléments vont l'entraîner dans la tourmente. D'abord son désir de recevoir l'épée de connétable qui avait déjà appartenu à son père et que Richelieu lui avait promise. Mais le cardinal n'était pas pressé de concrétiser ses promesses. En second lieu, le duc résistait mal aux sollicitations de sa femme, née Marie Félicie des Ursins, apparentée à la reine mère. Les d'Elbène, fidèles de la reine mère — Monseigneur d'Elbène, évêque d'Albi, et son neveu, l'abbé d'Elbène, un fidèle de Gaston —, se faisaient pressants. Le gouverneur céda et signa immanquablement sa perte.

Le complot qui s'organise dans les premiers mois de 1632 n'échappe pas aux informateurs de Richelieu. Bien entendu, le gouvernement s'inquiète et questionne le duc mais celui-ci nie toute activité subversive tout en poursuivant ses tractations avec Gaston. Louis XIII choisit de riposter sur divers plans. Afin de déstabiliser ses ennemis, il traîne Marillac devant une commission extraordinaire. Condamné à la peine capitale, il est exécuté le 10 mai 1632. Sa mort enlève aux conjurés le prétexte d'une opération militaire pour le sauver. Le même jour, Louis XIII et son ministre quittent Paris pour aller renforcer les garnisons du Nord. Dans son soutien à Gaston, le roi d'Espagne désirait une diversion navale à Calais. Or, le 22 mai, le gouverneur, peu sûr, doit céder sa charge à un fidèle du roi. L'appui le plus efficace pour Gaston restait son beau-frère, le duc de Lorraine. Celui-ci allait recevoir un nouvel avertissement. À la fin du mois d'avril, le projet d'invasion du duché est arrêté sous le commandement des maréchaux de La Force et d'Effiat. Plus question pour Charles IV de mettre ses régiments à la disposition de Gaston. Il souhaite même que Monsieur quitte ses terres au plus vite afin de limiter les représailles.

8.

L'épreuve de force

Gaston quitte Bruxelles pour Trèves le 18 mai après avoir fait ses adieux à dona Bianca et à Marie de Médicis qui lui donne sa bénédiction. L'infante ne se contente pas de vœux pieux, elle fait don au prince de 300 000 livres et de coffres garnis d'habits de guerre et de linge personnel. À Trèves, les troupes qui attendent leur chef sont loin de constituer une armée d'invasion. Les Mémoires de Gaston d'Orléans signalent environ quatre mille cavaliers composés en majorité d'Allemands, de Liégeois et de Napolitains, « voleurs et le rebut de l'armée espagnole ». À cela s'ajoutent mille à mille deux cents cavaliers français.

Le 7 juin au soir, Gaston est à Nancy ; il retrouve sa jeune épouse à laquelle il promet « de lui être toute sa vie bon et fidèle mari ». Plusieurs témoignages signalent la grande mélancolie du prince révolté. Il est vrai que le moment est venu pour lui d'agir. Et l'on connaît la difficulté qu'éprouve Gaston pour prendre une décision raisonnée, un choix, qui ne soit pas l'effet d'un coup de tête. A-t-il hésité à concrétiser son expédition ? Croit-il encore à l'appui de l'Espagne ? Au choc suscité par le soulèvement du Languedoc ? Rien n'est moins sûr. Mais une chose est certaine, les troupes françaises ont occupé Saint-Wendel le 31 mai et s'apprêtent à envahir la Lorraine. Le 1er juin, l'armée des Provinces-Unies, sous la conduite du prince d'Orange, a attaqué les Pays-Bas espagnols et fait le siège de Maastricht. Plus de doute, les troupes de Gaston sont condamnées à l'action, seules, sans appui, sans véritable stratégie. Le 12 juin 1632, Monsieur passe la frontière en Barrois, près de Gondrecourt, et, comme l'année précédente, adresse un violent manifeste à l'encontre du cardinal, le lendemain, depuis la petite ville d'Andelot, en Bassigny. Il dénonce « Jean Armand, cardinal de Richelieu, perturbateur du repos public, ennemi du roi et de la Maison royale, dissipateur de l'État, usurpateur de toutes les meilleures places du royaume, tyran d'un grand nombre de personnes qu'il a opprimées et généralement de tout le peuple qu'il a accablé ».

Mais la diatribe n'a pas plus d'effet auprès des populations que le manifeste de 1631. Ces dernières ne voient pas en lui un libérateur, au contraire. Elles n'aiment pas voir arriver dans leurs villages des troupes mal contrôlées, de plus ennemies du roi. Les Mémoires de Gaston d'Orléans le reconnaissent : « Au seul bruit de la venue de Monsieur, chacun abandonne la campagne et se retire aux villes. L'armée trouve les villages et les maisons désertés à la campagne, sans vivres et sans meubles. » Les soldats étrangers commencent à se disperser, à déserter, à pratiquer des sévices : « Les Allemands, Croates et Napolitains faisaient de grands désordres, et le plus souvent dévalisaient les gens mêmes de Monsieur, allant et venant à la provision. »

Même comportement chez les cavaliers français. Alors que Gaston pensait voir les villes du royaume accueillir le fils de France, elles fermaient leurs portes. C'est le cas à Langres. La déconvenue est plus humiliante devant Dijon, le 17 juin. Monsieur comptait sur le ravitaillement de ses troupes par la cité. Les pourparlers s'engagent mal et le prince menace. Les Dijonnais répliquèrent par une salve d'artillerie si nourrie qu'un gros boulet faillit toucher le prince. Les soldats se vengèrent en pillant et en incendiant quelques maisons des faubourgs dont l'une appartenait à l'un des juges de Marillac. La Bourgogne ne se souleva pas, pas plus que le Charolais. La progression des troupes vers le Languedoc était trop rapide au gré du duc de Montmorency qui fit savoir qu'il n'était pas prêt. Gaston décida, après avoir passé la Loire à Digoin, de s'arrêter en Auvergne. Il apprit alors que Charles IV de Lorraine négociait avec Louis XIII. Le moral n'était pas fort. Les troupes s'étaient dangereusement amenuisées et ne rassemblaient plus qu'environ mille huit cents soldats, selon le lieutenant du roi de la province d'Auvergne, le marquis de Noailles resté fidèle à son roi.

La Lorraine, revenue à de meilleurs sentiments, signe la paix le 26 juin 1632 et les troupes du maréchal de La Force et de Schomberg peuvent se lancer à la poursuite des rebelles. Après avoir essuyé des canonnades à Cusset, l'armée de Gaston s'arrête plusieurs jours à Vichy, début juillet. Le duc d'Elbeuf y négocie des fournitures et des vivres. Mais la Limagne réticente va tout simplement être pillée. Après avoir traversé le Rouergue, où quelques nobles se rallient à eux, les rebelles arrivent près de Millau le 25 juillet et se dirigent vers Lodève, la première ville du Languedoc, qu'ils atteignent le 27 juillet. Trois jours plus tard, Gaston et le duc de Montmorency se rencontrent à Pézenas pour unifier leurs troupes et mettre sur pied le détail des opérations signifiant la révolte de la province. Montmorency avait franchi le pas le 20 juillet en faisant arrêter plusieurs commissaires royaux ainsi que l'archevêque de Narbonne, une créature de Richelieu. Le 22 juillet, les États du Languedoc sollicitent Montmorency de se joindre à eux dans la rébellion pour le soulagement de la province. La chose est faite mais l'unanimité est loin d'être réalisée. Certains évêques, il est vrai, suivent Montmorency tels ceux d'Albi, de Lodève, d'Uzès. Mais les villes sont partagées. Si Béziers, Albi et Alès entrent dans la rébellion, Beaucaire, Nîmes et Montpellier maintiennent leur fidélité au roi de France.

Ce qui s'est passé par la suite est assez bien connu grâce au très beau travail de Dom Vaissette, *L'Histoire du Languedoc.* Inquiet de l'état de ses troupes, Gaston s'adresse à nouveau à l'étranger, d'abord à l'Espagne à laquelle il réclame une aide du cardinal-Infant, vice-roi de Catalogne. Il fait appel aussi au duc de Féria, gouverneur du Milanais. Mais la réponse tarde et l'Empire lui-même est sollicité pour une diversion à la frontière de l'Est. Les contorsions diplomatiques piquent l'orgueil des Languedociens qui commencent à douter. Si les Espagnols débarquent six mille hommes à Collioure, ces derniers ne vont guère plus loin. Venant du nord, les armées royales foncent vers le Languedoc. Celle de Schomberg, composée de trois mille cavaliers et de mille cinq cents mousquetaires d'élite, avance à marche forcée vers Carcassonne par le seuil du Lauraguais. Les révoltés souhaitent lui barrer la route. Venant de Béziers, ils se heurtent, le 1er septembre au petit jour, à Schomberg bien installé dans une petite plaine près de Castelnaudary.

Les troupes royales moins nombreuses compensent cette infériorité grâce à l'habileté de ses chefs. Sans attendre le regroupement de leurs troupes, les rebelles se lancent à l'attaque. Le comte de Moret, Antoine de Bourbon, demi-frère de Gaston, élevé avec lui à Saint-Germain, fait le baptême du feu en entraînant ses cavaliers à l'assaut. Il est blessé gravement sur place au milieu de ses hommes. À son tour, Montmorency, décidé à en découdre, se lance dans la bataille. Blessé à plusieurs reprises, cerné de tous côtés, il est fait prisonnier et conduit loin du champ de bataille. Sa prise provoque une véritable débandade. Le combat avait duré moins d'une heure. Montmorency prisonnier, il est même possible qu'il ait cherché à se faire tuer, la partie étant perdue. Les Mémoires de Gaston d'Orléans sont clairs à ce sujet : « La prise de Monsieur de Montmorency renversa en un moment toutes les espérances de Monsieur, et comme ce parti ne subsistait dans cette province que par le crédit du duc de Montmorency qui en était gouverneur, et où il avait beaucoup de crédit, on en vit à l'heure même la ruine tout entière. »

Les dés sont jetés. Certes, aux dires de Tallemant des Réaux, « Montmorency était un fort ignorant homme dans l'art de la guerre », mais le courage n'a pas manqué. Plusieurs témoignages évoquent l'attitude de Gaston qui, retrouvant la fougue du siège de La Rochelle, fut loin d'être un poltron, comme le dira Schomberg : « Monsieur était présent au combat malgré l'empêchement qui lui fut donné. » Le fidèle Lasseré est plus précis : « Je puis dire avec vérité pour m'être alors trouvé auprès de Son Altesse et l'avoir observée assez soigneusement, que non seulement il parut sans appréhension du péril où il était, mais il ne tint pas à lui qu'il n'allât par diverses fois tête baissée aux ennemis avec ce peu qui lui restait de monde. » Il n'en fit rien, c'était tout à fait inutile. De même, il eût été ridicule de vouloir poursuivre le combat. Schomberg s'étant retiré à l'abri des murailles de Castelnaudary avec son prisonnier, on comprend le désarroi de Gaston en repliant ses troupes vers Béziers. Même s'il assure par courrier le cardinal-Infant que « toutes mes troupes sont toujours en bon état », il sait bien que l'Espagne ne va pas s'engager plus avant. Alors que faire ? Fuir en Espagne ? La lassitude est là. Mieux vaut traiter avec le roi, pour lui, pour Montmorency et pour préserver le sort de ses soldats vaincus parmi lesquels quelques fines fleurs de la noblesse locale.

De Lyon où il a appris la déroute de Castelnaudary, Louis XIII part pour Béziers avec des troupes fraîches. Il entend bien imposer sans ménagement sa volonté au prince rebelle. Les négociations s'ouvrent entre les deux frères, mais le sort de Montmorency est scellé à l'avance. Henri II de Montmorency doit être sacrifié à la réussite de la politique du cardinal. Malgré les supplications de son épouse, de sa sœur Charlotte de Condé, dernier amour d'Henri IV, et d'Anne d'Autriche, Montmorency fut jugé rondement par le Parlement de Toulouse et condamné à être décapité. Le duc se savait perdu et n'entendait pas « chicaner sa vie ». Tout au plus, Louis XIII accorda-t-il que la tête fut tranchée à l'intérieur du Capitole et non sur la place publique. C'était là une simple mesure de précaution car le gouverneur était aimé de ses administrés. Cela n'empêcha pas la foule d'aller tremper des mouchoirs dans le sang de la victime et d'emporter les planches de l'échafaud comme reliques. Montmorency était mort avec dignité. « Frappez hardiment », s'était-il contenté de dire au bourreau. Son exécution souleva beaucoup d'émotion tant en France qu'à l'étranger.

Le 29 mai 1632, après trois jours de discussion, Gaston avait dû accepter à Béziers les conditions de paix très fermes apportées par les secrétaires d'État Bullion et des Fossés. Certes, le roi pardonnait à son frère et à ses proches serviteurs, mais il était demandé clairement au prince :

« — De renoncer à toute intelligence avec l'Espagne, la Lorraine et la reine mère.

— De demeurer en tel lieu que le roi aurait agréable.

— De ne point s'intéresser au châtiment que le roi ferait de ceux qui l'auraient suivi, à la réserve de ses domestiques étant lors près de lui.

— Que les étrangers se retireraient six jours après dans le Roussillon.

— Que Monsieur ne recevrait aux principales charges de sa maison que des femmes agréables et nommées par Sa Majesté.

— Que Monsieur éloignerait ceux qu'il serait agréable au roi.

— Que le sieur de Puylaurens avertirait le roi de tout ce qui avait été traité avec les étrangers contre le service du roi et le bien de l'État et contre les personnes principales qui servaient Sa Majesté en ses affaires à peine d'être déchu de sa grâce.

— Que Monsieur commanderait à tous les siens d'avertir le roi de tout ce qu'ils connaissaient se passer, au contraire, et que ceux que Sa Majesté désirerait en feraient le serment[1]. »

Si Louis XIII avait rétabli son frère dans toutes ses charges et dignités, il avait cherché à l'isoler de la reine mère. Assigné à résidence à Tours, Gaston gagna son apanage par petites étapes sans avoir rencontré le roi. C'est dans cette ville qu'il apprit la mort de Montmorency et qu'il écrivit aussitôt à sa veuve dans une fervente communion de pensée : « Ayant cette affliction commune avec vous, je n'aurai jamais de repos que je n'aie vengé cette mort sur les auteurs d'un conseil si violent et si funeste. » Gaston n'était pas seul responsable du faux pas du duc. On sait que son épouse y avait largement contribué. Mais il n'en fallut pas davantage au prince pour estimer que sa vie était toujours en danger et que son salut résidait dans une nouvelle fuite à l'étranger*. Quelques jours après sa signature,

* Louis XIII avait appris par une indiscrétion de Montmorency que Gaston s'était bel et bien remarié, ce qu'il avait nié lors des négociations de Béziers.

le traité de Béziers devenait lettre morte. Mais où aller ? L'Espagne était bien loin ainsi que l'Italie. La paix avec Charles IV de Lorraine impliquait l'absence de relations avec le prince. Impossible donc pour ce dernier de retrouver à Nancy son épouse.

Restaient les Pays-Bas espagnols et Bruxelles. Le 6 novembre 1632, Monsieur, Puylaurens et deux fidèles — du Fargis et Sauvebœuf — quittent Tours en catimini, à la nuit tombée. Échappant à la vigilance des hommes du cardinal chargés de les surveiller, ils gagnent les Ardennes et parviennent le 21 novembre à Bruxelles. Contre toute attente, l'annonce de l'arrivée de Gaston est loin de provoquer l'enthousiasme. Certes, l'Infante lui réserve un accueil plus que protocolaire, mais la reine mère qui a compris la duplicité de son fils préféré manifeste son dépit en quittant Bruxelles sur-le-champ pour Malines et finit par s'installer à Gand. Pourtant, le moral de son fils est loin d'être au beau fixe. Gaston est indécis, accablé, tiraillé entre l'analyse de son échec et des projets d'avenir sans vraie consistance. La rancœur et le désarroi animent ses sentiments. Lors des négociations de Béziers, il avait déjà confié à Bullion : « L'expérience m'a appris qu'il ne faut jamais être contre le roi. » Pourtant, il avait cru à son opération. Alors, qui était responsable ? Les Languedociens ?... « Ce sont des canailles dont je n'ai pu rien tirer. » Les grands seigneurs qui l'avaient suivi... ? « Ils ne valent rien »... Restait la principale instigatrice, Marie de Médicis, qui n'est pas épargnée : « la reine mère m'a porté dans cette brouillerie. Son opiniâtreté a causé tant de mal. » Voilà un climat peu propice à une réconciliation.

N'importe ! Gaston a l'humeur changeante. Bien vite, il retrouve avec ses bruyants gentilshommes les plaisirs d'une vie d'exil. La galanterie est à l'ordre du jour. Bianca Colomma est affectueuse. Elle n'est pas la seule à être l'objet de mille hommages empressés. On a parlé de la comtesse de Renebourg, des demoiselles Grimberge, d'Arscot, de Beauvais et quelques autres ; toutes n'échappèrent pas au ballet des frivolités amoureuses du prince qui prenait les allures d'une véritable boulimie. Cela n'empêche pas Gaston d'invoquer la main sur le cœur la tristesse qu'il endure à être séparé de sa tendre épouse. L'Infante Isabelle, qui doit en plus gérer les conflits entre les partisans de Gaston et ceux de sa mère, se laisse prendre au piège. Veuve de l'archiduc Albert, la gouvernante des Pays-Bas est une vieille dame pétrie de dignité et de gentillesse. Continuellement vêtue de noir, elle vit simplement et ne cache pas la tendresse qu'elle témoigne au turbulent exilé. La jovialité de ce prince de vingt-cinq ans, écorché vif, mais spontané et déjà désabusé, la touche au plus profond d'elle-même. Elle pardonne les incartades et supporte sans compter les conséquences financières de la situation. Mais cela n'est rien face à l'avantage fortuit d'accueillir sur son sol la mère et le frère du roi de France. Tout ce qui pouvait troubler la maison de Bourbon était bon pour la politique espagnole. Lorsqu'elle mourut le 1er décembre 1633, Gaston n'eut pas à feindre sa douleur qui était immense. Plus qu'un simple soutien aux heures difficiles, sans doute perdait-il l'une des rares personnes qui l'aient peut-être compris. Il est vrai que son successeur, Don Juan d'Autriche, dit le Cardinal-enfant, sera beaucoup moins conciliant.

Le problème est que Madrid est lasse de l'agitation des Français à Bruxelles. L'Espagne verrait d'un œil soulagé le départ de la reine mère et de son fils vers la France. Totalement soumise à l'oratorien Chanteloube, un ancien soldat devenu moine, ami du poignard et des poisons, Marie de Médicis ne cesse de provoquer difficultés et tiraillements. De plus, elle perçoit de son gendre espagnol une rente mensuelle de 6 000 ducats qui lui permet de vivre dans des conditions honnêtes dans un hôtel particulier. À diverses reprises, elle demande à Madrid d'intervenir soit pour éloigner Puylaurens de Gaston, soit pour empêcher la signature d'un accord entre le roi et son frère. Mais cela est sans effet, car dès le mois de mai 1633, par l'intermédiaire de Guy d'Elbène, des pourparlers étaient engagés entre les deux hommes.

Des pourparlers qui achoppaient sur le mariage lorrain de Gaston dont Louis XIII ne voulait pas entendre parler. Les choses étaient claires, l'héritier de la couronne de France ne pouvait pas convoler secrètement et son mariage était nul. Pour certains, c'était là un prétexte de façade. La réalité était autre : Louis XIII craignait tout simplement que le couple ait un enfant mâle, ce qui donnerait à Gaston un poids politique énorme. Il fallait donc rompre cette union. Monsieur, inquiet du sort de son épouse restée à Nancy alors que la ville était assiégée par les troupes françaises, la fit sortir de nuit d'une manière rocambolesque, le 1er septembre 1633. Habillée en garçon, bottée, les cheveux cachés sous une perruque, la jeune femme atteignit Thionville après seize longues heures de cheval. Gaston alla à sa rencontre à Namur et la conduisit à Bruxelles. Le couple s'était enfin retrouvé au grand dam de Louis XIII qui fit proclamer, le 5 janvier 1634 la nullité du mariage pour motif de rapt. Gaston aurait été enlevé et marié de force ; or, un mariage consenti sous la contrainte pouvait être annulé par l'Église.

Mais la ficelle était un peu grosse, et la manœuvre vouée à l'échec. Quelques jours plus tard, l'archevêque de Malines consacrait de nouveau l'union, au grand jour, dans la chapelle du palais des archiducs à Bruxelles. Il ne restait plus à Louis XIII qu'à se résigner. Le 18 janvier, les parlementaires réunis en lit de justice enregistrèrent une déclaration royale portant promesse, à l'égard de Gaston, du pardon, du retour en grâce et de la restitution de ses biens. Certes, le mariage n'était pas reconnu, mais des progrès sensibles étaient faits. Les négociations conduites par Puylaurens furent intensifiées et, début mars, un accord était en vue. Gaston récupérait ses biens, pensions et apanages. Il recevait le gouvernement de l'Auvergne ; il pouvait lever deux compagnies de cent gardes chacune dans les Dombes et le Bourbonnais. Ses dettes à Bruxelles qui se montaient à 400 000 livres seraient remboursées par le trésor de l'épargne et une avance de 300 000 livres lui était accordée pour subvenir aux frais de son installation en Auvergne.

Puylaurens, le négociateur, n'était pas oublié. On lui promit le gouvernement du Bourbonnais et la capitainerie de Moulins, ainsi que le gouvernement de la ville et citadelle de Châlons, le duché d'Aiguillon et 100 000 livres versées comptant. Ce sont là des conditions fort honorables pour, somme toute, des rebelles vaincus. Mais c'était sans compter sur la reine mère qui s'efforça par tous les moyens d'en retarder la conclusion. Puylaurens faillit même en faire les frais ; le 3 mai 1634, un individu tire sur lui et le manque de peu. Vraisemblablement la tentative de meurtre est signée de Marie de Médicis et du duc d'Elbeuf. Puylaurens mort, Gaston serait désemparé et reviendrait dans le giron de sa mère. L'effet fut contraire, car Gaston accéléra la paix avec Louis XIII. Il se rendait compte qu'il n'avait plus sa place à Bruxelles, dans cette ville qui l'avait si bien accueilli, mais soudain enflammée de réjouissances et de festivités en l'honneur de la victoire espagnole de Nördlingen sur les Suédois.

À Écouen, le 1er octobre 1634, Louis XIII appose sa signature au bas du traité d'accommodement avec son frère. S'il y a peu de changement avec le projet initial, la hâte de Louis XIII à voir finir cette affaire est manifeste. Finies les tergiversations. Gaston a quinze jours pour accepter et trois semaines pour rentrer en France. Porté à Bruxelles, l'accord est signé dans les jours qui suivent et le départ est préparé dans le plus grand secret. Il n'est même pas sûr que Marguerite en soit informée.

Le 8 octobre, de bon matin, Gaston accompagné d'une vingtaine de gentilshommes fit semblant de partir à la chasse. La petite troupe se dirigea vers la frontière à bride abattue et rejoignit La Capelle à la nuit tombée où elle dîna et dormit. Le 10 octobre, Gaston retrouve à Soissons le surintendant des Finances Bouthillier, porteur d'une avance de 130 000 livres qui doit permettre le remboursement des premiers créanciers et subvenir aux besoins de Marguerite qu'il faut bien se résigner à appeler Madame. On conçoit l'émotion que cette fuite a dû susciter à Bruxelles et la colère qu'elle provoqua chez la reine mère. Gaston fut bien accueilli par le roi le 21 octobre à Saint-Germain : « Je vous ai pardonné ; ne parlons plus du passé, mais de la joie que je ressens très grande de vous revoir ici. »

Au repas qui suivit, l'émotion gagna Gaston au point de lui couper l'appétit : « Il y a quatre ans que je dîne tous les jours sans voir le roi. Je ne puis moins faire que de préférer ce bien à mon dîner[2]. » En retrouvant la cour,

Monsieur allait revoir sa fille Anne Marie Louise, âgée de sept ans, dont il était séparé depuis trois ans. Laissons Mademoiselle raconter la rencontre le lendemain avec son père[3] :

« J'allais jusqu'à Limours à sa rencontre. Je n'avais que quatre ou cinq ans lorsqu'il s'en alla. Il voulut éprouver si, après une si longue absence, je le reconnaîtrais, et pour n'avoir rien qui le distinguât de ceux de la cour, il se fit ôter son cordon bleu et puis on me dit "Voyez qui de tous ceux-là est Monsieur". En quoi la force de la nature m'instruisit si bien que, sans hésiter un moment, j'allai lui sauter au cou. »

Merveilleuse joie que celle du père en cet instant. Flatté au plus profond de lui-même, Gaston mit tout en œuvre pour combler cette enfant reconnaissante et l'on composa pour elle une sorte de ballet, « danse de pygmée ». Une page paraissait être tournée dans la chaleur et la joie des retrouvailles. Il n'empêche que, la politique reprenant ses droits, Gaston dut se retirer dans son apanage. Le 11 novembre 1634, sans fille ni épouse, Monsieur s'installait dans son château de Blois.

9.

Le prince et le cardinal

Une fois encore, le duc d'Orléans s'en était tiré à bon compte. Pouvait-il en être autrement ? Certainement pas. Gaston était le frère du roi et l'héritier de la couronne. Richelieu le savait : Gaston était intouchable. Alors, à chaque incartade de Monsieur, on négociait un accommodement puis l'on frappait quelques personnes de son entourage pour l'exemple. C'était le prix de la réconciliation des deux frères. Le Conseil estimait que le prince « qui respectait mutuellement le roi et l'autorité royale » avait été mal conseillé. Il fallait donc éloigner les mauvaises influences qui se développaient dans son entourage. Richelieu tirait les ficelles, lui qui aurait tant voulu être aimé de Gaston... Il y allait, il est vrai, de sa carrière. Que Louis XIII mourut, et qu'adviendrait-il de lui ? Gaston était aux antipodes de ses idées politiques, de son grand projet d'un normal équilibre européen, de son culte d'un État puissant et respecté. Il était épris de liberté, de cette liberté des grands du royaume qui avait causé tant de torts au pays durant la seconde moitié du XVIe siècle et qui était réapparue avec la Régence en 1610. Il était normal qu'un bon nombre de nobles, pétris d'honneur, de dignité, d'estime sociale, fiers de leurs ancêtres, de leur lignage et des services rendus à la monarchie en payant l'impôt du sang sur les champs de bataille, refusent le dressage que souhaitait leur imposer le cardinal. De son côté, Louis XIII avait pleinement conscience du caractère difficile de son frère, de ses emportements soudains, de sa fibre Médicis. Lui aussi se trouvait dans une situation inextricable. D'un côté, le cardinal qui avait toute sa confiance, de l'autre, son frère et sa mère qui détestaient l'homme qu'il avait choisi pour faire une grande politique, à laquelle, lui, attacherait son nom dans l'histoire.

Certes, les temps ont changé et les Bourbons ne se confondent pas avec les Valois ; il n'empêche que tous ces événements familiaux étaient bien accablants. Que la reine mère et le frère du roi fassent appel aux armées étrangères pour régler les problèmes avec leur souverain était loin de donner une image positive, aux yeux de l'étranger, qui ne manquait pas de les observer. En temps de paix, cela pouvait passer, tant les unions matrimoniales entre couronnes européennes impliquaient de liens de parenté. Mais là, la France était en guerre. En guerre couverte, disait-on, puisqu'elle se contentait d'aider ses alliés, les princes allemands ou les Suédois face aux Impériaux en Allemagne, ou aux Espagnols en Italie du Nord. Depuis quelques années, sa participation à la guerre de Trente Ans se faisait plus précise, plus forte, mais il faudra attendre le mois de mai 1635 pour qu'elle entre en guerre ouverte contre l'Espagne. Toute la diplomatie du cardinal était tendue vers un affaiblissement des Habsbourg d'Autriche et d'Espagne et un nouvel équilibre des forces en Europe. Une telle politique exigeait de la patience, de la ténacité et une vue claire et lointaine des choses.

On imagine aisément les rancœurs et la lassitude du roi et de son ministre face au comportement irresponsable de Monsieur, allant jusqu'à traiter avec le roi d'Espagne que l'on s'apprêtait à combattre. La politique française dans ces conditions exigeait des moyens financiers conséquents. Durant les années d'exil de Gaston à Bruxelles, de 1931 à 1634, on est frappé de l'effort fiscal considérable demandé aux Français et annonciateur d'une implication beaucoup plus forte dans la guerre. Cette mobilisation financière exceptionnelle recouvrit toutes les ressources fiscales, qu'elles soient ordinaires ou extraordinaires : ordinaires avec l'augmentation du brevet de la taille, du taillon, de la subsistance et des baux des fermes, des gabelles, des aides et autres accordés aux financiers, mais aussi extraordinaires avec la multiplication des traités de partisans et des prêts consentis au roi.

Deux chiffres parlent d'eux-mêmes. En 1610, le montant des recettes était de 35 millions de livres ; il est de 80 millions en 1635. Le gonflement considérable à partir de 1632 est surtout alimenté par les revenus extraordinaires : vente d'offices, emprunts forcés, tout est bon pour faire de l'argent, qui est, comme le dit Richelieu, « le nerf de la guerre[1] ». Sans doute, Gaston était-il au courant des faits, des ponctions financières qui commençaient à faire sourciller les sujets. Mais son désir était surtout de pouvoir exploiter à son profit la tournure des événements. Le manifeste de 1631 était très clair. On sait que le changement fiscal intervenu au Languedoc avait été mobilisateur de la révolte des sujets en faveur de Montmorency. Moins acceptables encore pour le ministre furent les atermoiements et les manigances de Gaston durant les deux longues années qui vont de la signature du traité de Béziers le 21 septembre 1632 au retour du prince en France, le 8 octobre 1634. Assurément, la présence de Gaston auprès de son frère eût mieux valu que les bouderies de Bruxelles. Certes, le 16 novembre, à la bataille de Lützen, les Impériaux conduits par Wallenstein sont défaits par les Suédois, mais le roi de Suède, Gustave-Adolphe, est tué. Tout un pan de la politique militaire française en Allemagne, patiemment mise en place, est menacé. Deux ans plus tard, le 6 septembre 1634, les alliés suédois sont défaits à Nördlingen par les armées catholiques commandées par le cardinal-Infant et Charles IV de Lorraine, les interlocuteurs de Gaston dans sa révolte. Si l'on ajoute que, le 12 mai précédent, Monsieur avait signé un traité avec l'Espagne, on conçoit aisément que, pour Louis XIII et Richelieu, la coupe avait débordé.

Le pardon du roi et les retrouvailles familiales étaient une chose ; le règlement de la soumission de Monsieur et des siens en était une autre pour Richelieu. Comme en 1626, après l'affaire Chalais, en 1629, lors de la première fuite à l'étranger et en 1632, aux lendemains de Castelnaudary, des têtes devaient obligatoirement tomber. Le cardinal s'appliqua à briser surtout deux proches fidèles de

Gaston, particulièrement efficaces dans les négociations avec l'Espagne : Puylaurens et le comte du Fargis.

Antoine de Laage, futur duc de Puylaurens, vivait depuis une vingtaine d'années auprès de Gaston. Dès 1615, il était enfant d'honneur et grandissait dans l'entourage de Monsieur. Issue de petite noblesse berrichonne, sa famille était entrée au service de la monarchie dans la seconde moitié du XVIe siècle comme chambellan du duc d'Anjou. Si son père était gentilhomme ordinaire de la chambre du roi, Puylaurens fut, quant à lui, donné à la maison d'Orléans. D'abord gentilhomme ordinaire de la chambre de Monsieur, il connut une ascension régulière : maître de la garde-robe, premier chambellan, surintendant et grand maître des Eaux et Forêts de son apanage avant de devenir son principal conseiller. Bien entendu, il fut mêlé à toutes les intrigues et entreprises malencontreuses du prince, de l'affaire Chalais à celle du Languedoc. Il est au siège de La Rochelle en 1627 et réfugié à Nancy en 1629 où il courtise la princesse de Phalsbourg, veuve et sœur aînée de Marguerite, « la petite Angélique » séduite par Monsieur. La fuite du prince était grave, mais Puylaurens s'en était sorti avantageusement. Richelieu pensait tenir en lui une carte pour contrôler Gaston. Il connaissait leur amitié, leurs frasques amoureuses, leurs beuveries, leur gourmandise du bien-vivre*. Mais il croyait en la droiture du jeune homme, à son jugement modéré, à son sens de l'honneur et surtout en une influence positive sur le prince**. Lors du second séjour en Lorraine, puis dans les Pays-Bas espagnols, le rôle de Puylaurens ne fit que s'amplifier. Sans doute témoin du mariage secret de Gaston, il sut se taire et gagner une telle confiance que Marie de Médicis, inquiète et jalouse, voulut le briser, on l'a vu, en attentant à la vie même du trop influent conseiller. Elle cherchait à l'empêcher de négocier avec Richelieu le retour en France de Monsieur durant l'été 1634. Ce fut surtout cette né-

* À Bruxelles, chaque jour, Puylaurens possédait une table de quinze couverts à côté de celle de Gaston.

** Puylaurens avait négocié avec Rambouillet, au service de Richelieu, lors de la journée des Dupes (1630).

gociation qui le perdit. Richelieu était allé très loin en s'attachant le principal conseiller de Monsieur. Ainsi, Puylaurens fut fait duc et pair de France* et le ministre lui accorda en novembre 1634 la main de sa cousine Mademoiselle de Pontchâteau, promise au comte de La Guiche[2]. Il entrait dans le lignage du cardinal et il eut, « au retour de Monsieur, six semaines du plus beau temps du monde ». Il faisait « le petit dieu » et bien que marié depuis peu, « durant cette grande faveur, il paraissait le mieux fait du monde à toutes les dames de la cour et de la ville[3] ». Il est vrai que le beau duc savait séduire, même la fille de son maître, la Grande Mademoiselle, âgée de huit ans, qui note bien plus tard dans ses *Mémoires* que « c'est le seul favori de Monsieur qui m'ait jamais donné sujet de lui vouloir du bien ; il me venait voir souvent et quoiqu'il gagnât mon amitié plutôt par ses confitures que par ses soins et ses complaisances, il avait néanmoins autant de considération pour moi que si j'eusse été en âge de le pouvoir remarquer[4] ».

D'autres avis sont plus nuancés, mais ils émanent surtout d'hommes qui souhaitaient prendre sa place. Montrésor reconnaît qu'il s'était « élevé avec autant de bonheur pour le moins que de mérite », on appelle cela la faveur, mais il ajoute concernant le mérite « qu'il n'en fut pas tout à fait dépourvu ». Que s'est-il donc passé pour que Richelieu le brisât quelques semaines après l'avoir porté au pinacle ? Jean-Marie Constant, s'appuyant sur les *Mémoires* de Montrésor, est sans doute proche de la vérité lorsqu'il évoque l'affaire du mariage de Gaston[5]. Puylaurens n'a pas négocié en toute franchise le retour de Gaston. Il aurait caché au roi et au cardinal la fameuse lettre écrite au pape en juillet 1634 et portée secrètement à Rome par un fidèle du prince. Dans cette lettre, Monsieur demandait au Saint-Père de « n'ajouter aucune foi à tout ce qui se ferait contre son mariage quand il serait de retour en France parce que cette démarche serait obtenue par force et contre l'intention qu'il aurait toute sa vie de le maintenir bien et valable-

* Par lettres patentes de décembre 1634, la seigneurie d'Aiguillon fut érigée en duché de Puylaurens.

ment contracté[6] ». La reconnaissance par le pape Urbain VIII du mariage lorrain, si elle avait lieu, contrarierait, bien sûr, l'idée du cardinal qui était d'annuler cette union et de marier Gaston à sa nièce, la duchesse d'Aiguillon, afin d'en obtenir un nouvel avantage. Puylaurens avait menti, par omission ou délibérément, mettant Richelieu dans une situation délicate, altérant ses projets ; il marquait surtout sa fidélité indéfectible à la personne de Gaston.

On essaya d'emblée de rattraper la bévue. Léon Bouthillier, secrétaire d'État, obtint de Monsieur qu'il rencontrât à Orléans quelques doctes religieux et maîtres de la Sorbonne triés sur le volet par Richelieu pour « s'éclaircir sur le fait de son mariage ». Les religieux cherchèrent à démontrer la nullité de son union par défaut de consentement royal. En réponse, Gaston fit valoir que son alliance s'était faite en toute liberté, sans rapt et sans aucune pression du duc Charles IV de Lorraine et ajouta : « Si le roi m'ordonne absolument de vivre séparé de mon épouse, j'obéirai à Sa Majesté mais je n'en aurai jamais d'autre tant que Madame vivra[7]. » De son côté, Puylaurens avait promis « sur sa vie » de faire évoluer son maître. Ceci en vain car, le 20 janvier 1635, lorsqu'il rencontra le ministre à Rueil, il lui exprima « son regret de n'avoir pu disposer l'esprit de Monsieur comme il le voulait sur la question de son mariage ». Sans doute le nouveau duc cherchait-il à gagner du temps, estimant qu'étant devenu cousin de Richelieu, il était dorénavant à l'abri. Mais le jugement s'avéra fallacieux car l'Éminence avait été trompée et elle n'aimait pas cela. Aussi obtint-elle sans difficulté l'arrestation du jeune duc, pour le motif parfaitement injustifié de perpétuer « ses anciennes alliances avec les Espagnols ».

À la cour, en ce mois de février 1635, le temps des ballets bat son plein. Si celui de la Grande Mademoiselle et des enfants de son âge connut un franc succès, celui du roi « ne donna pas tant de divertissement », et la princesse précise dans ses *Mémoires* : « Monsieur de Puylaurens ne fut de ce ballet que pour couvrir l'intention que le cardinal avait de le faire arrêter (...). Il le fit prendre au Louvre pendant une répétition du ballet. Il fut conduit au bois de

Vincennes où il mourut prisonnier assez subitement[8]. » Et la princesse de conclure : « L'on a voulu imputer, et avec assez d'apparence, sa mort à la vengeance et à la mauvaise foi de Monsieur le cardinal de Richelieu. Cette nouvelle me donna tous les déplaisirs dont j'étais capable, et l'événement a depuis vérifié que j'avais assez de raison[9]. » Mademoiselle écrit cela longtemps après les faits. Mais ses assertions sont reprises par Montrésor qui parlant de Ballouet, le geôlier, écrit : « Son humeur convenait fort bien à l'emploi qu'il avait reçu, car il s'acquitta de sa commission avec toute la rigueur que le cardinal désirait (...) en sorte que dans le quatrième mois de sa prison, il mourut par des moyens suspects et odieux[10]. » Le mémorialiste ajoute « qu'il y avait plus de deux mois que les fenêtres de sa chambre n'avaient été ouvertes et que l'air et le jour lui étaient interdits, de même que s'il eût été dans un cachot et le plus criminel de tous les hommes... L'on publia qu'il était mort de pourpre, mais il est à remarquer que le poison fait les mêmes effets ». Tallemant évoque l'affaire dans son « Historiette » sur le cardinal de Richelieu[11] : « On a dit que Puylaurens avait été empoisonné avec des champignons et on disait que les champignons du bois de Vincennes étaient bien dangereux. Mais il mourut, comme le grand prieur de Vendôme et le maréchal d'Ornano, à cause de l'humidité d'une chambre voûtée et qui a si peu d'air que le salpêtre s'y forme. » Et Tallemant poursuit en signalant combien la mort de Puylaurens avait alimenté les conversations parisiennes : « Madame de Rambouillet disait plaisamment que cette chambre valait son pesant d'arsenic, comme on dit son pesant d'or. Le cardinal de La Valette lui redisait toujours cela. »

Comment se fait-il que Gaston ne soit pas intervenu, qu'il ait accepté « qu'aucun des siens n'eût la liberté de le voir durant sa maladie ni après sa mort » ? En réalité, Gaston était à Blois dans son château qu'il avait rejoint dès que le roi et son ministre lui avaient signifié l'arrestation de son favori. Comme il n'était pas lui-même inquiété, il n'avait pas réagi, laissant passer la sanction royale avant celle de Dieu. Mais la mort de Puylaurens l'affecta lorsqu'il apprit la nouvelle : « Son Altesse sentit en elle-même augmenter le ressentiment de l'affront qu'elle avait reçu de la détention de son principal confident arrivée quasi en sa présence sans autre droit que l'autorité absolue du roi dont le cardinal se servait de la manière qu'il estimait la plus avantageuse à ses intérêts et la plus propre à ses passions[12]. » Gaston avait bien vu une fois de plus la main du cardinal, mais que pouvait-il faire ? Et ne s'y attendait-il pas ? Parmi ses proches, d'autres arrestations avaient été opérées en même temps que celle de Puylaurens. Le Coudray-Montpensier, un membre du puissant clan des Escoubleau de Sourdis, fut embastillé ainsi que quelques autres parmi lesquels un certain Charnazé ; surtout on ne peut passer sous silence celle de Charles d'Angennes, comte du Fargis, cousin du marquis de Rambouillet qui, pourtant, était compris dans la liste des proches de Monsieur auxquels il était pardonné après Castelnaudary. Les du Fargis avaient suivi Gaston à Bruxelles et ce dernier les avait envoyés en ambassade à Madrid, accompagnés du poète Voiture, où ils avaient été fort bien reçus par le roi Philippe IV et le ministre Olivares*. Il s'agissait de négocier l'aide espagnole en mai 1634.

Ce contact avec l'étranger alors que la paix était faite avec Gaston avait beaucoup déplu au cardinal. Mais sa vindicte à l'égard des du Fargis était plus ancienne et s'était manifestée surtout à l'encontre de la comtesse Madeleine, fille d'Antoine de Silly, comte de Rochepot, et de Marie de Launoy, dame de Commercy. Les relations entre Richelieu et Madeleine du Fargis étaient si calamiteuses que la malheureuse avait dû s'enfuir aux Pays-Bas afin d'éviter la prison et même la mort. Un premier jugement l'avait condamnée à mort par contumace, le 22 novembre 1631, et un second, le 25 octobre 1633, fut renouvelé contre elle et son mari. Tallemant des Réaux s'attarde sur les causes d'une telle haine du ministre[13]. Madeleine du Fargis, entre autres tante du cardinal de Retz, était une dame de cour assez haute en couleur, peu farouche, la cuisse plutôt légère, mais éprise de mysticisme. Elle avait même tâté

* Ils avaient déjà conduit une ambassade un peu plus tôt mais cette fois au service de Louis XIII (1629).

avec une certaine conviction du couvent, lors d'un séjour de trois ans chez les Carmélites du faubourg Saint-Antoine. Au retour de la première ambassade à Madrid, en 1629, sur la recommandation du cardinal de Bérulle et des Marillac, Richelieu l'avait nommée dame d'atour d'Anne d'Autriche. Bien entendu, il s'agissait de jouer les espionnes et de faire avancer dans l'esprit de la reine un sentiment positif en faveur du cardinal, si ce n'est plus. Mais une fois en place, la dame d'atour s'était surtout attachée à plaire à sa nouvelle maîtresse au grand dam du cardinal.

La maladie du roi à Lyon et la journée des Dupes n'avaient fait qu'amplifier la déception de Richelieu. Et le 27 décembre 1630, le Conseil du roi avait décidé d'éloigner Madeleine de la reine. La dame d'atour avait pris peur et s'était réfugiée avec son époux à Bruxelles auprès de la reine mère et de Gaston. Là, ils avaient épousé la cause des illustres réfugiés et plusieurs auteurs parlent de leurs activités. En 1634, Henri de Campion note dans ses *Mémoires* que du Fargis paraissait l'homme de confiance de Gaston pour négocier avec le marquis d'Altona, gouverneur des Pays-Bas espagnols, « afin d'obtenir du roi catholique des secours en armes et en argent pour former une armée capable avec les intelligences qu'il avait en France de chasser le cardinal et de se rétablir auprès du roi son frère dans l'État où naturellement il devait être ». Si Charles du Fargis était bien rentré en France avec Gaston, son épouse s'en était bien gardée*, à juste raison. Le 14 février, du Fargis était arrêté en même temps que Puylaurens. À la Bastille, il rejoignit l'ancien amant de sa femme, Adrien de Montluc, le petit-fils de l'auteur des *Commentaires*, plus connu sous le nom de Cramail, qui était là depuis deux ans, soupçonné par le cardinal de comploter avec sa maîtresse**. Plus chanceux que Puylaurens, du Fargis sauvera sa vie et sera libéré par la régente en 1643 après huit années de captivité.

Au moment de ces arrestations, concertées entre le roi et son ministre, on s'acheminait à Paris vers la déclaration

* Elle mourut en 1639 en exil à Louvain.

** Cramail restera dix ans à la Bastille (1633-1643).

de guerre à l'Espagne. Gaston, l'héritier du trône, n'était plus un atout entre les mains de l'ennemi. Quant à Marie de Médicis, elle était plutôt une charge pour le cardinal-Infant. Elle ne présentait aucun danger. On l'a vu, les caisses de l'État avaient été remplies et de puissantes armées levées au début de 1635. Le 8 février 1635, une nouvelle alliance est scellée avec les Provinces-Unies et, en avril de la même année, le chancelier suédois Oxenstierna qui gouverne le pays durant la minorité de la reine Christine, âgée de six ans, signe à Compiègne avec la France un nouveau traité permettant d'unir les forces respectives contre les Impériaux. La guerre est officiellement déclarée à l'Espagne le 19 mai, déclaration bizarre dans sa forme puisque Richelieu avait choisi d'utiliser des procédés médiévaux de chevalerie tombés en désuétude depuis deux siècles. Un héraut d'armes, gentilhomme du Midi, nommé Jean Gratiolet, fut envoyé à Bruxelles avec une petite « escorte pour signifier la volonté du roi de France d'obtenir réparation par les armes des offenses subies ». Le cardinal-Infant lui refusa l'audience demandée. Ayant revêtu une côte de mailles violette, parsemée de fleurs de lis, il s'était alors rendu à cheval sur la place de la ville et là, précédé d'un trompette royal, il lut devant la maison du sergent-major le message de Louis XIII. Puis le héraut répandit sur la place le texte de cette déclaration sur lequel les badauds pouvaient lire :

« Le héraut d'armes de France, au titre d'Alençon soussigné, certifie à tous qu'il appartiendra être venu dans les Pays-Bas trouver, de la part du roi son maître, son unique souverain et seigneur le cardinal-Infant d'Espagne pour lui dire que puisqu'il a refusé de rendre la liberté à Monsieur l'archevêque de Trèves, électeur de l'Empire, qui s'était mis sous sa protection lorsqu'il ne la pouvait recevoir de l'empereur, ni d'aucun autre prince et que, contre la dignité de l'Empire et le droit des gens, il retient prisonnier un prince souverain contre lequel il n'avait point de guerre. Sa Majesté lui déclare qu'elle est résolue de tirer raison par les armes de cette offense qui intéresse tous les princes de la chrétienté. Alençon [14]. »

Un second exemplaire sera placardé sur un arbre à la

frontière des Pays-Bas. Pour le spécialiste de la guerre de Trente Ans, Victor-Lucien Tapié, « ces rites déjà désuets comme une survivance insolite du passé accompagnaient un événement qui ouvrait, dans la crise de la guerre de Trente Ans, une phase nouvelle et celle peut-être qui allait avoir le plus d'influence sur la condition de l'Europe [15] ». Lorsqu'il prit connaissance de cette déclaration de guerre dans son château de Blois, Monsieur dut certainement reconnaître que son ennemi le cardinal avait au moins un point commun avec lui : il ne manquait pas d'esprit chevaleresque.

DEUXIÈME PARTIE

UNE ALTESSE ROYALE EN SON APANAGE

10.
Un beau domaine princier

Gaston n'était pas le premier fils de France à recevoir un apanage qui, en principe, devait lui permettre de vivre dans la dignité due à son rang, avec sa famille. L'idée d'apanage était très ancienne et fut appliquée à maintes reprises au cours des siècles. Elle consistait pour un souverain à confier des portions plus ou moins importantes du domaine royal à un fils ou à un frère. Bien entendu, le bénéficiaire n'en possédait pas la propriété puisque le domaine royal est inaliénable, mais il en était l'usufruitier héréditaire. Si l'apanagiste n'a pas d'enfants mâles, ses dotations reviennent à la couronne à sa mort. Ce sera le cas pour Gaston d'Orléans dont le seul enfant mâle mourut à deux ans. C'est donc Philippe, frère de Louis XIV, qui deviendra à son tour duc d'Orléans.

Quelle était la situation de Gaston en 1635 par rapport à 1626, date à laquelle il avait été nommé duc d'Orléans et de Chartres et comte de Blois ? Pour Louis XIII et Richelieu, il convenait en 1626 d'assurer à Monsieur qui épousait la plus grosse fortune de France, Marie de Montpensier, un niveau de vie conséquent. Sans doute pensait-on le responsabiliser et l'assagir, il était si jeune et si inexpérimenté... L'attribution de l'apanage avait été faite comme à l'accoutumée, par lettres patentes royales en forme d'édit « scellé du grand sceau de cire verte en lacqs de soye rouge et verte [1] ». Le document signé du roi était contresigné par le secrétaire d'État Loménie. En préambule, Louis XIII expliquait que Gaston qui avait désormais dix-huit ans méritait que l'on pensât à lui. L'apanage consistait « de toutes parts en villes, cités, châteaux, chastellenies, places (militaires), maisons, forteresses, fruits, profits, cens, rentes, revenus, émoluements, honneurs, hommages vassaux, vasselages et sujets, bois, forêts, étangs, rivières, fours, moulins, prés, pâturages, fiefs, arrière-fiefs, justices, juridictions, patronages d'églises, collation des bénéfices, aubenages, forfaitures, confiscations et amendes, quints et requints, lods et ventes, profits de fiefs et tous autres droits et devoirs quelconques qui nous appartiennent es dits duchés et comtés ». On mesure par l'étendue de cette énumération de termes à fondements féodaux et seigneuriaux l'ampleur des droits acquis par Monsieur au détriment de la couronne, par aliénation. Le roi précisait cependant que ces revenus et droits étaient limités à la somme de cent mille livres tournois pour chaque année, « les charges préalablement acquittées ». Et ces dernières sont, on l'imagine, énormes. De plus, le roi se réservait les « foy et hommage », et la garde des « églises-cathédrales et autres qui sont de fondation royale », ainsi que « la connaissance des cas royaux et de ceux dont par prévention nos officiers doivent connaître ». Gaston ne peut pas non plus pourvoir aux offices de baillis et sénéchaux, juges et autres offices dépendant de son apanage tels les offices des présidiaux et ceux concernant les impôts des aides, des tailles et des gabelles. On comprend facilement cette restriction qui implique l'administration de la province, la justice royale et des sources essentielles de revenus. Par contre, Gaston est tenu d'entretenir les églises, les maisons et châteaux, les forteresses des duchés et comtés, et de payer les fiefs, aumônes et autres charges ordinaires, et il peut présenter au roi et nommer à la tête des abbayes, prieurés, bénéfices consistoriaux, excepté aux évêchés qui relèvent du roi depuis le concordat de Bologne de 1516.

Pour être valable, l'édit devait être enregistré entre autres par le Parlement de Paris, la Chambre des comptes et la cour des Aides. Ces enregistrements n'étaient pas évidents. Dans sa séance du 27 août 1626, le parlement avait émis des réserves sur trois points. D'abord sur les droits d'aubaine concernant les biens des étrangers vivant dans l'apanage et qui reviennent au roi en cas de décès sans héritiers. Le parlement décréta qu'il s'agissait là d'un droit particulier de la couronne. En second lieu, à propos des bois de haute futaie, il est demandé que Gaston « n'en pourra démolir, abattre, ni user sinon comme un bon père de famille ». Enfin, « que la nomination des offices de présidents, juges, présidiaux jugeant en dernier ressort et sans appel demeurera au roi en signe de souveraineté[2] ».

Ces remontrances « relevant du travail ordinaire des magistrats » furent peu appréciées du Conseil qui adressa le 7 novembre 1626 au parlement des « lettres patentes de jussion » lui signifiant qu'il devait les enregistrer purement et simplement dans les plus brefs délais. Ce qui fut fait le 14 décembre. Mais la Chambre des comptes avait pris le relais et, le 3 mars 1627, l'enregistrement avait été bloqué par le problème des offices. Là aussi, le roi avait dû réagir et envoyer à la Chambre des comptes le 8 mars des « lettres patentes addressantes portant jussion et mandement [ordre] de vérifier lesdites lettres d'apanage purement et simplement ». Comme pour le parlement, la Chambre des comptes céda le 15 mars. Ayant senti qu'il était inutile de résister, la cour des Aides enregistra de son côté les lettres d'apanage le 26 mars 1627 sans difficulté.

Comme pour toute remise de terre vassale ou fief, l'attribution d'un apanage comportait l'usage de « foy et hommage », autrement dit un acte par lequel l'apanagiste promettait solennellement fidélité à son seigneur, à savoir le roi. Le 8 mai 1627, Louis XIII signale que « nostre très cher et très aimé frère le duc d'Orléans et de Chartres, et comte de Blois, nous a aujourd'huy fait en nos mains les foy et hommage-lige... auxquels foy et hommage nous l'avons reçu ».

Que représentait l'apanage primitif de Monsieur ? Notons qu'il était déjà passé entre plusieurs mains. Avant d'accéder à la couronne, Henri III avait porté le titre de duc d'Orléans, et Catherine de Médicis, son fils sur le trône, était devenue duchesse douairière d'Orléans. Très dépensière, elle avait joui des revenus de ce magnifique apanage et « affectionna toujours l'Orléanais, se plaisant à parcourir les côteaux du Blésois, les forêts chartraines pendant l'été et bravant, grâce à son goût pour l'équitation, les boues et la fange des chemins de la Beauce, où elle chevauchait sans peine jusqu'à soixante ans[3] ». On gardait à Chambord « le souvenir de ses chasses, de son tir à l'arbalète et de ses magnifiques cavalcades[4] ». À la mort de Catherine de Médicis, le douaire du duché fut réuni à la couronne par Henri III. Quant au comté de Blois, il était apanage depuis 1524, ayant appartenu auparavant aux maisons d'Orléans, de Châtillon et de Champagne[5]. Le château où devait résider Gaston, au détriment de Chambord, était marqué par l'histoire récente des états généraux et surtout, le 23 décembre 1588, l'assassinat du duc de Guise, sur ordre du souverain. Ce meurtre dans la chambre même du roi avait provoqué une véritable stupeur dans la petite cité comtale.

Représentons-nous l'étendue de l'apanage : cinquante lieues d'est en ouest et quarante du nord au sud. Situé entre la Bourgogne, le Nivernais, le Berry, la Touraine, le Maine, le Haut-Perche et l'Île-de-France, il comprenait au centre l'Orléanais ainsi que la Sologne, le Blésois, le Vendômois, le Bas-Perche, le Gâtinais, le comté de Dunois, la Beauce et le pays chartrain. Administrativement, il relève de la généralité d'Orléans qui comprend 4 bailliages dont les présidents résident à Blois, Chartres, Orléans et Montargis. Concernant les affaires religieuses, il existe 2 diocèses : Orléans et Chartres*. L'évêché d'Orléans comprend 272 paroisses et celui de Chartres 1 700 paroisses, 28 abbayes, 200 prieurés et 14 chapitres. Dans le domaine financier, le bureau des finances d'Orléans domine douze élections pour la levée des impôts directs. La gabelle comprenait 22 greniers à sel qui, unis aux droits d'aides, assuraient environ 500 000 livres bon an mal an. Le pays, riche, était pillé par les financiers. La taille n'avait cessé de progresser : pour 1634, le brevet de la généralité était de 1 204 021 livres, il passa à 2 668 889 livres en 1639 pour atteindre la somme énorme de 4 542 743 livres en 1643, au moment où Monsieur deviendra lieutenant-général du

* Celui de Blois sera créé en 1697.

royaume[6]. Et la pression fiscale sur les sujets de l'apanage n'eut de cesse d'inquiéter Gaston. Il est une certitude : les ducs d'Orléans profitaient largement des droits de navigation perçus sur les marchandises empruntant la Loire et les autres rivières.

Bien entendu, une commission fut mise en place pour évaluer les revenus de l'apanage afin de voir s'ils atteignaient les 100 000 livres[7]. Elle doit faire l'examen « des baux de ferme, titres, estats, comptes et receptes, dépenses rendues » sur les dix dernières années. Les membres de la commission bipartie comprenait du côté royal : Nicolaï, premier président de la Chambre des comptes, Tambonneau, président, et Longueil-Maisons, auditeur des comptes. De son côté, Gaston désigne par lettres patentes ses gens parmi lesquels Castille de Villemareuil, « conseiller en nos conseils, général intendant de notre maison, domaines et finances » et Roger, procureur général de Gaston. La commission désignée en juin prit son temps pour faire l'évaluation qui était loin, par le jeu des dépenses locales de fonctionnement, d'atteindre les fameuses 100 000 livres. Aussi n'avait-on pas attendu les résultats et même le début des enquêtes pour augmenter l'apanage. Ainsi, en avril 1627, des lettres patentes royales procédaient au rattachement des comtés de Limours et de Montléry au duché de Chartres. C'était là de belles terres achetées à Richelieu. Si les enregistrements à la cour des Aides et à la Chambre des comptes se firent sans difficulté en 1628, le parlement attendra le 4 septembre 1635 pour faire de même*.

Les choses n'en restent pas là. Au moment du siège de La Rochelle, Gaston reçoit la terre de Romorantin et, en mars 1628, la terre et seigneurie de Montargis. À la fin de 1629 ou début de 1630, les revenus annuels que doit percevoir Gaston sont doublés et passent à 200 000 livres par une forte augmentation d'apanage. Cette fois, c'est le duché de Valois avec titre de pairie, « ses appartenances et dépendances », qui est rattaché aux terres déjà engagées. Les dispositions sont les mêmes que pour les autres biens

* Bien après le retour d'exil des Flandres.

usufruitiers d'Orléans, Chartres et Blois*. Mais on est loin d'atteindre les 200 000 livres dus à Gaston. L'apanage primitif rapporte avec la forêt du comté de Romorantin 44 649 livres, il manque 55 350 livres. La situation est identique pour le duché de Valois. En 1635, il manque à Monsieur 95 319 livres, 9 sols et 10 deniers pour que les promesses du roi soient tenues. Ceci bien qu'on lui ait accordé le gouvernement d'Auvergne. Aussi les augmentations d'apanage vont-elles continuer. En août 1643, Louis XIV accordera à son oncle la baronnie d'Amboise qui, il est vrai, ne rapporte que 362 livres et 18 sols par an, ce qui n'arrange guère les affaires.

Mais des acquisitions plus importantes vont permettre sous la Régence d'améliorer la situation. C'est d'abord, par héritage, la jouissance du palais du Luxembourg hérité de Marie de Médicis. En septembre 1644, la reine lui octroiera le gouvernement du Languedoc en remplacement de celui d'Auvergne perdu après l'affaire Cinq-Mars. Ensuite le duché d'Alençon qui fut apanagé à Gaston en 1646[8]. Enfin, complétant l'ensemble des terres, le lieutenant-général du royaume recevra la baronnie de Saint-Lô et la vicomté de Carentan en Normandie[9]. En dehors des terres, Louis XIV honorera son oncle d'autres revenus, en particulier sur des droits d'aides et de gabelle. En août 1650, le roi et la régente délaissaient à « Monsieur, fils de France, les aydes des élections d'Orléans, Blois, Romorantin, Pithiviers, Montargis, Chartres pour supplément d'apanage ». Ajoutons, enfin, la ferme de sel de Brouage avec droits « de quinze sols six deniers sur chacun muid de sel de Brouage appartenant à Son Altesse royale ».

Tout cela procure à Monsieur de copieux revenus. Mais il doit verser des sommes énormes pour la gestion de son apanage. Il doit aussi rétribuer le personnel de sa maison et ses compagnies de gardes. Voici quelques exemples pour l'année 1640[10] : les gardes suisses coûtent 1 145 livres, 12 sols, 8 deniers ; les valets de chiens à cheval 647 livres, le maréchal-ferrant de Blois 150 livres, le premier louvetier pour la chasse aux loups 1 000 livres et le capitaine des levrettes

* Françoise d'Orléans, fille de Gaston, portera le nom de Valois.

1 200 livres. Hors de Blois, retenons qu'un gentilhomme ordinaire de la chambre de Monsieur, capitaine et gouverneur des châteaux de Limours et Montléry, reçoit cette année-là 1 000 livres de gages. Un fait est sûr, Gaston fut toujours très sensible au respect des privilèges concernant les gens de sa maison [11]. Le 12 février 1643, un arrêt du Conseil privé du roi déchargea les maîtres des requêtes de Son Altesse royale des taxes créées sur les aisés [*]. Une autre déclaration confirme les privilèges accordés à ses officiers domestiques et commençaux. Les officiers des Eaux et Forêts de l'apanage ne sont pas oubliés et le Conseil d'État par arrêt les dispense de diverses taxes. Même chose pour les officiers ordinaires et domaniaux de l'étendue de l'apanage : ils sont, eux, déchargés de la taxe pour la confirmation d'hérédité. Pour la défense de ses intérêts et de ceux de ses proches, on le voit, Monsieur n'hésitait pas à solliciter largement l'appui du Conseil. On l'a vu également, toutes les lettres patentes d'attribution d'apanage demandaient au prince de faire des efforts pour le maintien en bon état des églises, châteaux, maisons et autres lieux. Trois exemples qui seront étudiés plus loin témoignent de sa volonté dans ce sens. Il s'agit du palais du Luxembourg, des châteaux de Blois et de Chambord.

---

* Ce terme désignant les sujets disposant d'une certaine fortune, et qui étaient fréquemment taxés.

11.

La cour de Blois

Dans le beau château comtal de son apanage, sur les bords de la rivière Loire, dans cette vallée immensément riche d'arts et de culture, Gaston va goûter durant plusieurs années les délices d'une existence au milieu d'une modeste cour qu'on a pu désigner comme « le séjour de l'urbanité elle-même ». Le prince, en ce printemps 1635, a vingt-sept ans, il possède une solide ardeur de jeunesse et une belle humeur libertine et enjouée. On conçoit aisément le climat de sérénité qui va régner dans son entourage. Même s'il est dégagé de tous soucis politiques, dans l'immédiat, il ne peut oublier la décennie qui vient de s'achever. Et le bilan est lourd ! Beaucoup de ses fidèles ont payé de leur vie leur attachement au prince pour l'avoir suivi dans ses projets aussi mirobolants qu'irréalisables : Chalais, Alexandre de Vendôme, d'Ornano, Montmorency, Puylaurens et quelques serviteurs de moindre envergure. La liste est bien longue mais la page semble tournée. Certes, c'est de son apanage qu'il est parti à deux reprises pour l'étranger, mais les inscriptions sur les murailles de Blois de la devise des anciens ducs « Qui s'y frotte s'y pique », gravée près du porc-épic de leur écusson, paraît soudainement bien vieillie, même si elle a pu résumer bien des comportements du prince à l'égard du pouvoir et de Richelieu en particulier.

Gaston est heureux de retrouver la France après ces longues années de « brouillerie ». Dans sa bonne ville de Blois, il n'est pas très loin de Paris où il est autorisé à venir saluer la famille royale et embrasser sa fille Anne Marie Louise, âgée de huit ans. Sans doute, son épouse Marguerite lui manque-t-elle, mais, il le sait, il doit faire preuve d'une grande patience. Quant à sa mère, Marie de Médicis, il a certainement soulagé sa conscience à son encontre auprès du roi plus que la vérité des faits ne le réclamait. Elle est à Bruxelles et ne paraît pas être sa préoccupation de tous les instants. L'héritier du trône semblait être dans de bonnes dispositions et il est temps de nous attarder un peu pour le saisir à cette époque importante de sa vie.

Au physique, c'est un bel homme de taille moyenne, encore mince. Une abondante chevelure brune cache un front bas ; les yeux bleus peuvent exprimer à la fois vigueur et lassitude, intérêt et nonchalance. Les traits du visage témoignent déjà des abus d'une vie de noceur qu'accentue encore l'aspect sensuel de sa grosse bouche charnue. L'expression générale est imprégnée d'une sorte de lassitude sans doute passagère. Gaston tient beaucoup de son père Henri IV : sa bonne santé, sa gaillardise, son goût des femmes, son indicible aptitude aux interminables réunions d'hommes, aux banquets où l'on mange et boit plus que raison ne veut. Le Vert-Galant lui a légué aussi sa bonté et sa générosité, sa simplicité, vertus que beaucoup de ses familiers lui reconnaissent. S'il accepte certainement cet héritage paternel, le prince sent bouillonner en lui toutes les potentialités issues des Médicis. Il l'avouera lui-même, lors d'une explosion de colère : « Je veux qu'on sache que je suis de race florentine ! » L'aveu en dit long. Il est probable que ce fils préféré, choyé par sa mère, a manifesté tôt des sentiments et des attitudes dans lesquels Marie de Médicis discerna l'apport du sang florentin. En premier lieu, l'orgueil de sa race que, dès son enfance, il cultiva. Dans son « Historiette » sur le prince, Tallemant des Réaux raconte qu'à Fontainebleau « il avait fait jeter dans le canal un gentilhomme qui, à son avis, ne lui avait pas porté assez de respect ». Comme l'affaire avait fait du bruit, la reine mère dut le menacer du fouet pour que l'enfant finisse par demander pardon[1]. Alors qu'il a eu deux excellents gouverneurs, Gaston dira plus tard « qu'on ne lui avait donné pour gouverneurs qu'un Turc et qu'un

Corse, Monsieur de Brèves et le maréchal d'Ornane » (Ornano).

Un autre aspect Médicis indéniable est celui du goût de la culture, la sensibilité de l'amateur d'art, l'esprit de collectionneur éclos dès la jeunesse, l'amoureux du beau qui rassemble mille objets dans son cabinet et des livres par centaines dans sa bibliothèque, que Mansart construisit dans une aile du château de Blois, et qui fait réaliser par son premier médecin, Brunyer, le merveilleux « Jardin des Simples » dont il fera le catalogue*. Gaston aimait la littérature et les poètes, il affectionnait tout particulièrement « Maître François » ; on ne sait quand il découvrit Rabelais, peut-être tardivement avec l'abbé La Rivière, mais sa lecture lui apporte à chaque occasion une véritable gorgée de jouvence. Gaston est intelligent, cultivé, souvent drôle ; il manie l'humour avec une franche gaieté. Par moments, emporté par l'atmosphère, il sait garder un esprit « un peu page[2] », montrer une malice gauloise, énonçant au milieu de ses invités contrepèteries et calembredaines. Sans perdre de sa dignité, « le maître s'était mis au rang de ses serviteurs ». Le bel esprit Bautru rapporta que « Monsieur sait cent chansons à boire et les plus étranges. Bref, pour le dépeindre, c'est le plus débauché et le meilleur prince du monde ». On perçoit bien là cet esprit étincelant, incisif, irrévérencieusement moqueur sans être offensant. Tallemant a vu juste dans son portrait lorsqu'il le présente « tournant, virevoltant, sifflant », se faisant « boutonner en courant par ses valets. Les mains dans les poches et le chapeau planté en auréole[3] ». Bon pied, bon œil, il n'est jamais à la même place. Cette disposition a dû perdurer car sa fille, la future Grande Mademoiselle, l'a décrite dans ses *Mémoires*, elle montre son incapacité, lors de discussions importantes, à fixer l'attention de son père qui tourne sur ses talons et quitte la pièce en sifflotant.

Mais Gaston est un sanguin — « il avait toujours été vermeil » — qui sait se contrôler. Une fameuse anecdote rapportée par Tallemant en témoigne : « Un jour comme il y

---

* L'éducation de Brèves et d'Ornano y fut sans doute pour quelque chose.

avait beaucoup de courtisans avec lui à son lever, une montre d'or sonnante, qu'il aimait fort, fut volée. Quelqu'un dit : il faut fermer les portes et fouiller tout le monde. Monsieur dit humainement : au contraire, Messieurs, sortez tous de peur que la montre ne vienne à sonner et à découvrir celui qui s'en est accommodé », et il les fit tous sortir. Ce contrôle de soi en toute simplicité témoigne de la bonté de Monsieur et de sa générosité. On comprend que les contemporains aient été fort divers dans leur jugement. Si Madame de Motteville qui l'a bien connu peut écrire : « Il a l'air d'un fils de roi mais mal nourri », entendons mal élevé, Bussy-Rabutin, qui servira sous ses ordres un an plus tard dans la campagne de Picardie de 1636, verra en lui « un beau prince, né pour les plaisirs, qui avait l'esprit agréable, savait mille choses et parlait le mieux du monde en public ».

Il est vrai que Gaston possédait une grande richesse de vocabulaire. Sa conversation, jamais hésitante, était pétrie de formules expressives et savait s'adapter à la dignité des interlocuteurs. Sobriété et simplicité, familiarité aussi dans l'écriture, même si la correspondance avec le cardinal n'était pas exempte d'une grandiloquence affectée. Mais on nous ferait grief, à juste titre, de ne pas aborder cette image négative qui reste attachée à Gaston jusqu'à nos jours, faite d'indocilité à l'égard du pouvoir, d'incapacité à tenir la parole donnée, de difficulté à prendre une décision, et surtout sa déconcertante facilité et sa naïveté à avouer ses complots en se disculpant et en chargeant ses proches. Ces traits de son caractère évoluèrent peu puisque, en 1652, au moment de son exil, à Saint-Fargeau, la Grande Mademoiselle se plaindra des reproches de son père, pour ses actions menées à Orléans et les canons de la Bastille, alors qu'elle avait agi à sa place et selon ses ordres. Même s'il se veut Médicis, Gaston n'a rien d'un « battant », d'un gagneur, d'un condottiere résolu. Tel est le maître de la véritable petite cour de Blois, suscitant attachement divers et au centre de nombreuses luttes d'influence.

Parlant de Gaston, Bussy-Rabutin souligne « que l'ambition de ses favoris plus que sa propre inclination l'avait engagé dans les brouilleries avec le roi son frère ». Il est vrai que Monsieur a toujours été un prince sous influence et son entourage rassemblait un éventail fort large d'opinions, entre lesquelles il lui convenait de faire le tri. En 1635, un changement intervient. Certains, très influents, tels Puylaurens ou du Fargis sont éliminés, d'autres comme Lecoigneux se sont éloignés progressivement. Un bon nombre reste, tels Goulas et La Rivière. Surtout, Richelieu va chercher à placer près de l'héritier du trône des hommes sûrs afin d'essayer de lui dicter sa conduite. Georges Dethan les appelle les cardinalices.

Quelques jours après l'arrestation de Puylaurens, le duc d'Orléans dut accepter un bouleversement de son entourage immédiat. Léon Bouthillier, comte de Chavigny, fidèle convaincu de Richelieu, est nommé chancelier du prince, surintendant de sa maison et chef de son Conseil. Une telle mobilisation de charges sur un seul homme en dit long sur les intentions du cardinal. La chancellerie de Monsieur avait été tenue par Lecoigneux, puis par Charles de Verderonne, un cousin de Puylaurens ; la surintendance de la maison appartenait au vieux duc de Bellegarde et le chef du Conseil était le président Lecoigneux. Chavigny a le même âge que Gaston. Son père Claude Bouthillier, lui aussi créature du premier ministre, a été secrétaire d'État aux Affaires étrangères avant de devenir en 1632 l'un des deux surintendants des Finances avec Claude de Bullion. Les pamphlétaires s'accordaient pour dire que l'ancien avocat Bouthillier n'était pas d'une grande compétence financière et que Bullion assurait l'essentiel du travail.

Chavigny, sous la houlette du cardinal, a commencé une rapide et brillante carrière. Appelé « Monsieur le Jeune » pour le distinguer de son père, il récupère en 1632, à la suite de ce dernier, la charge de secrétaire d'État aux Affaires étrangères à l'âge de vingt-cinq ans. Dans l'immédiat, la préoccupation de Chavigny était de défaire le mariage de Gaston et de Marguerite de Lorraine. Il s'agissait de briser les résistances princières en pourfendant ses proches conseillers accusés de toutes les cabales. Chavigny pouvait compter sur l'appui de Léonard Gaulas et de Guy d'Elbène, commandant de la compagnie de chevau-légers du prince. Persuadé de son efficacité, il assurait d'emblée son maître « qu'il aurait sur l'esprit du prince, autant de pouvoir que sur celui du roi ». C'était aller un peu vite en besogne. Certes, une assemblée du clergé de France, réunie à Paris, annulait tout bonnement le mariage princier le 10 juillet, et le 16 août, à Rueil, Gaston signait un papier lui demandant de « reconnaître nul le mariage fait entre nous et la princesse Marguerite de Lorraine ». Il n'empêche ! Richelieu savait d'ores et déjà que la cour pontificale était partie prenante dans cette affaire. Et Gaston le savait aussi. Le pape Urbain VIII n'avait aucun motif pour accélérer les choses. Il réunit en séance secrète le Sacré Collège au mois d'octobre et fit connaître la décision de Rome au roi et à Gaston qui la reçut seulement le 31 juillet 1636. Le ton était plutôt rassurant : « Nous voulons nous charger de la cause de validité de mariage que la princesse Marguerite affirme avoir contracté avec toi... Sur cette question, nous prendrons conseil de la raison et des décrets des sacrés canons, et nous nous déciderons selon l'inspiration divine. »

L'affaire du mariage de Gaston échappait à Richelieu. Cependant, Chavigny pouvait s'enorgueillir de quelques résultats dans les relations de son maître et du prince. Il avait obtenu que Gaston, qui avait en charge la fortune et les biens de sa fille, négociât avec le cardinal préoccupé par les travaux de la ville de Richelieu un échange de terres en Poitou, avec l'autorisation de raser le château de Champigny-sur-Veude, berceau des Montpensier. Cet accord suscitera plus tard beaucoup de ressentiment chez la Grande Mademoiselle. Monsieur accepta aussi d'accorder au maréchal de La Meilleraye, un parent du cardinal, le gouvernement de Honfleur qui était de son ressort. On décida d'aller plus loin. Ne pouvait-on pas utiliser Monsieur pour des missions délicates et peu glorieuses ? Ainsi lui demanda-t-on de porter, en décembre 1635, à la Cour des comptes, pour enregistrement, plusieurs édits impopulaires liés à une augmentation de revenus extraordinaires du royaume en guerre. L'un de ces édits était notoirement contesté. Il s'agissait de la création de quatre-vingt-quatre offices supplémentaires de secrétaires des finances qui, ajoutés aux trente-six existants, devaient constituer le fameux corps et collège des « six-vingts des finances », véritable pépinière des financiers de la monarchie[4]. Les trente-six qui avaient obtenu des assurances étaient d'accord, mais les quatre autres collèges de notaires et secrétaires du roi, maison et couronne de France de la chancellerie, y étaient opposés car ils apercevaient clairement, dans cette opération, la diminution du prix de leurs propres offices. Devant l'obstination du cardinal à les entendre, ils capitulèrent et Gaston obtint l'enregistrement par « Messieurs des comptes » de l'édit.

Bien qu'il cherchât à contrôler efficacement la vie de la petite cour de Blois, Chavigny ne pouvait veiller à tout car l'indocilité de Gaston était quotidienne. En février 1636, l'abbé La Rivière obtint la charge de premier aumonier du duc d'Orléans à la disparition du titulaire Pierre-Hubert de Monmort. Chavigny désirait la réserver à son oncle Victor Bouthillier, coadjuteur de Tours ; il est vrai que la place était d'une grande importance. Juste nommé, La Rivière fut arrêté le 5 mars et jeté à la Bastille où il restera un an. Ce coup de sang du secrétaire d'État déplut à l'héritier du trône et Gaston se vengea aux dépens de Guy d'Elbène, dénonciateur de La Rivière en haut lieu. Il le chassa de sa maison. Louis XIII intervint en personne en signifiant à son frère son « vif déplaisir ». Chavigny en profita pour remplacer d'Elbène par un ancien page de Monsieur, le baron de Boisgeoffroy, officier de ses gendarmes et non dénué de qualités, comme le souligne Goulas dans ses *Mémoires* : « Il avait extrêmement de l'esprit, il était gai, enjoué, moqueur, agréable au dernier point avec des rencontres fines, ingénieuses, délicates. » En plus, « il était cousin germain de M. Bouthillier [le père] leurs mères étant sœurs ». Mais Gaston eut beaucoup de mal à l'accepter. Ces faits tendraient à décrire des relations à couteaux tirés entre le prince et Chavigny. Loin s'en faut. Chavigny, « l'espion domestique », faisait de nombreux séjours à Blois. Il lui était alors difficile d'échapper à l'atmosphère du lieu qui était souvent fort gaillarde. Dans son « Historiette » sur « Mr. d'Orléans », Tallemant raconte[5] qu'en une débauche où chacun contait quelque chose pour se moquer du cardinal de Richelieu, Mr. de Chavigny en fit aussi un conte. Mr. d'Orléans lui dit en souriant : *Tu quoque fili** ?, car on disait qu'il était fils du cardinal qui, étant jeune, avait couché avec Mme Bouthillier » ; et la mauvaise langue Tallemant de poursuivre : « Elle fit mettre son mari chez la reine mère et ensuite il devint surintendant des Finances. Elle fit aussi donner la coadjuterie de Tours à son beau-frère. » Qu'importe la vérité, le fait rapporté vaut son pesant de libertinage tel qu'il était pratiqué à Blois.

Chavigny avait recruté pour l'aider quelques serviteurs de longue date du prince, favorables à une bonne entente avec le cardinal. Ils avaient suivi Gaston dans ses aventures tout en lui conseillant la prudence car ils craignaient pour leur personne. Parmi ces hommes, on rencontrait bon nombre de roturiers dont les qualités intellectuelles, le sens des affaires ou une certaine propension de courtisan à se faire passer pour indispensables avaient un jour séduit Monsieur. C'est le cas des Goulas. Léonard et Nicolas sont cousins. Ce dernier, auteur de *Mémoires*, était gentilhomme ordinaire de Gaston, ami de Chavigny et cardinalice notoire. Léonard, véritable factotum de Gaston, occupait en réalité depuis 1626 la charge de secrétaire des commandements du prince et, à ce titre, rien ne lui échappait. Il rédigeait la correspondance ducale et mettait la main aux écrits plus politiques.

Ce vieux serviteur, de quinze ans l'aîné de Monsieur, était entré à son service en 1617 comme trésorier. Cette longévité et l'intimité quotidienne l'autorisaient à parler franc à son maître. Grand admirateur de Chavigny dont il se plaisait à reconnaître l'esprit brillant, la ferme résolution, l'intelligence pratique et le sens aigu de la fidélité, il ne manqua pas de distiller bien des conseils modérés au moment opportun. Fils d'un conseiller du Châtelet de Paris, Goulas avait acquis beaucoup de biens, en particulier un fastueux hôtel particulier rue Barbette, dans le Marais[6], dans lequel il donnait de somptueuses réceptions

---

* Selon la célèbre interpellation de César lorsqu'il aperçut, parmi les conjurés qui étaient venus l'assassiner, son fils adoptif Brutus.

et plus tard, en 1644, la magnifique propriété de Ferrières, en Brie, où il mourut après son maître qu'il avait loyalement servi pendant quarante-trois ans*. On ne saurait conclure l'action des cardinalices sans citer quelques personnages déjà évoqués, parmi lesquels Guy d'Elbène et Pierre de Boisgeoffroy.

Rien de plus normal que Son Altesse royale le duc d'Orléans soit entouré d'un grand nombre de gentilshommes. On les a appelés « gens d'honneur » ou « généreux ». D'ancienne noblesse, beaucoup avaient connu Gaston dans sa jeunesse. Certains l'avaient suivi aux Pays-Bas et quelques-uns avaient même participé à la canonnade de Castelnaudary. Leurs sentiments à l'égard du cardinal étaient évidemment des plus négatifs. Puylaurens disparu, l'un d'eux, Montrésor, fut remarqué par le prince et devint son principal conseiller. Claude de Bourdeille, comte de Montrésor, était le petit-neveu de l'abbé de Brantôme qui lui légua son château de Richemont. Il appartenait à une solide famille de province qui n'avait jamais rechigné à servir le roi. Montrésor qui était né la même année que Gaston entra à son service à dix-huit ans, dès 1626, juste après le mariage de Nantes, sans doute avec l'appui de son cousin Puylaurens. Après le premier exil aux Pays-Bas, il occupa la charge de grand veneur. Cinq ans plus tard, il devint le principal conseiller de Gaston et le restera jusqu'à la Régence.

Le comte de Montrésor était une forte personnalité qui a laissé des *Mémoires* transpirant la passion et vraisemblablement pétris de sincérité tant l'exposé de ses idées colle au personnage. Le système de pensée de Montrésor s'inscrit dans un contexte que la philosophie et la littérature de l'époque ne pouvaient renier quelques mois avant le succès du *Cid* de Corneille. Guidé par une morale stricte, ses motivations font appel aux valeurs antiques, à l'honneur, l'amitié, le courage, le don de soi pour une cause juste et surtout une haine absolue à l'égard de Richelieu,

* Acquise au XIXe siècle par les Rothschild. Le « grand baron James » y fit construire par l'architecte Joseph Paxton, à partir de 1859, le nouveau château qui reste un bel exemple de l'architecture du XIXe siècle.

le tyran. Il écrit dans ses *Mémoires* que son comportement relève de deux maximes : « Dieu auquel nous sommes obligés de rendre compte de nos actions », et « l'obligation qui consiste à s'exempter des moindres reproches qui peuvent donner quelque atteinte à l'honneur ». Rodrigue n'affirmerait pas le contraire. En 1635, Montrésor s'était véritablement donné au duc d'Orléans avec en filigrane « l'abaissement du cardinal ». Selon lui, Richelieu n'était entré en guerre que pour accentuer sa mainmise sur l'État et surtout passer pour indispensable auprès du roi. Cette idée n'est pas neuve et elle va perdurer durant tout le ministériat. En bon gentilhomme qui se respecte, Montrésor dénonce les malheurs que tant de grands nobles du royaume ont eu à supporter, « désespérés des mauvais traitements qui leur avaient été faits ». Il ajoute « la désolation et la misère des peuples » et rencontre ici le jugement de Louis XIII : « La misère et la pauvreté sont partout et dans sa Maison [Richelieu] l'or est à pelletées. »

Il n'est pas impossible que l'empreinte de Montrésor ait marqué le manifeste de 1631.

J.-M. Constant, qui l'a longuement étudié[7], insiste à juste titre sur le fait que « beaucoup des vertus pratiquées par Montrésor s'apparentent à celles de la philosophie stoïcienne » et qu'il « se classe résolument parmi les disciples des nouveaux stoïciens du XVIIe siècle ». Il ne faudra pas attendre longtemps pour voir Montrésor dans le feu de l'action. Il est vrai qu'une attitude stricte, fermement raisonnée, reposant sur de grands principes que l'on cherche à préserver pouvait éclairer d'une lumière nouvelle bien des agissements de son maître. Cette forte personnalité assoiffée d'absolu ne pouvait laisser indifférent. Goulas, qui le fréquentait régulièrement, s'interrogeait sur les raisons de son succès auprès de Gaston tant les deux hommes étaient différents* : « Il est très sévère et notre maître gai et enjoué. L'esprit en était d'une pièce et Son Altesse royale l'avait souple et complaisant. Il prenait toujours le parti violent à l'extrême... et Monsieur était plein de bonté, fort irrésolu et attendait toujours beaucoup de

* Goulas a rédigé une réfutation des *Mémoires* de Montrésor.

bénéfice du temps. » Le fidèle secrétaire brossait là un tableau en demi-teintes. Mazarin, toujours en quête de nouvelles amitiés pour s'affermir, déplorera plus tard qu'il « est du nombre de certains gens dont l'amitié est aussi difficile à avoir que de gagner le paradis ». Quant à Retz, il a vu dans Montrésor un homme « d'autant plus dangereux pour conseiller les grandes choses qu'il les avait beaucoup plus dans l'esprit que dans le cœur... Les gens de ce caractère n'exécutent rien et, pour cette raison, ils conseillent tout ».

À côté du hautain Montrésor taillé d'une seule pièce, d'autres gens d'honneur, animés de la même haine à l'égard du cardinal, présentaient des personnalités plus nuancées. C'est le cas de La Rochepot, Brion, d'Espinay, Aubijoux. Nous avons déjà rencontré Charles d'Angennes du Fargis, marquis de Boissière, comte de La Rochepot, puisqu'il a été élevé dans le sérail, au milieu des cabales. C'était le fils de la rebelle Madame du Fargis, toujours exilée à Bruxelles, convertie au service de Marguerite de Lorraine. Son père, après un modeste séjour à Vincennes, se trouvait à la Bastille sans espoir d'une libération immédiate. Sa famille, liée au milieu dévot, lui avait inculqué une solide formation. Son cousin Retz, qui lui portait une grande estime, signale qu'il était « extrêmement dans la confidence » de Monsieur et influent. « Nous entrâmes aisément dans les mêmes pensées qui furent de nous servir de la faiblesse de Monsieur pour exécuter ce que la hardiesse de ses domestiques fut sur le point de lui faire faire à Corbie*. » La Rochepot mourut en militaire au siège d'Arras en 1640.

Le comte de Brion, premier écuyer du prince, était un dévot pur et dur. Il s'appelait François-Christophe de Lévis-Ventadour et son frère aîné fut le fondateur de la célèbre compagnie du Saint-Sacrement. Compagnon de Gaston depuis l'adolescence, il fut très lié à Bois d'Ennemetz, Chalais, et plus tard à Cinq-Mars. Brion était une âme torturée, en quête perpétuelle de rédemption, ce qui faisait dire à Retz « qu'il faisait un salmigondis perpétuel

* Il s'agit de l'attentat projeté à Amiens contre le cardinal en 1636.

de dévotion et de péché ». Cela le conduisit à plusieurs reprises à revêtir la robe de bure des petits frères de saint François et c'est dans cette tenue toute simple qu'il mourut en 1661. Il est beaucoup parlé de Jacques de L'Espinay, sieur de Vaux et de Mézières dans l'« Historiette » que Tallemant consacra au duc d'Orléans. Ce « gentilhomme de Normandie qui était alors favori de Monsieur » fut disgracié en même temps que Louison Roger, la maîtresse en titre de Gaston, en 1639*.

Bien moins fougueux auprès des dames, bien qu'il les aimât fortement, fut le comte François-Jacques d'Aubijoux, issu et dernier représentant de la grande famille d'Amboise qui avait donné tant d'hommes illustres et de grands serviteurs à la monarchie. « De grande naissance et de grande ambition », chambellan de Monsieur, il deviendra gouverneur de Montpellier et lieutenant en Languedoc. Goulas était très élogieux à son égard : « Peu de gentilshommes l'égalaient tellement la nature l'avait avantagé dans les domaines de l'esprit, du cœur et de l'honneur. »

Restent ceux que l'on appelle communément les « gens de bien » mais que pour satisfaire la vérité nous pourrions sans anicroche à leur mémoire désigner comme libertins. Ce sont « des compagnons de plaisir, des esprits joyeux de la même volée que le sien [8] », « doués d'une gaieté particulière et d'une finesse supérieure ». D'emblée se présente Louis Barbier, communément appelé l'abbé La Rivière. Ce petit abbé, choyé de longue date par Gaston pour son tempérament et sa culture, était un grand spécialiste de « Maître François » (Rabelais). Il fit une étonnante carrière qui le vit évêque de Langres et duc et pair du royaume. Malgré une belle persistance au temps de la Régence, Gaston ne parvint pas à faire un cardinal du petit abbé qui n'avait jamais été prêtre. La Rivière était d'extraction modeste. Issu de petits bourgeois de Montfort-l'Amaury, il aurait débuté comme régent au collège de Plessis avant d'entrer au service du premier aumônier de Gaston, Pierre-Hubert de Montmort, évêque de Cahors, qui avait décelé en lui les qualités de « bel esprit et de savant en philosophie et

---

* Voir chapitre 14, « Louison, la belle Tourangelle ».

en théologie ». Et, dès 1625, il faisait partie du fameux « conseil de vauriennerie » du prince et, en 1636, avait tâté de la prison. D'aspect fragile mais l'expression pétillante de malice, La Rivière était loin d'incarner les canons de la beauté mais cela ne l'empêchait pas de plaire beaucoup aux femmes. Il est vrai qu'il était toujours bien habillé et « lorsqu'il était en habit court, en changeait trois à quatre fois par jour[9] ». Ses relations avec Gaston étaient pétries d'humour. Tallemant, qui se fait un délice de conter ses aventures, écrit que le duc d'Orléans « un jour de la Passion, étant au sermon entre La Rivière et Tubœuf, [...] dit, comme s'il eût parlé à Jésus-Christ, je vous vois là, mon seigneur, entre deux brigands* ». Sa sympathique connivence avec le prince lui valait un beau lot de jalousies. Le duc de Roquelaure, grand seigneur, affirmait que s'il avait été de la cour de Monsieur, il l'aurait « desquillé » (renversé). Plus tard, son rôle dans la Fronde lui vaudra de savoureuses allusions dans les mazarinades. En bon épicurien, celui qui se plaignait de devoir satisfaire une « chasteté de trois semaines », ne négligea pas les avantages de la fortune et l'acquisition de belles demeures comme le château du Petit-Bourg près de Corbeil, acheté au secrétaire du Conseil Galland. Il mourut en 1670.

Bien différent est Louis d'Astarac, vicomte de Fontrailles, tenant à la fois de l'homme d'honneur et du libertin. Libertin par ses dispositions d'esprit car le vicomte « empoisonnait d'athéisme l'âme de tous ceux qui le pratiquaient familièrement[10] ». Mais selon Goulas, il savait être spirituel, généreux et honnête homme. Homme d'honneur, ce bretteur impénitent, ami des poètes du Marais, avait, avec quelques gentilshommes de sa trempe, chargé « les filous du quartier » et contribué à ce que « le Marais fût quelque temps un lieu de sûreté ». Mais Fontrailles avait un défaut : cet « homme de qualité du Languedoc [était] bossu devant et derrière... fort laid de visage... fort, petit et gros ». Ce portrait de Tallemant n'est guère engageant. Fontrailles avait une saine horreur de la moquerie, ce qui le plaçait continuellement sur une réserve qui

* Tubœuf fut intendant des Finances et un financier opulent.

n'était pas faite pour le valoriser auprès des dames vers lesquelles il était à l'évidence porté. Et Tallemant voyait juste en disant « qu'il était enragé contre le cardinal » dont il désirait, comme Montrésor et quelques autres, irrémédiablement la perte. Il distilla sa haine à l'encontre du cardinal dans sa « relation sur l'affaire Cinq-Mars » dont il fut l'un des principaux acteurs [11]. Tallemant explique dans son « Historiette » sur Richelieu les motifs de son comportement [12] : « Étant à Rueil dans l'antichambre du cardinal, on vint dire que je ne sais quel ambassadeur venait : le cardinal sort au-devant de lui dans l'antichambre et ayant trouvé Fontrailles, lui dit, le raillant un peu fortement : rangez-vous Monsieur de Fontrailles, ne vous montrez pas, cet ambassadeur n'aime pas les monstres. Fontrailles accusa l'insulte en grinçant des dents, se disant en lui-même : tu me viens de mettre le poignard dans le sein mais je te l'y mettrai à mon tour. » Et Tallemant de poursuivre : « Cette parole-là a peut-être fait faire la grande conjuration qui pensa ruiner le cardinal. » Homme d'honneur, dès que l'on évoque la mésalliance, Fontrailles était persuadé lui aussi que le cardinal voulait faire épouser sa nièce, la duchesse d'Aiguillon, à Gaston. Or, il connaissait la mésalliance dans sa propre famille avec laquelle il s'était fâché à la suite du mariage de sa sœur avec un soldat de fortune. Mais si le vicomte était un noceur, ses turpitudes se déroulaient le plus souvent en dehors de l'intimité de Son Altesse royale, ce qui était loin d'être le cas pour Boulay, Bautru, Gédouin, Chouvigny ou Voiture.

Nicolas Brulart, seigneur du Boulay, venait de la fameuse famille des Brulart dont diverses branches servirent les Valois et les premiers Bourbons. Son père avait été secrétaire d'État sous Henri III. Aidé de ses cousins Puysieulx et du chancelier d'Henri IV, Sillery, il commença une carrière mais la disgrâce de sa famille à l'arrivée au pouvoir de Richelieu lui fut néfaste et il entra au service de Gaston qu'il suivit en Lorraine en 1629. Ce grand farceur et joueur impénitent était devenu un compagnon apprécié de Gaston qui en fera sous la Régence son capitaine du palais du Luxembourg.

Le « petit bougre » de Gaston, Guillaume Bautru, comte

de Serrant, dépassait tout le monde en facéties, bouffonneries et par l'extrême libertinage de ses mœurs et de sa religion. Pourtant, l'homme dont Tallemant fit une de ses succulentes *Historiettes* était d'une bonne famille angevine. Plus âgé que Gaston d'une vingtaine d'années, il avait même conduit des ambassades en Angleterre, en Espagne et aux Pays-Bas. Mais Bautru avait une telle réputation que le duc d'Orléans évitait de l'admettre dans ses moments de dévotion. Buveur insatiable, débauché notoire et haut en couleur, le « petit bougre » savait lorsqu'il se rendait à Blois distraire son maître comme nul autre courtisan.

Gédouin de Belland avait lui aussi la réputation d'un bel esprit qui savait « s'accorder au goût de ceux avec lesquels il s'entretenait ». Nommé l'un des quatre gentilshommes ordinaires de Gaston lors de la constitution de la maison, sa vie est mêlée à bien des événements de celle du prince. Autre gentilhomme de Monsieur était Claude de Chouvigny, baron de Blot l'Église, une âme rebelle à toute forme de religion mais chansonnier et rimeur d'un verbe intarissable dont le franc-parler avec son maître étonnait nombre de courtisans. Il faut faire un sort particulier à Vincent Voiture, un habitué de l'Hôtel de Rambouillet. Fils d'un marchand de vins d'Amiens, le brillant poète était aussi un amuseur inépuisable qui vouait à Monsieur une fidélité à toute épreuve puisqu'il fut à Castelnaudary et accompagna du Fargis en Espagne lors des négociations secrètes de 1633.

On le voit, dans cette cour de Blois, Gaston rassemblait un éventail de personnages uniques. Bien sûr, tous n'y étaient pas en même temps. Ils allaient et venaient, s'arrêtaient quelque temps et repartaient, parfois pour accomplir une mission. On s'y croisait et le prince lui-même quittait sa bonne ville pour aller saluer son frère à Paris et surtout embrasser sa fille aux Tuileries. « Il ne faisait point de voyage à Paris qu'il ne me vînt voir souvent », écrit la future Grande Mademoiselle. « Il se divertissait à me faire chanter les chansons du temps et m'entretenait sans témoigner aucun ennui de tout ce que l'on peut dire à une petite fille. » Gaston était adulé par ses proches, généreux, respectueux de chacun, il savait provoquer à la fois l'attachement d'un Montrésor et d'un Bautru, d'un chrétien stoïcien et d'un athée avéré. Le sombre Chavigny ne détestait pas les séjours de Blois, moments de délassement dans les arcanes de la politique et Monsieur n'omettait jamais de prendre des nouvelles du « signor Giulio » (Mazarin).

Cette cour Médicis, aimable, primesautière et joyeuse, était-elle aussi un laboratoire d'idées, une école accoucheuse de nouvelles théories libérales, affichées face au ministériat ? Rien n'est moins sûr. Le combat que certains livraient est pour nous d'arrière-garde, mais eux, dans le feu de l'action pour sauvegarder certaines valeurs jugées précieuses, avaient sans doute conscience d'un impérieux devoir. On reste également étonné de la tolérance et du libéralisme religieux qui y marquent l'atmosphère. On y voit Gaston festoyant avec des poètes, bohêmes, ripailleurs et recevant des odes amoureuses et bacchiques de Saint-Amant et de Tristan L'Hermite. Cela faisait partie de l'amusement du prince et ne sembla guère affecter sa vision de la religion forgée dans son adolescence par le libertin de Brèves et le très catholique d'Ornano. Un enseignement divers qui fit peut-être de lui un modéré en la matière mais l'affaire de son mariage lorrain, bénit par la Sainte Église, ne manqua pas durant toute cette période d'apparaître comme une longue interrogation et une réelle blessure intime.

12.
Au service du roi

1636, l'année est connue pour être celle du triomphe de Corneille avec le *Cid.* C'est aussi l'année de Corbie, l'une des plus grandes frayeurs de la population parisienne durant la guerre de Trente Ans. La France était en guerre depuis un an et les résultats s'étaient révélés peu probants. Le 1er juin 1635, l'armée commune franco-hollandaise commandée par le prince d'Orange s'était emparée de Tuilemont, siège du quartier général du cardinal-Infant, qui l'avait abandonnée avec ses troupes. La petite ville avait été mise à sac. « Les soldats perpétrèrent tant d'horribles sacrilèges que la postérité ne pourra jamais croire qu'en aucun siècle s'est perpétuée telle action parmi les chrétiens », écrit un contemporain, Jean Antoine Vincart[1]. Vincart est à court de mots pour décrire ce qu'il voit. Il est vrai que pour signifier leur entrée en guerre, les troupes françaises n'avaient pas fait dans la dentelle : « Violences, viols, massacres de femmes et de religieuses, un enfant à la mamelle arraché aux bras de sa mère, jeté en l'air et reçu sur des pointes d'épée pour le plaisir ; l'hôpital incendié, avec les malades dedans, les églises profanées, les statues brisées, une image de la Vierge percée de sept coups de carabine, par dérision de celle des Sept-Douleurs[2]. » L'histoire montrera que malheureusement notre informateur belge, très justement choqué, était bien naïf quant aux capacités de cruauté des hommes*. Au milieu du mois

* En 1637 fut fondé, à Tuilemont, le culte de « Notre-Dame de consolation » en souvenir des exactions. Il a duré jusqu'à nos jours.

de septembre, s'achevait, après le siège de Louvain, une campagne peu glorieuse. Mal ravitaillés, les Français désertaient leurs régiments et venaient mendier jusqu'aux portes de Bruxelles. Si le cardinal-Infant, Don Fernand, fit preuve de mansuétude, ce ne fut pas le cas de la population : « Les villageois des environs de Bruxelles tuaient tous les Français qu'ils trouvaient par les chemins et ceux qui s'éloignaient de leurs quartiers, et coupaient à tous les oreilles. Les paysans apportaient aux officiers de l'armée espagnole des sacs pleins d'oreilles[3]. » Marie de Médicis, à Bruxelles, n'avait pas compris l'intervention française. Dans une lettre à Louis XIII, transmise par l'envoyé spécial du pape à Paris, Mazarin, elle écrit le 15 septembre : « La guerre n'est juste que lorsqu'elle est nécessaire... Sa justice et sa nécessité ne sont fondées que sur la conservation et la défense, qui ne sont légitimes par cette voie qu'au cas que les autres ne soient pas suffisantes. » La reine mère croyait aux vertus de la négociation qui d'ailleurs n'avaient jamais cessé. Voilà un fort triste début de guerre ! De piètres bénéfices et bien des malheurs. De Blois, Gaston observait les événements. Il savait que si les troupes françaises étaient entrées dans Bruxelles, la situation aurait pu être tragique. Elles avaient reçu des instructions pour s'emparer de la reine mère tout en lui rendant « tous les honneurs et bons traitements dus à sa qualité ». Nul doute que le même sort eût été réservé à Marguerite de Lorraine, prisonnière et livrée à Richelieu pour la forcer à rompre le mariage. Tout était possible. Durant l'hiver, le cardinal avait soigneusement préparé les plans de la campagne de 1636. En simplifiant, il s'agissait de garder la défensive en Picardie et de passer à l'offensive à l'est, vers l'Empire. Aucun de ces plans ne devait réussir. Puisque l'on ne combattait pas en hiver, le printemps amena la reprise des hostilités. Condé envahit la Franche-Comté et atteignit Dôle le 27 mai 1636, mais s'enlisa dans des opérations de siège, immobilisant une forte armée qui aurait été bien utile dans le Nord où la situation était devenue tout à fait inquiétante.

Le cardinal-Infant avait lui aussi lancé une offensive. Les forteresses qui gardaient la frontière, La Capelle et Le

Catelet, sont tombées l'une après l'autre début juillet. Leur reddition inquiète l'opinion et une fois de plus les affaires de la famille royale remontent en surface. En attaquant La Capelle, le cardinal-Infant annonce dans ses buts de guerre « la résolution de Leurs Majestés de ne poser point les armes que la reine mère du roi très chrétien ne soit satisfaite et contente ». La Somme est franchie le 4 août et Corbie, assiégée, résiste neuf jours et capitule le 15 août. Paris reçut la nouvelle comme une gifle, et son souvenir restera vivace très longtemps dans l'opinion française. Les pamphlétaires et les gazetiers du temps parleront beaucoup de « l'année de Corbie ». Richelieu, pourtant peu porté à s'appuyer sur le spirituel, recommanda au roi de faire un vœu à la Vierge. « Un redoublement de dévotion envers la Mère de Dieu, écrit-il, ne peut produire que de très bons effets. » Fin juillet, Louis XIII demanda aux évêques de faire ordonner dans les diocèses « la prière des quarante-huit heures ». Au même moment, la propagande ministérielle expliquait qu'il était nécessaire de terminer le plus tôt possible, et par des victoires, la guerre engagée afin d'entreprendre le vaste programme de rénovation intérieure du royaume dont on avait tant parlé depuis Marillac mais qui était resté vain. Mais le moment était mal choisi. La crainte était d'autant plus justifiée que la Somme paraissait toujours comme la ligne de défense de la capitale. La Somme franchie, la vallée de l'Oise était ouverte. On vit apparaître aux alentours de Compiègne des éclaireurs croates de Jean de Werth qui, bien qu'appartenant à l'armée espagnole, mais venus de l'Europe orientale avec une réputation de cruauté sauvage, provoquèrent une terrible émotion. Condé fut contraint de lever le siège de Dôle et les Espagnols en profitèrent pour assiéger eux-mêmes Saint-Jean-de-Losne, une ville de Bourgogne qui résista et reçut le surnom de « Saint-Jean Belle Défense ». La menace était d'autant plus forte qu'en 1636 d'autres problèmes affectaient gravement le royaume.

On le sait, la guerre coûte cher, il faut des ressources, mais les impôts, ce sont des hommes, des familles, des collectivités saignées à blanc par les collecteurs, receveurs et valets des financiers. D'autres à Paris spéculent, s'enrichissent et bâtissent d'étonnantes fortunes. Il en est ainsi dans toutes les généralités du royaume. En mars 1636, on assiste à de nombreuses spéculations sur les articles de luxe, les textiles et les chaussures qui ne paraissent pas justifiées par la mise en place du nouvel impôt du sol pour livre*. Mais la noblesse qui doit tenir le rang se montrait prévoyante. Un produit qui valait cinquante-deux sols se voyait offrir de soixante à soixante-quinze sols. Ailleurs, la mévente entraînait la baisse des prix de gros. Les surintendants des Finances avaient procédé à une dévaluation de la livre à deux reprises par les édits de mars et juin 1636. La livre tournois, qui valait en équivalent argent fin 10,98 g en 1602, était tombée à 8,69 g en mars 1636. Une fois de plus, les finances extraordinaires étaient mises à contribution. On l'a vu plus haut**, l'entrée en guerre en 1635 avait provoqué une mobilisation financière exceptionnelle[4]. Cette explosion était due aux traités de ventes d'offices accordés aux financiers. Quatre-vingt-cinq traités avaient été signés en 1633, soixante-huit en 1634 et quatre-vingts en 1635. De cet effort résulte qu'il n'y en a plus que quarante-neuf en 1636. Il y a donc pour cette année-là une carence de revenus évidente que le Conseil cherche par tous les moyens à combler avant la fin de l'année. Son choix se porte sur un emprunt négociable dès la fin de l'année (édit du 18 décembre), et dont les remboursements se feront en 1637 et 1638. On anticipe donc par emprunt sur deux années à venir.

Au départ, cette ponction financière de vingt millions de livres devait décharger les sujets taillables du plat pays, c'est-à-dire les campagnes, par une levée extraordinaire sur les villes franches et abonnées du royaume : « au paiement de laquelle toutes sortes de personnes ecclésiastiques, nobles et autres seraient contraintes[5] ». Mais, dès le début, elle provoqua une levée de boucliers de la part des privilégiés qui s'en firent dispenser par divers édits du Conseil.

---

* 1 livre = 20 sols ; 1 sol = 12 deniers ; un impôt d'un sol pour livre équivalait à 5 %.

** Voir chapitre 9, « Le prince et le cardinal ».

Pour combler le vide financier des traités de 1636, 23 313 644 livres de revenus, au lieu de 80 207 853 livres en 1635, l'emprunt entra dans les rouages des moyens extraordinaires. Les villes avancèrent les sommes qu'on leur demanda et se remboursèrent par des impositions indirectes sur les marchandises[6]. Lorsqu'une nation n'a pas des finances saines, et que beaucoup de gens échappent à l'impôt, c'est la porte ouverte à une contestation justifiée. Cette dernière prit au cours de l'année 1636 l'aspect d'une véritable révolte paysanne dans le Sud-Ouest (Poitou, Saintonge, Angoumois), connue sous le nom de révolte des « croquants[7] ». Ces derniers, soutenus par leurs curés et tacitement par les seigneurs locaux, qui avaient du mal à percevoir leurs propres redevances, n'avaient pas trouvé d'autres solutions pour se faire entendre. Le mouvement débuta en avril 1636 en Saintonge, près d'Angoulême, pour s'étendre aux villes et campagnes de Barbezieux, Chalais, Montmoreau et Blanzac.

Le 6 juin est jour de foire à Blanzac. Les paysans qui, à l'habitude, venaient au marché dans le calme font une entrée en force — on a parlé de quatre mille personnes, brandissant arquebuses et piques —, et profèrent des menaces à l'adresse des gabeleurs. Un chirurgien de Bergerac dont l'attitude leur déplait est tué sur-le-champ. Une semaine plus tard, dix mille paysans récidivent à la foire de La Couronne. Là, c'est un artisan d'Angoulême qui est trucidé pour avoir traité avec mépris les manifestants de « croquants ». En juillet, alors que les ennemis avancent dans le Nord, la Saintonge et l'Aunis sont en effervescence, suivis du Poitou et du Limousin qui protestent contre l'augmentation importante du brevet de la taille. Le rétablissement de l'ordre était nécessaire. Mais les troupes mobilisées pour les assagir faisaient défaut sur les fronts militaires.

Paris était la plus menacée par l'ennemi et c'est de sa mobilisation que vint la riposte. La population de la capitale, ayant pris nettement conscience du danger, opéra un redressement moral comme elle sait le faire à l'occasion. Malgré des mauvaises relations avec le gouvernement, à propos de ses créations de nouveaux offices, le Parlement de Paris offrit à Louis XIII la solde de deux mille hommes. Un bureau d'engagement fut ouvert à l'Hôtel de Ville par le maréchal de La Force*. Des dons en argent affluèrent de toutes parts : corporations de métiers, maisons religieuses, riches particuliers. La corporation des savetiers envoya ses jurés à l'Hôtel de Ville où « Louis XIII les rencontra, les félicita de leur patriotisme et les embrassa ». Fin août, une armée de trente mille hommes était constituée. Dès le début, Gaston d'Orléans avait manifesté une inquiétude sincère face à la situation du pays et mobilisa les forces dont il était capable. De Blois, il écrivait à Chavigny le 6 août : « J'ai eu un extrême déplaisir des nouvelles que j'ai apprises. J'espère toutefois que les ennemis ne feront pas grand progrès, étant faibles d'infanterie... je ne laisse pas de travailler à amasser le plus de gens qu'il m'est possible... Le roi m'ordonne de rassembler la noblesse. J'y ferai ce que je pourrai... je ne manque point de bonne volonté, mais j'ai peur de manquer de puissance. » Au prix de mille efforts, Gaston mobilisa environ huit cents gentilshommes, et recruta quatre mille hommes dans son apanage avec armes et munitions. Qui allait prendre la direction de l'armée de libération ? L'animosité était telle à son égard qu'il était impossible pour Richelieu de récidiver, botté et casqué, l'opération de La Rochelle. Assailli par des problèmes de santé, Louis XIII consentit à confier à son frère le commandement de l'armée ; il serait secondé par le maréchal de La Force et surtout par le comte de Soissons dont la cavalerie n'avait cessé de combattre pour contenir l'ennemi.

Sans doute était-ce la meilleure solution. Avant de partir, Gaston fit part à Soissons de sa satisfaction de l'avoir à ses côtés : « Mon cousin, ce m'a été un sujet de joie très sensible dans le commandement qu'il a plu au roi, mon seigneur, me donner, que d'y entrer assisté et secondé en son service aussi dignement que je serai de vous. » À Senlis, Louis XIII donne le signal du départ à Gaston en lui remettant des instructions de campagne, probablement

---

* Cette situation présente des similitudes avec la levée en masse de 1792.

rédigées par Richelieu. Le 13 septembre, l'armée traverse l'Oise et se trouve deux jours plus tard devant la petite ville de Roye défendue par une solide garnison d'Impériaux. Mais il suffira d'un feu nourri de canons de plusieurs jours pour qu'elle se rende et évacue les lieux avec armes et bagages. C'était le premier succès de Gaston, mais sa clémence à l'égard des vaincus déplut au roi qui, certes, félicita son frère mais ne manqua pas de signaler son manque de vigueur « envers des gens qui ne pouvaient et ne devaient pas tenir devant une si grande armée ». Fermeté royale de bon aloi pour rassurer les Parisiens, mais sans doute volonté inavouée du cardinal de banaliser le succès du prince. L'essentiel était de récupérer dans la place les importantes provisions de blé amassées après la récolte de l'année. Laissant une garnison de huit cents hommes, Gaston, à la tête de l'armée, se dirigea vers Péronne après avoir, en une semaine, pacifié la région. Plusieurs événements porteurs d'interrogations vont influencer le cours des choses. Près de Péronne, l'armée avait manqué de vivres. Ceci était dû à des questions de logistique d'intendance, mais on avait constaté un grand nombre de désertions. L'inquiétude s'installait d'autant que le prince de Savoie avait délégué auprès de Monsieur l'un de ses hommes pour lui rappeler les accords passés avec l'Espagne et la chance qui se présentait à lui de retrouver enfin sa « petite Angélique ».

Sur ce terrain miné, Gaston fit preuve d'une grande lucidité. Hérissé dans son orgueil, il mit un terme aux appels à la trahison et contre l'avis de Paris, le fils de France, héritier du trône, dénigrant la poursuite des Espagnols vers les Flandres, conduisit son armée en descendant la vallée de la Somme vers Corbie qu'il atteignit le 29 septembre. Cette décision est approuvée par le roi qui, dans le même billet de félicitation, lui annonce son arrivée : « Je pars demain de bon matin pour m'en aller à deux lieues de Corbie, d'où j'irai souvent voir les travaux de deçà. » Cette annonce fit sur Monsieur l'effet d'une douche froide. Il est vrai qu'il y a là motif à déception. Le cardinal et le roi n'ont pas pris la direction de la reconquête et maintenant que les nuées se dispersent, les voilà qui montrent le bout du nez. À Paris, la propagande du cardinal essayait tant bien que mal de redorer son image alors que les poètes amis de Gaston saluaient allègrement les exploits de leur maître. Tristan l'Hermite s'extase devant

« ce jeune et glorieux Achille
à qui tout l'honneur est promis
a déjà repris une ville
et repoussé l'ennemi ».

Et prédisant les victoires futures, il poursuit :

« Je te veux offrir ces lauriers
Fends les escadrons comme une foudre
et nous fais voir dessus la poudre
un nouvel Hector atterré[8]. »

Tout cela fait partie du décor de la vie des grands et du jeu habituel des influences dans une société d'honneur et de dignité. Mais Gaston savait dans son for intérieur que le vent avait tourné ; l'arrivée du roi le dépossédait symboliquement de son pouvoir nominal de commandement. Certes, Louis XIII le chargea de diriger une partie des travaux de retranchement que le prince conduisit avec assiduité et succès, mais lorsque, le 10 octobre, Gaston émit le vœu de passer en revue les troupes avant qu'elles ne s'installent dans les tranchées, un ordre de Richelieu vint le briser en empêchant ce salut aux armes. Une fois de plus, la maladive jalousie du cardinal, son insondable méfiance à l'encontre de l'héritier de la couronne l'avaient emporté. Cet acte d'ingratitude évident emporta Gaston qui, tel le héros grec du siège de Troie, se retira sous sa tente, essayant d'entraîner à sa suite toute la noblesse de son apanage. Le 25 octobre, Gaston partit pour Paris. Resté sur place sous prétexte d'inspection en Picardie, Richelieu allait tirer les marrons du feu. Le 30 octobre, Corbie est entièrement bloquée et les chefs militaires, libérés de toute tutelle, donnent l'assaut ; le 9 novembre la garnison présente sa capitulation avec l'autorisation d'évacuer la place en toute quiétude. Ce qui est fait le 14 novembre. Revenu en toute hâte des forteresses picardes, Richelieu parcourut la ville libérée, s'offrant aux applaudissements d'une population meurtrie, mais n'oubliant pas, car telle est sa logique, de faire pendre pour exemple deux notables corbiens soupçonnés d'allégeance avec les Espagnols. Dans la capitale désormais soulagée, Louis XIII fit chanter à Notre-Dame un *Te Deum* d'actions de grâces. Meurtri, Gaston s'était réfugié au milieu de ses sujets blésois, laissant le cardinal savourer sa victoire.

Tels qu'ils viennent d'être exposés, les faits, avec leur lot de ressentiments, sont ceux de l'histoire officielle. Mais pour certains témoins de l'époque, la médaille aurait eu un revers dans la révélation de ce que l'on a appelé le complot d'Amiens. Qu'en est-il exactement ? Les Mémoires de Montrésor sont la source unique de ce que Retz appellera plus tard « les conjurés d'Amiens », même si plusieurs auteurs en reprendront l'essentiel par la suite. On connaît le tempérament impétueux du mémorialiste et sa haine envers le cardinal. Montrésor se serait concerté avec son cousin Saint-Ibar, favori du comte de Soissons, pour entraîner leurs maîtres dans une conjuration qui n'avait d'autre but que d'assassiner Richelieu pour libérer la France. Henri d'Escar de Saint-Bonnet, seigneur de Saint-Ibar, n'avait, lui aussi, que mépris pour le pouvoir en place. Au cours de réunions secrètes, le plan est échafaudé*. L'occasion retenue fut le conseil de guerre réuni à Amiens le 25 octobre chez le cardinal. Il était prévu qu'à l'issue du conseil, lorsque le cardinal accompagnerait le roi, qui logeait dans un château hors de la ville, jusqu'à son carrosse, les conjurés interviendraient suivant un signal de Monsieur, dès que le roi se serait éloigné. Mais les choses n'en allèrent pas ainsi. Le conseil achevé, Richelieu et le roi se séparèrent rapidement. Le signal tant attendu ne vint pas. Gaston avait regagné à la hâte la salle du conseil, provoquant l'embarras. Pas de geste significatif non plus de la part du comte. Montrésor accourt auprès de Gaston

---

* Quelques personnes sont dans le secret : Gaston, Soissons, Montrésor, Saint-Ibar, et sans doute quelques proches de Soissons : Varicarville, Bardouville et peut-être Alexandre Campion.

mais n'obtient rien. Richelieu monta dans son carrosse. Le complot avait échoué.

Que s'est-il vraiment passé ? Une chose est certaine, il y avait bien eu manigance d'un groupe pour perpétrer un attentat. La question est de savoir jusqu'où Monsieur et le comte de Soissons étaient impliqués. L'étrange comportement de Son Altesse royale autorise trois hypothèses. La première est tout bonnement qu'il ait pu être prévenu seulement au dernier moment, la veille par exemple. En second lieu, il est possible que la teneur du conseil, le climat dans lequel il s'était déroulé, les décisions prises aient fouetté l'honneur de l'héritier du trône, en ces circonstances tragiques de guerre. Car, pas plus que le comte de Soissons, l'héritier du trône n'était un assassin. Enfin, compte tenu de l'escorte du cardinal, l'arrestation des conjurés était inévitable et il fallait s'attendre cette fois à une totale absence de clémence de Louis XIII. N'oublions pas la façon dont il avait usé pour se débarrasser de Concini en 1617. En la circonstance, celui qui prit peur fut le comte de Soissons. Au lieu de poursuivre ses activités militaires en Champagne, il se rendit à Paris où il rencontra, le 18 novembre, Gaston venu à la cour pour féliciter le roi de la prise de Corbie. Les deux hommes s'effrayèrent mutuellement et décidèrent de s'enfuir dès le lendemain avant l'arrivée du roi. Gaston retourna à Blois et Soissons se réfugia à Sedan chez le duc de Bouillon, au grand étonnement de la cour ignorante de l'affaire d'Amiens.

Gaston n'avait pas revu son frère depuis son départ de l'armée et jugea que cette nouvelle « brouillerie » en résultait. Il écrivit au roi de Blois, le 21 novembre, une lettre de repentir, expliquant le retour précipité en son apanage par les « soupçons et défiances » qu'on pouvait avoir à son égard. Une fois de plus, Chavigny fit la route de Blois pour obtenir quelques éclaircissements. Gaston noya son interlocuteur sous un flot de récriminations parmi lesquelles le fameux papier signé à Rueil concernant son mariage. Le 11 décembre, dans un « Mémoire pour le roi », il réclamait l'acceptation définitive de son mariage et « un traitement favorable et raisonnable pour Monsieur le comte ». À Bruxelles où la nouvelle est connue le 28 novembre, l'espoir renaît et le prince Thomas de Savoie entre en contact avec le comte établi à Sedan. Mais l'enthousiasme retombe vite et, le 20 décembre, Madame du Fargis peut écrire à Anne d'Autriche : « Dieux ! Quelle sorte de génération ! La reine mère et Madame [épouse de Gaston] sont confuses de cette banqueroute, car les Français d'ici s'étaient imaginés de grandes choses*. »

Malgré un climat serein, les négociations entre les deux frères durèrent deux mois car les fidèles de Gaston désiraient éviter la réconciliation et mettaient maintenant le préalable que la reine mère fût comprise dans le traité, ce qui, pour Louis XIII, était inacceptable. Pour montrer son autorité, le roi accompagna son refus d'une gesticulation militaire en direction de Blois. Mais la petite troupe n'eut pas à aller au-delà de Fontainebleau. Le 4 février, les actes royaux mettant un terme à la « brouillerie » sont signés à Orléans où les deux frères se rencontrent le 8 février. Les termes du traité prévoient le remboursement des dettes de Gaston se montant à 400 000 livres, une somme de 100 000 livres pour les aménagements du château de Blois, et une pension pour Marguerite de Lorraine. Brion est chargé de porter à Sedan le texte de l'accommodement. À Bruxelles, Marie de Médicis s'emporte. Être si près du but et en constater le résultat devient insupportable. Quelle occasion manquée ! Pourtant, il lui reste une carte. N'ayant rien à attendre de son fils préféré, elle se tourne vers le comte de Soissons, bien plus sûr à ses yeux, et entreprend une opération de charme. On ne peut réussir qu'avec Soissons, il faut donc lier le comte plus fermement à la cause et elle envisage de le marier avec Anne Marie Louise d'Orléans, sa petite-fille âgée de dix ans. Dans ses *Mémoires*, la Grande Mademoiselle évoque le projet avec détachement : « Si je n'eusse point eu l'esprit d'un enfant, je n'aurais point vu alors les soins assidus de Mr. le comte de Soissons pour moi sans y faire réflexion... Son dessein était de m'épouser, Monsieur lui avait promis d'y consentir quand il était à Sedan. Il [le comte] avait chargé un gentilhomme, nommé Campion,

* Au lieu de se rendre à Blois, Gaston devait aller en Guyenne chez le duc d'Épernon. Mais il s'était contenté d'y envoyer Montrésor.

qui faisait demeure à Paris, de venir souvent s'enquérir de mes nouvelles et me faire compliment de sa part ; pour mieux réussir dans ses commissions, il m'apportait quelque fois de la nonpareille et des dragées de Sedan, que son maître m'envoyait [9]. » En même temps, la reine mère négocie au nom du comte avec l'Espagne et aboutit à un traité qui prévoit une aide financière de 600 000 livres à Soissons pour lever des troupes. Les choses en restèrent là car, le 11 juillet, l'exilé de Sedan avait négocié avec Richelieu une déclaration de pardon avec la promesse de rétablissement dans tous ses biens et charges ainsi que l'autorisation de résider quatre années à Sedan à condition bien sûr de « rester dans la fidélité et l'obéissance qu'il devait au roi ». Le 26 juillet, Soissons approuva le traité en jurant « de ne se départir jamais de la fidélité et obéissance qu'il devait à Sa Majesté, ni avoir aucune pratique ou intelligence qui lui dût être suspecte, tant en dedans que dehors le royaume ». Tout était rentré dans l'ordre.

13.

La douceur de vivre en pays de Loire

Comment les Blésois vivaient-ils la présence de Son Altesse royale et de sa cour dans leur cité ? Si nous voulions parler en langage contemporain, nous dirions que leur venue représentait une véritable manne pour le commerce et l'artisanat locaux. Les emplois domestiques étaient nombreux au château, et les nouvelles constructions furent pendant plusieurs années avantageuses aux ouvriers et aux pauvres du pays. Il va sans dire que la vie quotidienne en fut bouleversée dans les couches supérieures de la bourgeoisie et de la petite noblesse. La vie culturelle, les distractions, les fêtes, la convivialité furent incontestablement entraînées par l'esprit brillant du prince, son bon goût, sa joie de vivre et, avouons-le, sa joyeuse turbulence. Les déplacements des grands, l'arrivée de tel haut personnage à Blois étaient l'occasion de réceptions. Imaginons l'atmosphère autour du château, la profusion des sentiments entre domestiques et gens de la ville, car la plupart des serviteurs du prince étaient célibataires. De longues soirées devaient réunir dans les tavernes des gardes françaises, des gardes suisses, des valets d'écurie, des valets de chiens, des valets de maison et les habitants du cru. Les propos de cabaret, leur diffusion de bouche à oreille, les rumeurs les plus farfelues couraient les ruelles et alimentaient les discussions du bon peuple. Les édiles blésois reconnaissaient les bienfaits et s'efforçaient d'être à la hauteur. On possède plusieurs délibérations des autorités locales dont une du 8 mars 1638[1] qui signale que, voulant témoigner l'affection que chacun doit à la conservation de la personne sacrée de Son Altesse « qui faict sa résidence à Blois, la plus grande partye de l'année », il convient de prendre des dispositions sévères pour assurer la salubrité et la sûreté de la ville. Il va sans dire que le prince fut très sensible à ces attentions administratives. Mais les Blésois voulaient à tout prix rester en dehors des aléas de la politique. Dans une délibération plus tardive, datant du 11 janvier 1649, les échevins protestèrent vivement contre l'insurrection parisienne qui avait forcé le jeune roi et la régente à quitter le Louvre pour Saint-Germain. Le ton est donné : lors de la Fronde, Monsieur enverra sa fille à Orléans mais Blois restera impassible ; une bonne attitude qui lui permettra de recevoir Monsieur sans ambiguïté pour les dernières années de sa vie.

Quelles que soient les raisons invoquées, la reconstruction du château fut la grande affaire de Monsieur dès son arrivée. Il remplaça son architecte Clément Métezeau par François Mansart : « Tous lesquels ouvrages de Massonnerie seront bien et dûment faictes et parfaictes suivant les ordres, conduites, devis et desseings du Sieur Mansart, architecte ordinaire des bâtiments du roy et de son altesse[2]. » Mansart, né en 1598, avait trente-sept ans et Gaston vingt-sept. L'architecte avait déjà produit quelques œuvres : l'Hôtel de La Vrillière à Paris, actuellement la Banque de France, la façade de l'Hôtel Carnavalet, l'église de la Visitation à Paris et le château de Reugny. Les principales constructions viendront plus tard, parmi elles une partie du Val-de-Grâce et le château de Maisons*. La véritable question est de savoir si Mansart désirait refaire la totalité du château avec l'accord de Son Altesse. Parlant de Gaston, Goulas dit carrément : « On luy avoit mis en teste d'abattre le chasteau et d'en faire un tout neuf. » Les opinions divergent là-dessus. Pour Betgé[3], l'idée d'une reconstruction totale était bien une proposition de l'architecte qui ne reçut jamais l'approbation définitive du prince. C'est possible, mais rien n'est certain lorsque l'on

* Son petit-neveu par alliance Jules Hardouin, dit Hardouin-Mansart, sera le premier architecte de Louis XIV.

connaît la mobilité d'esprit de ce dernier. Une chose est sûre, les projets existent, même s'ils ne furent jamais appliqués en totalité. Un plan et plusieurs dessins conservés à la Bibliothèque nationale ont été publiés par Lesueur et ils n'ont pas été élaborés en 1635 mais bien au cours des travaux. De plus, divers bâtiments furent détruits aux alentours : celui de la Chambre des comptes, l'Hôtel de Mayenne et le prieuré Saint-Calais. On bâtissait alors des boutiques et logements « dans la montée qui se doist faire pour descendre du château de Blois dans la ville », ce qui tendrait à prouver qu'on envisageait la réalisation d'un très vaste projet. Les dessins décrivent une grande cour rectangulaire dont l'étendue est voisine de celle existant actuellement. Au fond, on trouve « le bâtiment que nous pouvons encore admirer aujourd'hui avec sa façade intérieure accompagnée de deux ailes en retour accompagnées et la grande façade extérieure vers les fossés, flanquées de deux pavillons carrés[4] ».

La façade intérieure et les ailes limitaient une terrasse élevée de cinq marches au-dessus de la cour. Du côté de la Loire, « devait s'étendre derrière cette façade une grande galerie d'apparat » et, à l'arrière, deux pavillons symétriques. Un seul sera construit par Mansart et sera détruit au XIXe siècle. Ces pavillons devaient être affectés à des logements privés. Sur l'autre face, l'aile de François Ier devait faire place à « une grande salle pour les assemblées d'une figure très particulière et très agréable[5] », longue d'une quarantaine de mètres et de douze de largeur, ouverte sur l'extérieur par cinq fenêtres. Enfin, sur le devant, « le quatrième côté du quadrilatère était constitué dans le projet par une aile formée seulement d'un rez-de-chaussée et d'un premier étage terminé en terrasse, flanquée de deux pavillons d'angle ». Un troisième pavillon en plein milieu aurait constitué l'entrée du château, surmontée d'un magnifique dôme comme au Luxembourg. Pour compléter son projet, Mansart avait envisagé, sur le devant, une avant-cour « entourée d'un portique contenu supportant une terrasse à hauteur du premier étage ». Ici aboutirait une avenue inclinée reliant la ville au château. Cette description succincte des dessins de Mansart témoigne de l'importance des projets de l'architecte[6].

Ce qui fut effectivement construit est bien plus modeste et touche uniquement l'aile ancienne des comtes de Blois, c'est-à-dire celle occupant le fond de la cour. En réalité, la partie du château construite par Gaston d'Orléans comprit « un grand bâtiment central rectangulaire avec deux courtes ailes en retour de chaque côté de la cour et deux vastes pavillons ». L'ensemble était construit en pierre de taille de Lie, d'Apemont et de Bourré. Les murs possédaient « entre 1,20 m et 2,30 m d'épaisseur ». Le 4 janvier 1635, Gaston adopta le projet, et le 12 les travaux de maçonnerie furent adjugés à deux entrepreneurs parisiens, François Pansard et Pierre Marie, qui s'empressèrent de sous-traiter avec des maçons blésois, entre autres Jean Barbet. L'acte notarié prévoyait un délai de douze mois, porté par la suite à dix-huit mois. Le gros œuvre de charpente fut accordé au Parisien Sébastien Bruant et aux charpentiers blésois Claude Duchesne et Nicolas Foucquery.

Une chose paraît certaine, selon Betgé. Lorsqu'il était à Blois, Gaston suivait les travaux « avec le plus vif intérêt ». Sans doute les accélérait-il car on est étonné de la rapidité de leur exécution pour l'époque. Dès le 8 mai 1636, on se préoccupait de l'emplacement des planchers et quatre mois plus tard, le 7 septembre, on en était à la couverture pour laquelle le prince reçut 25 000 livres en février 1637. Il est probable que l'on avait déjà tranché car le 4 février 1637, on s'occupait des raccords avec l'aile François Ier. Un an plus tard, le 15 novembre 1638, un acte précise que les entrepreneurs à qui « on devait des sommes considérables » décidèrent d'abandonner définitivement le chantier. C'est que, selon Betgé, Gaston, depuis septembre 1638, n'était plus l'héritier du trône. Nous verrons plus loin qu'il y a peut-être une autre explication. Rien n'était achevé. Il n'y avait pas d'escaliers, ni planchers, le pavillon n'était pas couvert, la sculpture en cours d'élaboration. Dès le XVIIe siècle, Bernier, dans son *Histoire de Blois*, signalait que l'on avait travaillé trois longues années (1635 à 1637) et dépensé 350 000 livres[7]. Il estimait qu'avec « les matériaux qui restaient, il ne fallait plus que cent mille livres pour rendre le bâtiment logeable ». Il est en effet surprenant que Monsieur ne pût jamais habiter sa propre construction et demeurât dans l'aile François Ier. Mais la correspondance de Gaston dément les affirmations de Bernier : les travaux continuèrent après 1637. En septembre 1637, en 1638 et en décembre 1639, le Conseil accorda des sommes supplémentaires. Les choses traînèrent en longueur jusqu'en 1641, mais à cette date, on sait que si Gaston courait après deux lièvres, le choix de Chambord s'était déjà imposé. Malgré son aspect inachevé, à l'époque, le touriste contemporain ne peut rester insensible aux charmes de l'aile bâtie par Gaston d'Orléans, dont le manque de symétrie, clin d'œil à la fantaisie du prince, favorise l'intégration à l'ensemble architectural érigé par les Valois.

Si l'on suit la description que Goulas donne dans ses *Mémoires* du séjour de Blois, force est de constater qu'il nous présente une image de Son Altesse assez différente de celle que l'on a pu évoquer jusqu'ici. C'est celle d'un homme jeune, amoureux de la vie, sans cesse en quête de saines réjouissances avec une joyeuse bande d'amis se mouvant dans l'insouciance la plus complète. Monsieur s'était toujours plu à aller sur l'eau[8]. Il possédait une galiote fixée à Orléans ou à Blois sur laquelle « il descendait et remontait la Loire ». Dès les beaux jours de 1635, l'envie lui prit de récidiver et « il se résolut de descendre jusques à Nantes et commanda sa galiote et son second bateau, où il fit mettre force provisions et ses officiers de suite, tant pour la cuisine que la garde-robe ». Les chevaux devaient suivre sur la levée. Accompagné d'une dizaine de joyeux drilles de son entourage immédiat, voilà le prince en goguette. « Lorsque nous trouvions quelque isle belle et agréable, écrit Goulas, il y descendoit et faisoit servir le disné et le soupé dans les plus beaux ombrages. » On imagine l'atmosphère entourant ces gentilshommes insouciants puisque « tous soins étaient bannis de notre société ; que l'on y vivoit sans contrainte, que l'on y jouoit, buvoit, mangeoit, dormoit à son choix, que les heures l'obligeoient à rien, enfin que le maistre s'étoit mis au rang de ses serviteurs, quoique fils et frère de grands rois[9] ».

Mais quelle mouche avait donc piqué Gaston pour qu'il emmenât avec lui d'Elbène, un homme du cardinal, qui pour une raison inconnue fit savoir au cardinal et à la cour que Monsieur cherchait à fuir en Angleterre et que des bateaux l'attendaient au-dessous de Nantes ?... Le bruit s'étant répandu comme une traînée de poudre, Richelieu fort inquiet dépêcha à Blois Léonard Goulas et l'abbé La Rivière qui trouvèrent Monsieur et ses amis de retour et très heureux de leur promenade. Gaston, un peu narquois, se rendit à la cour pour rassurer le roi. Goulas qui l'accompagnait craignait surtout le cardinal qui le reçut si bien qu'il reconnut « qu'encore que Monsieur le cardinal de Richelieu nous eust toujours strapazzés (malmenés)... je ne pouvais empescher de l'admirer et de le croire la merveille du siècle et s'il n'avait pas mon amitié et mon cœur, il avoit mon estime tout entière ». Mais cette « fadaise » coûta sa place à d'Elbène*. À la fin de l'année, Gaston se rendit à Paris « pour porter certains édits à la Chambre des comptes, pendant que le roy les ferait vérifier au parlement ».

Bien entendu, la galanterie était de mise à Blois. Quoi de plus normal que ces gentilshommes venant de Paris magnifiquement vêtus, habitués à une vie trépidante de salons et de cabarets, aient entrepris de mettre à l'épreuve l'honneur et la vertu des Blésoises... Il semble que, là aussi, la chasse soit allée au rythme endiablé du grand veneur. Certes, Monsieur se débattait toujours dans ses problèmes de mariage et il n'avait pas oublié la petite Angélique. Loin s'en faut. Mais les choses en vont souvent ainsi. Les compagnons de plaisir, en particulier le comte de La Rochepot, de Blot, L'Espinay avaient déjà repéré l'élue de leur cœur et Monsieur avait fait de même en la personne d'une jeune bourgeoise dont l'abbé de Marolles écrit que « la jeunesse et la modestie agréable étaient pour le moins aussi recommandables que sa beauté, quoiqu'elle ne fût pas laide et qu'elle eût bonne grâce** ». Et comme plus on est nombreux, plus on s'amuse, Gaston demanda à Goulas qui

---

* Voir chapitre 11, « La cour de Blois ».

** Marolles l'appelle Mademoiselle Roux.

n'était pas du bois dont on fait des tisons « de servir une demoiselle de la ville, compagne de celle qu'il aimoit afin qu'elle eust un galant comme les autres ». Goulas acquiesça aussitôt car « par ce moyen j'étois de toutes les petites parties, et cette fille avoit du mérite et se pouvoit dire une honneste personne ». Mais l'aventure n'était pas simple et Goulas avoue : « Je n'en fus pas pourtant amoureux car outre que la beauté était médiocre, le ménage en ses habits et dans sa maison me déplaisait, persuadé que j'étais que tout doit briller et éclairer où loge l'amour. »

Pourtant le prince était égal à lui-même, offrant la comédie, les plaisirs de la musique, des collations, des dîners. Interrompues par le séjour à l'armée en 1636, les galanteries reprirent et Monsieur continua « de galantiser la demoiselle de Blois ». Mais le cœur n'y était plus et, très souvent, le peloton de noceurs se rendait le soir chez un nommé Mauvoy, « un homme de bien au logis duquel quantité de femmes de la ville s'assembloient ». Du côté des Blésoises assidûment courtisées, la lassitude l'emporta. La Rochepot qui n'avait rien obtenu de sa dame « se mit à tailler en pièces et se vengea par des médisances et des railleries... M. de Langeron ne se soucia plus de la sienne... M. de Blot pestait Blois et ne cessoit de louer Tours où il avoit son attache ». Ils décidèrent une partie de chasse près de Tours et trouvèrent « une société de femmes et de filles qui leur plut extrêmement et les retint plus qu'ils n'y pensoient ». Ce jugement à l'emporte-pièce, comparant Blésoises et Tourangelles, peut prêter à sourire. N'importe. La rumeur enfla et Gaston dut se rendre à l'évidence ; malgré les recommandations de sa famille, selon laquelle « l'amour veut de la nourriture comme toutes choses d'ici-bas et que s'il ne luy en faut pas trop donner, il ne faut pas aussi qu'il en manque », la jeune fille dont l'innocence « avoit du mérite et une beauté des premiers siècles » n'accorda rien au prince. Goulas comprit le manège et en profita pour s'éloigner sans esclandre de celle qu'il servait : « Monseigneur me demandant un soir dans son cabinet comment allaient mes affaires, je luy répondis qu'elles n'allaient point et que M. de La Rochepot nous avoit tellement gastés par ses emportements et son inconstance que nous n'avions qu'à retirer nos troupes et prendre party ailleurs ».

C'en était fini de la « petite affection » de Blois pour Monsieur. Mais on soupçonne tout de même Goulas d'un peu de ressentiment lorsqu'il précise concernant Mademoiselle Roux que « ce ne fut qu'une légère et passagère affection... aussi le sujet n'en étoit-il pas fort exquis, l'esprit médiocre, la beauté à l'avenant, nul agrément, le procédé et l'air bourgeois tellement que la petite faveur eut beau jeu pour la ruiner ». Désormais, les yeux de nos séducteurs sont bloqués en direction de Tours en attente de jours meilleurs, et pour Monsieur, ils ont les traits d'une petite merveille qui s'appelle Louison Roger.

On a dit qu'il y avait beaucoup de libertins dans l'entourage de Monsieur, des courtisans peu préoccupés de religion et même parfois franchement désabusés dans ce domaine. Aussi est-il difficile de passer sous silence la visite qu'ils firent à Loudun en mai 1635 en rentrant de Nantes. Résumons les faits : depuis 1632, la petite cité était aux prises avec une affaire de sorcellerie dans laquelle des religieuses ursulines étaient, à leur grand dam, compromises [10]. Les faits étaient simples. Une peste terrible avait en quelques mois (mai à septembre 1632) provoqué 3 700 décès dans une population de 14 000 habitants. La ville fut traumatisée et, au moment où les derniers cas de peste disparaissaient, les premières manifestations fantomatiques étaient apparues dans le couvent des Ursulines dans la nuit du 21 au 22 septembre. « La prieure Jeanne des Anges, la sous-prieure, sœur de Colombiers et la sœur Marthe de Sainte Monique voyaient apparaître de nuit l'ombre du prieur Moussant, confesseur des religieuses, décédé quelques semaines plus tôt [11]. » Le 7 octobre, la forme prenait la figure du curé de la paroisse, Urbain Grandier. En même temps, les religieuses criaient et se livraient à d'invraisemblables contorsions.

On fit venir des spécialistes en exorcisme qui déclarèrent que le diable était responsable des faits remarqués. Le 23 octobre, Jeanne des Anges désigna même les sept démons qui l'habitaient, à savoir : Astaroth, Zabulon, Cham, Nephtalon, Achar, Allox et Uriel. Appelé au secours, l'évêque de Poitiers, Monseigneur de La Rocheposay, ne put qu'approuver les exorcismes. Très vite, Grandier fut accusé, arrêté et sa maison perquisitionnée. Il est vrai que pas moins de vingt-sept nonnes étaient concernées. Le procès en sorcellerie du curé de Saint-Pierre de Loudun débuta le 8 juillet 1634 et, le 15 août, il fut condamné à mort « pour crime de magie, sortilège, irreligion, impiété, sacrilège ». Il dut faire amende honorable devant les portes des églises, puis on lui appliqua la question sur la place publique de Sainte-Croix. Assisté de deux capucins, les pères Tranquille et Patience, Grandier fut ensuite brûlé vif. La disparition du curé n'arrêta pas la possession qui dura encore deux bonnes années. Les possédées visitées par les grands reçurent entre autres la duchesse d'Aiguillon, Mademoiselle de Rambouillet, les marquis de Brézé et de Sablé, et le duc de Beaufort. Jeanne des Anges finit par guérir et fit toute une tournée en France au cours de laquelle elle rencontra la reine, le roi et Richelieu.

La petite troupe de Monsieur visita Loudun du 9 au 11 mai et le prince put assister le 10 à des exorcismes, souhaitant voir apparaître « tous les diables à la fois ». Ce qu'il vit le marqua au point qu'il conclut qu'il fallait être fou pour ne pas croire à la possession des religieuses. Certains de ses compagnons furent encore plus touchés. Mais si, avec le temps, Gaston oublia tous les démons et se contenta par moments de plaisanter avec Astaroth, promu en l'occasion démon du jeu, il semble tout de même avoir été secoué en son tréfonds.

De chasses en promenades, de ballets en comédies, la vie à Blois s'écoulait ponctuée par de longs séjours d'hiver à Paris. Ainsi, au début de 1638, la nouvelle tomba comme un assourdissant bruit de tonnerre : à trente-sept ans, la reine était grosse alors que Louis XIII était passionnément amoureux de Madame de Hautefort. En septembre, Gaston assista « aux couches de la reine, comme il était de son devoir ». Il félicita le roi pour la naissance du Dauphin et rendit « mille soins à leurs majestés... vécut à merveille avec M. le cardinal et avec ses parents et se comporta si bien que toute la France le loua et l'eut en estime ». Ces réactions, tout en apparence, témoignent bien du caractère du prince, habile à cacher ses sentiments. En réalité, la naissance du Dauphin lui portait un coup fatal qui « ruinait toutes ses espérances ». Au bout de quelques jours, il alla à Limours où, « se découvrant à ses confidents, il se plaignit de son malheur avec mille larmes... qui coulaient le long des joues comme deux ruisseaux ». Et Goulas d'ajouter[12] : « Je ne m'imaginay point qu'il prist l'affaire si à cœur et qu'elle luy pust tant mettre d'épines dans l'âme. » En retournant à Tours rejoindre Louison Roger en cet automne 1638, et à Chambord qu'il semble de plus en plus apprécier, Son Altesse royale sait qu'une page vient d'être tournée. Gaston ne sera jamais roi de France.

14.

Louison, la belle Tourangelle

Si Gaston était très attaché à son épouse, « la petite Angélique » toujours exilée aux Pays-Bas, cela ne l'empêchait pas d'apprécier énormément les femmes. Et, dès le début de son veuvage, il disait à qui voulait l'entendre : « Je ne suis guère propre à la galanterie qui règne encore, de faire le malade, d'être pâle et de s'évanouir. » Il est vrai que Tallemant reconnaît qu'il avait « toujours été vermeil », et les aventures survenues au cours de ses exils sont là pour le rappeler. Avec ses gentilshommes, il avait fait le bonheur de quelques Flamandes qui ne s'étaient jamais plaintes qu'on les brusquât un peu. C'est au printemps 1637 que Gaston, âgé de vingt-neuf ans, tomba éperdument amoureux d'une toute jeune fille de seize ans, Louison Roger de La Marbellière*. Son père, lieutenant criminel au présidial de Tours, appartenait à la haute bourgeoisie tourangelle. La belle enfant, dont la beauté était aussi fameuse que son esprit, avait déjà été remarquée par le duc de Montbazon, un vieillard lubrique mais grand amateur de tendrons, qui lui avait offert « une petite plaque** ». Au dire de Goulas qui la rencontra souvent, elle avait tout pour plaire : « De l'embonpoint raisonnable-

* Elle était née en 1621.

** Il avait alors soixante-dix ans. Tallemant raconte qu'en son château de Rochefort, il s'était épris de la jeune fille de sa concierge et obtint qu'elle allât coucher avec lui. Sitôt dans les draps, il fit relever la donzelle et la gronda parce qu'elle n'avait pas fait ses prières.

ment, les cheveux châtains tirant sur le brun, la mine haute et fière, le teint assez beau, les yeux grands et brillants, la gorge et les bras admirables et une certaine grâce dans toutes ses actions qui lui était particulière. » Elle chantait et dansait merveilleusement bien. L'adolescente « était si gaie qu'on ne s'ennuyait jamais avec elle ». En d'autre termes, Louison était un délice. Gaston, qui était aimé des Blésoises, avait entendu chanter dans son entourage les charmes de la belle Tourangelle. Dans une lettre à Chavigny, il écrit à la fin du mois de mai : « Je m'en vais demain à Tours voir les dames du lieu dont celles de Blois ne sont pas trop contentes et ont raison. » Dans le paysage affectif du duc d'Orléans, Louison s'immisça d'emblée comme une véritable grâce divine. Rien n'y fit. La séduction l'emporta. Passé le choc émotionnel, Monsieur dut se rendre à l'évidence, au bout de quelques semaines, il était follement épris de Louison. Ce qui aurait pu n'être qu'une satisfaction d'amour-propre par une rapide conquête s'était transformé, métamorphosé, transfiguré en une passion dévorante. Aux prises avec des sentiments exaltés, Gaston n'échappait pas à ce désir bien commun de toutes les grandes amours, de ne voir, de n'entendre que l'être aimé, de le posséder, de l'avoir pour soi tout seul. Il l'exprimait dans des vers élégiaques :

« Je voudrais qu'il n'y eût dans Tours
Duchesses ni princesses
Et que l'objet de mes amours
Mît fin à ma tristesse. »

Fi des grandeurs, le prince ne souhaite plus être qu'un homme comblé de bonheur par celle qu'il aime. Mais Louison n'était pas une petite provinciale prête à tomber en pâmoison devant le premier gentilhomme disposé à lui faire compliment, fût-il l'héritier du trône de France. Consciente de ses atouts et certainement conseillée par ses parents, elle maîtrise parfaitement la situation, le climat qui s'instaure autour d'elle, l'image qu'elle donne à Tours et qui fait tant de jalouses et d'envieuses. Aussi n'est-il pas question, pas encore du moins, de céder aux avances du prince, et le temps allait lui être favorable. Gaston désirait que sa fille, Anne Marie Louise, âgée de dix ans, vînt le rejoindre, ce qui ravit la fillette car elle manifestait une grande admiration pour son père. La cour est à Chantilly et Mademoiselle s'y rend pour prendre congé du couple royal qu'elle affectionne particulièrement. Sa gouvernante, Madame de Saint-Georges, la conduit par des chemins détournés. À Jouarre, elle assiste à la procession de « l'abbesse de saint-Pierre de Reims, fille de Madame de Guise », elle s'arrête à Monglat, une propriété de sa gouvernante, où elle assiste à « la noce d'un jardinier de la Maison », puis à Villemareuil, chez l'un des surintendants des Finances de son père. Elle arrive à Chantilly en plein drame...

« Le roi était alors en grand chagrin des soupçons qu'on lui avait donnés de la reine » et Mademoiselle témoigne : « Je trouvai la reine au lit, malade. L'on pouvait l'être à moins de l'affront qu'elle avait reçu[1]. » La bonne Madame de Saint-Georges, qui représentait bien souvent Gaston auprès d'Anne, « adoucit la douleur de la reine ». Le 27 août, Louis XIII venait, après les recherches infructueuses au Val-de-Grâce, de faire interroger la reine par le chancelier Séguier. Comme on l'aurait fait pour une vulgaire coupable, on l'avait fouillée jusque « dans son sein ». Contrainte de se confesser en présence de deux révérends pères jésuites, elle dut signer ses aveux : intelligence avec l'Espagne, relations avec les ennemis de la France, etc. On s'empressa d'écarter Mademoiselle de cette poudrière. Gaston, le « bon papa », vint à Chambord au-devant de sa fille et la reçut dans le fameux escalier à double rampe pour lui faire une farce : « Il était au haut de l'escalier lorsque j'arrivai. Il descendit quand je montai et riait bien fort de me voir courir, dans la pensée que j'avais de l'attraper. J'étais bien aise du plaisir qu'il prenait et je le fus encore davantage quand je l'eus joint. »

Un nouveau monde s'offrait à Mademoiselle dans un décor à la mesure de sa jeune vanité. A Blois, « les corps de ville me vinrent saluer et me faire compliment, comme tous ceux des autres villes de mon passage, ainsi que c'est l'ordre ». Fastes et luxe, réceptions et fêtes, ce fut l'apprentissage exquis de la vie de province, près de la Loire, lente et majestueuse, donnant le ton à la douce campagne environnante. Gaston se consacra entièrement à sa fille. Elle habitait dans un corps de logis séparé du sien par la cour, mais il se rendait très souvent dans sa chambre pour parler avec elle et la divertir. Ils jouaient ensemble au volant et faisaient des « discrétions » que, par complaisance, Mademoiselle gagnait et était « payée en montres et en toutes sortes de bijoux qui se trouvaient dans la ville ». Le soir, Gaston contait à son enfant émerveillée des récits sur les aventures guerrières et la vie de son grand-père Henri IV qu'il appelait Henri le Grand. On profita de ce séjour pour visiter la famille et les grands de la région. César de Vendôme, demi-frère de Gaston, et ses deux fils, Louis de Vendôme, duc de Mercœur, et François, duc de Beaufort, vinrent souvent à Blois. Les Béthune faisaient aussi leur cour. Mademoiselle et son père allèrent plusieurs fois leur rendre visite à Selles, une très belle propriété située sur le Cher. Le comte de Béthune, frère de Sully, avait été le gouverneur du premier duc d'Orléans décédé prématurément. Il avait bien servi Henri IV et « le bonhomme qui conservait encore dans son cœur l'ancienne passion qu'il avait eue pour le service du roi son maître, témoigna sentir une consolation non pareille d'en voir renouveler la mémoire par la présence de sa petite-fille[2] ». Mais le bonheur que Gaston rencontrait auprès de sa fille ne l'empêchait nullement de tourner continuellement ses regards vers Tours. Louison lui manquait, tant elle avait empreint ses pensées par sa jeune et délicate existence. Ne tenant plus en place, Gaston partit un beau jour la rejoindre. Mademoiselle devait suivre, mais une indisposition la retarda d'une semaine. Ce fut un autre voyage, par voie d'eau, sur une galiote aménagée par Monsieur qui laissait glisser sur le fleuve les riches tentures de son château arrière. À l'entrée de Tours, elle retrouva son père à la Bourdaisière, une maison louée pour elle et sa suite, dans laquelle il lui présenta les dames de la haute société tourangelle et, bien entendu, Louison, « qui était brune, bien faite, de moyenne taille, fort agréable de visage et de beaucoup d'esprit pour une fille de cette qualité, qui n'avait jamais été à la cour[3] ».

D'excellente humeur, Monsieur prépara sa fille à être gentille avec Louison en lui faisant miroiter qu'elle viendrait la faire jouer car « elle était d'âge à cela ». Tout le plaisir était pour le père qui avait sous le même toit sa fille et son aimée. Certes, Madame de Saint-Georges avait un peu trouvé à redire à ces allées et venues continuelles et réussit à glisser une graine de soupçon dans l'esprit de la petite princesse. « Maman (je l'appelais ainsi), si Louison n'est pas sage quoique mon papa l'aime, je ne la veux point voir ou s'il veut que je la voie, je ne lui ferai pas bon accueil. » Gaston, baignant dans la félicité amoureuse, trouva les mots pour rassurer tout le monde. À Tours, il avait fait venir des comédiens qui jouaient presque tous les jours. Il s'y rendait avec Louison, sa fille et Madame de Saint-Georges. Mademoiselle était ravie de voir le respect qu'on leur portait.

S'il est une personne que Monsieur cherchait à éviter à tout prix, c'est bien la duchesse de Chevreuse, exilée en Touraine après l'arrestation de son ami, le garde des Sceaux Châteauneuf. Elle y possédait à Couzières un aimable petit château situé sur les pentes de la vallée tourangelle de l'Indre. À Tours, elle fréquentait la société locale et avait loué l'Hôtel de la Massetière, une propriété de l'archevêque Bertrand d'Eschaux, un vieillard qui connaissait de longue date la séduisante rebelle pour avoir béni son premier mariage avec Luynes. Il lui accordait une affection qui faisait jaser. Bien entendu, la chronique lui prête plusieurs aventures amoureuses dont les dames de Tours faisaient des gorges chaudes. Elles estiment peu la duchesse qu'elles trouvent effrontée et encombrante. Chacun savait qu'elle continuait à entretenir une correspondance secrète avec Anne d'Autriche. Le roi lui-même s'en était aperçu et signalait au cardinal : « Arrivant ici, chez la reine, je trouvai un nommé Plainville qui est celui qui fait les allées et venues de Madame de Chevreuse, lequel était caressé de tous chez la reine comme le messie. »

Confondue une fois de plus de cabale, la duchesse s'enfuit en Espagne déguisée en homme. Gaston qui l'avait rencontré plusieurs fois n'était pas mécontent de son départ. Il l'écrit à Chavigny dans ce style un peu libre qui lui était coutumier : « Les comédiens sont à Tours. Tout le monde y est en bonne santé. Madame de Chevreuse est venue voir jouer *Le Cid* et y a demeuré un jour, où je lui ai rendu visite la plus courte qu'il m'a été possible. Ni moi, ni les dames de cette ville n'auront été aucunement affligés de son partement, ainsi, au contraire, car elle nous fait mille foutaises[4]. »

Prétextant une affaire à Paris, Gaston se sépara quelque temps de sa fille qui en profita pour continuer son voyage en compagnie de Goulas. Champigny-sur-Veude avait appartenu aux Montpensier et Gaston l'avait échangé avec Richelieu pour la seigneurie de Bois-le-Vicomte. La nièce du cardinal, Madame d'Aiguillon, qui était venue pour la recevoir dut souffrir « que les habitants, encore mal consolés d'avoir changé de maître, sentirent renaître à ma vue la tendresse que la mémoire des bienfaits et des bontés de Mr. de Montpensier avait imprimée dans leurs cœurs et témoignèrent, par leurs larmes et par toutes les démonstrations possibles d'affection, la douleur de leur perte ». De Champigny, la princesse se dirige vers Richelieu, la ville nouvelle et le château bâtis par le cardinal et pour lesquels il y « a fait travailler les plus célèbres peintres qui fussent alors à Rome et dans toute l'Italie ». Après Richelieu, Fontevrault-l'Abbaye où la petite princesse fut « accablée de caresses de l'abbesse* » qui, entre autres festivités, pour distraire l'enfant, lui montra deux jours de suite des folles dans leurs cachots. Puis s'arrêtant quelques jours à Bourgueil, elle assista dans la cour même du château, où la chasse aboutit, à une mémorable curée d'un grand cerf. Gaston n'étant pas au rendez-vous de Tours, elle rentra à Blois par Chenonceaux, appartenant aux Vendôme, qu'elle décrit comme « une grande et grosse masse de bâtiment sur le bord de la rivière du Cher, auquel tient un grand corps de logis de deux étages, bâti sur un pont de pierre qui traverse la rivière ».

* Il s'agit de Jeanne-Baptiste de Bourbon, fille de Henri IV et de Charlotte des Essarts, dame de Romorantin.

À la mi-octobre, ce sont les retrouvailles. Gaston avait fait venir les comédiens de Tours qui animèrent les fêtes de la Toussaint, et emmena sa fille à Amboise à la fête de la Saint-Hubert où elle eut le plaisir de revoir Louison. De là, ils passèrent à Chenonceaux saluer le duc de Beaufort qui avait été sous les ordres de Gaston l'année précédente à Corbie. Le jeune duc, qui n'avait alors qu'une vingtaine d'années, les reçut royalement lors d'un dîner ne comportant pas moins de « huit services, de douze bassins chacun ». Mais l'hiver approchait, aussi, dès le retour à Blois, il fallut prendre congé. Ce ne fut pas « sans verser de larmes et sans recevoir beaucoup de déplaisir que Monsieur ressentit aussi de son côté » que Mademoiselle s'engagea sur « le grand chemin de Paris », rapportant au roi « une montre émaillée de bleu, selon l'art des orfèvres de Blois, et une autre pour la reine, décorée de feuillages et de fleurs ».

Le séjour de Mademoiselle auprès de son père n'avait nullement affecté la ferveur de ce dernier pour Louison, bien au contraire. À Tours, les relations privilégiées du prince et de la belle enfant étaient connues de tous. D'ailleurs, ils ne se cachaient pas et passaient ensemble le plus clair de leur temps. Goulas n'est pas avare de détails sur son maître amoureux. Il le montre comme « un petit particulier épouseur », conduisant sa dulcinée à la messe chaque jour, faisant avec elle de longues promenades. Et l'hiver venu, Gaston recommença pour Louison avec une grandeur et une majesté accrues les festivités de l'été tourangeau. « Il crut la devoir réjouir, écrit Goulas, et s'y prit comme si c'eût été la plus grande princesse d'Europe. Il commanda à sa musique de se rendre à Tours. Il y fit venir des comédiens, des violons et des danseurs. Il prépara un somptueux ballet dont les habits et les machines étaient très riches et très magnifiques. Les meilleurs musiciens étaient employés à faire les airs, les poètes illustres à composer les vers et les récits, les baladins célèbres à inventer, les beaux esprits à trouver des sujets. » Gaston et Louison jouaient les rôles principaux du ballet qui fut dansé le 24 janvier 1638. Installé à la Bourdaisière, Gaston ne quittait Tours que pour quelques séjours à Paris ou à Blois. À Paris, on suivait cette affaire avec bienveillance. Pendant qu'il aimait, Monsieur ne complotait pas. On avait cru à une amourette, à un attachement passager du prince si instable. On s'étonna bientôt de la profondeur de ses sentiments et surtout qu'une telle assiduité, qu'un tel empressement, pour ne pas dire acharnement sentimental, n'ait pas encore abouti à une consommation physique. L'affaire était suivie par Chavigny qui recevait de nombreuses lettres de l'entourage de Monsieur. Le 10 novembre 1638, La Rivière écrivait au secrétaire d'État : « La place assiégée se doit bientôt rendre. Un peu d'argent, à mon avis, achèverait l'entreprise, mais cela choque la gloire du conquérant qui la veut emporter de vive force et comme un grand capitaine. » Il fallut probablement passer par là. Si Tallemant signale qu'elle « fut deux ans sans se donner à Monsieur » mais « qu'il en jouit à la fin », il rapporte que l'amour physique chez Louison, le don d'elle-même, n'avaient pas eu que des conséquences positives car « elle devint si sotte qu'elle ne faisait plus asseoir les dames de la ville ».

Dans l'égoïsme de l'amour, les choses en vont souvent ainsi. C'est sans doute vers Noël 1638 que Louison rompit toute résistance et fut, selon Goulas, « déclarée maîtresse de Monsieur, du consentement même de toute la parenté. On lui fit venir de Paris de très beaux meubles : lit, tapisserie, cabinets, cassettes, tables, toilettes, tapis, le tout garni d'or et d'argent, et il y en eut pour dix mille écus ». Rien n'était de trop pour l'amour de Louison car « s'il en faut croire le bruit commun ou la médisance, elle eut si grand peur de perdre un tel amant, qu'elle ne refusa rien à son favori ». Pourtant, l'année 1639, qui débutait sous les meilleurs auspices, allait s'achever dans le pathétique et la tristesse car, comme l'écrit Tallemant, « il y eut bien des réjouissances dans cette amourette mais la jalousie s'y mit bientôt, car L'Espinay, gentilhomme de Normandie qui était alors comme le favori de Monsieur, fut disgracié et Louison aussi. Ce L'Espinay, à ce qu'on dit, avait servi si fidèlement son maître auprès de cette fille qu'on a cru qu'il y avait passé le premier ».

La méfiance n'était pas une disposition d'esprit innée chez Gaston ; il était bon naturellement. Lorsque son premier veneur L'Espinay et Charles d'Angennes, marquis de La Rochepot*, découvrent cette beauté, rien d'anormal à ce qu'ils en fassent le panégyrique auprès de leur maître. Il est fort possible que les « deux jeunes garçons de vingt ans, bien faits et éveillés », se sentant plus libres et se plaisant davantage au milieu des dames de Tours, y aient attiré le prince toujours prêt à faire à la fête. C'était sans compter sur la force des sentiments. Gaston se confiait aux jeunes gens, les utilisait comme messagers auprès de Louison ; ils portaient des mots écrits et des paroles. De quelle manière L'Espinay transmettait-il les messages, avec quelle audace ? Vint le moment où les damoiseaux raillèrent carrément leur maître, ce qui n'échappa pas à La Rivière. Averti par le petit abbé de son infortune dont tout le monde semblait être au courant sauf lui, Gaston devint anxieux, taciturne, nerveux et demanda conseil à son frère le roi. Louis XIII, qui, au même moment, était empêtré dans son amour platonique pour Mademoiselle de Hautefort, lui répondit paternellement qu'il fallait se débarrasser de son rival. Tallemant note que Louis XIII et Gaston avaient même envisagé de faire tuer le jeune galant, ce qui aurait certainement été fait si le cardinal ne s'y était opposé. L'Espinay fut chassé. Gaston eut, au printemps 1639, la preuve de sa disgrâce ou, du moins, de la flexibilité des sentiments de sa bien-aimée, grâce à la confession de l'un des gentilshommes, François de Brion. Le jeune homme avait servi d'intermédiaire entre Louison et L'Espinay en se faisant porteur d'une lettre à la belle inconsciente dans laquelle le premier veneur expliquait que « sa disgrâce n'était un malheur pour lui qu'à cause qu'elle l'éloignait de ce qu'il aimait, et qu'il n'avait pour toute consolation que le plaisir de baiser le bracelet de cheveux d'où elle savait qu'elle lui avait donné** ».

Gaston fit fouiller Brion et découvrit la lettre. Il lui fut

* Voir le chapitre 11, « La cour de Blois ».

** Autre phrase parfois citée : « On dit que ce fut des cheveux d'un certain endroit. »

facile de confondre Louison qui reconnut les faits mais chargea L'Espinay qui avait utilisé « paroles, recherche et artifices pour la séduire ». Et le prince pardonna à sa belle mais se vengea sur son rival dont il supprima la charge « pour félonie, trahison et sottise par-dessus le marché ». Il cherchait maintenant à faire oublier ce qui s'était passé et commandait à Goulas à Paris : « Achetez-moi un beau miroir, grand miroir et un cabinet d'Allemagne, plus une douzaine d'orangers nains de Chine. Je pense que vous vous doutez bien pour qui c'est. Je vous assure qu'elle mérite bien cela, car elle a fait merveille en cette occasion et n'a épargné personne pour me satisfaire. » Mais la blessure était là, cruelle, et un grand amour supplicié ne peut pas devenir un plat réchauffé.

Gaston avait de la rancune pour La Rochepot et Brion, il chercha à s'évader de l'ambiance malsaine de Tours et vint à Paris. Rien n'était plus comme avant. « Louison est très mélancolique, et le jour que je partis, elle me dit force choses et ensuite me témoigna qu'elle voulait se faire religieuse. » En réalité, Louison était enceinte depuis la mi-avril. De qui ? L'Espinay ? Gaston ? Elle-même semblait avoir des doutes comme le signale le curieux Goulas : « elle ne se conserva point ; au contraire, elle sauta, dansa, cabriola, courut et témoigna qu'elle eût été ravie qu'un accident violent la tirât d'affaire. L'on conclut qu'elle était coupable. » Il est vrai qu'à un mois près, il n'y aurait eu aucun doute sur la paternité de Gaston, le destin est décidément sans pitié. Au beau milieu de l'été 1639, La Rivière informe Chavigny que « Louison tire à sa fin et si vous croyez mes almanachs, elle ne passera pas le mois de janvier... On en est plus que sur les formes et sur la belle manière d'achever toute cette tragi-comédie ».

La séparation définitive eut lieu à l'automne, en novembre. Louison, enceinte de sept mois, vit partir définitivement l'homme qui l'avait tant aimée, lui, le prince fastueux, le grand seigneur qui, pour elle, avait retrouvé des manies de page. Elle accoucha le 13 janvier 1640 d'un garçon que Gaston ne voulut pas reconnaître. Sa fille, Mademoiselle, s'occupera plus tard de l'enfant. Elle le prit près d'elle à Saint-Fargeau en 1653 pour l'éduquer et en fera un chevalier de Charny, du nom de l'une de ses terres*. Louison finit comme Madame de La Fayette, l'égérie de Louis XIII, au couvent, chez les Filles de la Visitation de Tours dont elle deviendra, plus tard, la supérieure. Elle ne devait jamais revoir Gaston. De son côté, Monsieur se remettait mal du ressentiment d'avoir été trompé par ses confidents, d'avoir été meurtri dans son cœur, aussi fit-il un peu de nettoyage parmi les libertins de sa cour. L'un au moins, L'Espinay, était sûr de ne pas retrouver grâce auprès du prince et préféra s'exiler. Mais le destin n'en avait pas fini avec lui. L'Espinay était non seulement déluré auprès des dames, mais, de surcroît, plaçait la barre très haut dans ses conquêtes amoureuses. Selon Tallemant, son ambition était de « n'en vouloir qu'à des princesses ou à des maîtresses de prince ». En Hollande, bien vu à la cour de La Haye par le prince d'Orange dont il fréquentait beaucoup le fils, il réussit à s'introduire dans la famille royale de Bohême en exil « avec la réputation d'un homme de bonne fortune et y fut tout autrement regardé qu'un autre ». Notre gentilhomme au sang chaud « cajola d'abord la mère, et après la princesse Louise** ». Le comportement des deux femmes provoqua un tel désordre dans la famille que la fille aînée, Élisabeth, « une vertueuse fille, une fille qui a mille belles connaissances et qui est bien mieux faite », prit la tête d'une véritable conjuration contre le séducteur français. Elle excita ses frères, surtout le plus jeune, Philippe, contre cet homme qui « avait fait un si grand affront à leur Maison ».

Un jour de 1646, alors qu'il venait de déjeuner chez l'ambassadeur de France, L'Espinay fut attaqué par une dizaine d'Anglais dirigés en personne par le prince Philippe et périt après s'être courageusement défendu, « percé de tant de coups que les épées se rencontraient dans son corps ». La princesse Louise en fut meurtrie et la duchesse de Longueville, qui la vit à La Haye pendant la Fronde, écrivait d'elle : « J'ai vu la princesse Louise, et je

* Il servira brillamment l'Espagne et mourut en 1692.

** Selon Tallemant des Réaux, Louise fut enceinte et alla accoucher à Leyde.

Gaston d'Orléans en chef militaire victorieux.

Gaston, duc d'Orléans, 1608-1660.
Lithographie de Delpech.

Portrait en pied de Gaston d'Orléans représenté vêtu «à la romaine» et tenant le bâton de commandement.
École française XVIIe, château de Versailles.

Gaston d'Orléans vers 35 ans par W. Vaillant.
Pastel, Chantilly, musée Condé.

Premier mariage de Gaston d'Orléans
et Marie de Montpensier, le 5 août 1626.

Marguerite de Lorraine, seconde
femme de Gaston d'Orléans, épousée
secrètement le 3 janvier 1632 à Nancy.

Anne Marie Louise d'Orléans, duchesse de Montpensier, appelée la Grande Mademoiselle (1627-1693), tenant le portrait de son père.
Bourguignon, château de Versailles.

© *Giraudon.*

© *RMN.*

Marguerite d'Orléans, première fille de Gaston d'Orléans et de Marguerite de Lorraine (1645-1721), femme de Côme de Médicis, grand duc de Toscane.
Atelier des frères Beaubrun, château de Versailles.

Élisabeth (1646-1696) seconde fille de Gaston d'Orléans et de Marguerite de Lorraine, appelée Mademoiselle d'Alençon, mariée à Louis-Joseph de Lorraine, duc de Guise.
Atelier Gobert, château de Versailles.

© *Giraudon.*

Château de Blois, aile Orléans, projet de dessin par François Mansart.
Bibliothèque nationale.

Château de Blois, façade de Gaston, prise des Tours Saint-Nicolas.

Marie de Médicis, portrait en costume de sacre.
Pourbus, musée du Louvre.

Louis XIII
frère aîné de Gaston d'Orléans.
Philippe de Champaigne, musée Canavalet.

Portrait en buste enfant de Louis XIV (1638-1715),
roi de France et de Navarre.
château de Versailles.

Louis XIII, Anne d'Autriche, Gaston d'Orléans devant le Saint-Sacrement.
École française XVIIe, Blois.

Le siège de la Rochelle auquel Gaston d'Orléans participa (1627-1628).
Au premier plan, le cardinal de Richelieu.
Paul Henri Motte, musée d'Orbigny.

Le grand Condé.
Musée Condé, Chantilly.

Bataille de Charenton
le 8 février1649.
Les troupes royales conduites
par Gaston d'Orléans
et Condé écrasent
l'armée du Parlement.
S. Le Conte,
musée Condé, Chantilly.

François Auguste
de Thou,
conseiller
au Parlement,
ami de Cinq-Mars.
Bibliothèque nationale de France.

Henri d'Effiat
marquis de Cinq-Mars,
favori de Louis XIII.
Bibliothèque nationale de France.

Exécution de Cinq-Mars et de Thou à Lyon le 12 septembre 1642.
Bibliothèque nationale de France.

Exécution
d'Henri de Chalais
à Nantes en août 1626.
Gravure anonyme,
Bibliothèque nationale de France.

ne crois pas que personne envie à L'Espinay la couronne de son martyre. » La princesse abjura le protestantisme en 1658 et vint s'installer en France, faisant vœu de clôture comme Louison. Elle entra à l'abbaye de Maubuisson près de Pontoise, en 1664, y mena une vie exemplaire et mourut abbesse.

15.

Le château du roi François

Les deux années que Monsieur avait consacrées à sa passion pour Louison Roger l'avaient marqué au plus profond de son être. Son dénouement peu glorieux eut la saveur amère de la fragilité et de l'évanescence des choses de l'amour. Dans la force de ses trente ans, Gaston avait beaucoup donné. Il s'était enivré d'amour et de plaisirs, avait vécu sur un nuage avec cette certitude d'éternité que cultive toute profonde affection. On pouvait s'attendre à une réaction identique à celle qui avait suivi la disparition de Marie de Montpensier. Pendant toute une année, de l'été 1639 à l'automne 1640, Monsieur passa son temps entre Paris et Blois, et finit, à partir de cette date, par faire son choix du château de Chambord, inaugurant ce que l'abbé La Rivière appellera « le bienheureux séjour de Chambord ». On le sait, Chambord, qui faisait partie de l'apanage, n'avait reçu que de courtes visites. Il est vrai que le château était isolé au milieu de son immense forêt. Mais cette circonstance n'était pas sans intérêt, ne serait-ce que pour la réflexion, la méditation et pour faire le point. Ne convenait-il pas de changer de résidence, de choix parmi les proches, et tout simplement de climat intime ?... Gaston était blessé, meurtri, parfois abattu et plus ou moins dépendant de son confesseur, le père de Condren, pour lequel il affectait des sentiments sincères de gratitude, et son apothicaire, le turbulent Turpin, qui s'affairait à soulager les problèmes de santé qui commençaient à attaquer la forte constitution de son maître. Tous deux étaient soulagés de voir que le prince avait entrepris de faire un peu le vide autour de lui et avaient applaudi au renvoi de certains libertins ambitieux, cabaleurs, courtisans à mal escient et surtout mauvais conseillers, tels que de L'Espinay, La Rochepot, Blot et quelques autres. Le père de Condren voyait là une occasion pour ramener Monsieur vers un peu plus de religion. Mais lorsque l'on a été un fastueux et incorrigible noceur pendant plus de quinze ans, il n'est guère aisé de revêtir tout de go les canons d'une vertueuse abstinence, quelles que soient les formes que l'on souhaite lui voir recouvrir.

Malgré son grand âge, de Condren était un personnage têtu, volontaire, infatigable dans ses désirs de réussite et bon serviteur. Il avait bien remarqué que son maître avait communié avec dévotion le 15 août 1639, lors de la fête annuelle qui plaçait le royaume de France sous la protection de la Vierge Marie. Sans doute pensait-il qu'un soupçon de la conversion souhaitée par la cour était amorcé. Mais de Condren devait mourir en 1641, sans avoir eu le temps d'accomplir sa mission tant désirée. Durant près de deux ans, son influence est certaine. La Rivière l'écrit de Chambord à Chavigny, le 2 novembre 1640 : « Il faut tout résolument que je vous parle de dévotion, car on ne parle d'autre chose ici. La Toussaint et, sans vanité, mes bons exemples ont fait cet effet. Son Altesse royale en a tâté comme les autres et, pour vous dire tout, depuis le père de Condren jusques à M. Goulas... toute notre cour est divine et céleste[1]. » Certes, Gaston a décidé de modérer ses mœurs, chatouillé par divers problèmes de santé, mais on note toujours que « la vertu est faible et son dérèglement assez fort ». Aussi, est-ce du bout des lèvres qu'il faut parler de conversion. Mais le changement s'insinue lentement, et l'évêque de Belley, Jean-Pierre Camus, qui viendra à Chambord après la mort de Condren œuvra dans le même sens que ce dernier. Gaston était-il prêt à faire une véritable réflexion sur lui-même, sur ses actions passées et, puisant la force dans un retournement soudain, de développer « les meilleures intentions » dont il était capable ? Rien n'est moins sûr.

À Chambord, dans le magnifique palais Renaissance, au

milieu d'une immense forêt giboyeuse, favorisée par une nature généreuse et ce fameux climat de Val de Loire qui avait attiré la cour tant de fois au siècle précédent, Gaston vit en gentilhomme campagnard. Il chasse beaucoup, se promène en compagnie de fidèles lors de longues randonnées, s'occupe de ses jardins, reçoit et converse longuement avec des seigneurs des alentours, sans oublier le suivi des travaux qui ont commencé au château. Il anime aussi brillamment sa cour grâce à son esprit et sa culture. Selon l'épicurien La Rivière, « les plaisirs sont aussi rares ici pour le moins qu'au siège d'Amiens », et l'apothicaire Turpin donne le même son de cloche et en rajoute. Il reproche à Chambord d'être « malsain, aquatique, et de forêt », même s'il est excellent « en des jours extrêmement chauds pour une assemblée de chasse, mais non pas pour une demeure... à chaque voyage que l'on y fait, il faut faire chauffer et sécher les matelas et les linges tous moites ». Pour Turpin, cette humidité est tout à fait néfaste à Monsieur car « il fait bonne chère, il est sanguin de son tempérament et sage avec cela ».

Mais Gaston s'est littéralement amouraché de la Sologne, « le pays que j'aime le mieux de tous mes plaisirs ». Turpin n'a pas tout à fait tort. Les mois passés à Chambord annoncent un long catalogue de soins, de remèdes, d'interventions sous forme de saignées ou autres médications. Certes, Monsieur supportait bien le traitement compte tenu de son âge et Turpin pouvait écrire tout à fait à l'aise : « J'ai saigné ce matin Son Altesse royale pour raison de la plénitude de sang et fort échauffé, qui lui causait chaleur et moiteur la nuit, piqûre à la peau, piqûre en urinant, sans aucun gravier de façon que cela préviendra plus de mal. » Mais faire de la prévention médicale avec Monsieur relevait de l'exploit. D'ailleurs, la goutte s'était installée sournoisement dans ce corps jeune qui avait trop aimé la vie. En 1641 et 1642, la correspondance adressée à Chavigny qui, comme on le sait, était l'homme que Richelieu avait désigné pour « suivre » Monsieur, était ponctuée de paragraphes évoquant la santé du prince...

— Le 10 avril 1641 : « J'ai eu peur de la goutte et me

suis fait saigner. J'ai été un peu au lit et aujourd'hui je me suis levé. »

— Le 21 juin 1641 : « J'ai eu des maux de tête qui m'ont obligé à prendre du petit lait, je commence à m'en porter mieux. »

— Août 1641 : « J'ai été obligé de me purger. »

— Le 9 octobre 1641, Turpin écrit : « Le prince s'est fait saigner aujourd'huy car je le trouvai hier avec un visage si enflammé qu'il avait besoin de ce remède. »

L'hiver 1641 passé à Paris paraît bénéfique mais, dès le retour en villégiature campagnarde, les choses reprennent de plus belle. Et, au printemps 1642, Monsieur est plongé à nouveau dans les remèdes. Le prince ne s'affole pas outre mesure car, pour lui, « tout mon mal n'a été qu'une fluxion qui m'a duré longtemps à cause du froid qui m'était tombé sur les reins et dans l'estomac dont j'avais entièrement perdu l'appétit... Les médecins croyaient qu'il y avait de la gravelle, mais il n'y a rien paru. J'en eus ensuite faiblesse aux pieds qui est si bien remise que j'ai joué aujourd'hui cinq parties de la paume ». En lisant cette lettre du 1er avril 1642, l'homme moderne n'a qu'une idée : ciel ! quels devaient être chez Gaston les taux de glycémie, d'acide urique, d'urée, de cholestérol et de triglycérides !... Vraisemblablement, un cocktail explosif. Mais les comparaisons ne valent que par ce que l'on veut bien leur faire dire. L'activité physique d'un homme du XVIIe siècle assurant quatre à cinq heures de chevauchée quotidienne n'avait rien de comparable avec celle d'un bureaucrate contemporain. Finalement, Monsieur décida de prendre les eaux à Bourbon-l'Archambault, une station thermale qui, comme Forges, était à la mode, au pied d'un éperon rocheux et qui portait un orgueilleux château médiéval ayant appartenu aux Bourbons. Ses eaux avaient la vertu de soigner la goutte. Cette goutte qui avait de nouveau secoué le prince en mai, accompagnée de rhumatismes et secondée, cette fois-ci, d'une crise dentaire : « J'ai eu mal aux dents et m'en ferai arracher une », écrit-il le 14 mai. La cure n'eut pas tous les effets escomptés car, en plein traitement, suivi avec sérieux, une violente crise de goutte se manifesta à nouveau. La seule consolation du prince fut de rencontrer en cure le poète Scarron dont, il est vrai, le sort était peu enviable.

Le séjour bienheureux de Chambord ne fut en réalité supportable que par l'équilibre que procurèrent les longues périodes hivernales passées à Paris en 1640, 1641 et 1642. Logé à l'Hôtel de Guise*, il voyait souvent sa fille, Mademoiselle, toujours aux Tuileries, et s'intégrait à la vie aristocratique et mondaine du quartier du Marais, lieu « de tous les plaisirs et divertissements ». Les fêtes se multipliaient dans les hôtels particuliers où accourait une pléiade de jolies femmes fort bien informées de l'aventure tourangelle. Eut-il une véritable liaison avec cette Ribaudon, issue de la puissante famille des Bragelonne et femme d'un ancien trésorier de France à Bourges, qu'il courtisa au grand jour ? C'est possible, mais Tallemant des Réaux prétend que le prince, malgré la valeureuse assiduité d'un siège de plusieurs mois, n'en reçut « aucune faveur[2] ». Il semble pourtant que les témoignages aient été nombreux sur ces amours mondaines. Ainsi celui-ci :

> « La Ribaudon, quand Monsieur te regarde
> Père, frère, mari, tout le monde est en garde
> Tout doux... »

Ou bien cet autre :

> « Monsieur dit à la Ribaudon
> Si tu le veux nous le ferons
> Tutaine, tuton, tutaine
> Tutu
> Ton mari cocu
> Ton, ton
> Monsieur Ribaudon
> Tutaine, tuton, tutaine
> La belle luy a respondu
> Vous estes un beau lanterlu
> Tutaine, tuton, tutaine
> Tutu

* Aujourd'hui, le siège des Archives nationales.

Pour faire cocu
Ton, ton
Monsieur Ribaudon
Tutaine, tuton, tutaine. »

Mais la belle était de santé fragile et, malgré ses cures à Bourbon-l'Archambault, vit sa santé s'effilocher. Elle mourra prématurément. N'importe. Monsieur se consolait dans des amours moins avouables, au risque de contracter à nouveau cette « maladie que l'on prend chez les femmes », qu'il avait connue juste avant son mariage avec une « assez vieille garse, nommée la de Serre dans le parc de Madrid ». Certes, il est averti, mais « la maladie du métier » s'attrape si facilement...

À Paris, un peu d'intrigue venait pimenter la vie de plaisir. C'est là, pendant l'hiver 1642, que débutèrent les premières relations avec Cinq-Mars. Lorsqu'il retournait à Chambord au printemps, l'air frais de la campagne solognote et les charmes de la nature renaissante, avec ses poussées de sève, étaient un baume, une empoignade salvatrice agrippant le prince avec bonheur. Et puis, il y avait les travaux prévus au château. Certes, ils n'ont pas été conduits à leur terme, compte tenu de leur coût, mais ils sont maintenant assez bien connus[3]. Dès 1639, les murs du parc creusés de brèches, dont des pans entiers finissaient par s'écrouler, furent consolidés et recrépis. On recommença en 1642. En 1640, ce sont « des travaux préalables à toute restauration... il s'agit de moulins à démolir et à reconstruire partiellement, de ponts à refaire, d'un canal à établir de La Chaussée- le-Comte au Pinet (à savoir toute la traversée du parc par le Cossou), d'un fossé de drainage en amont de Chambord, des marais d'alentour à assécher[4] ». En réalité, le prince usufruitier du château envisageait un drainage systématique de la cuvette, au fond de laquelle, malgré son aspect malsain, on avait érigé le château dans la première moitié du XVIe siècle.

Après la mort de Gaston, Louis XIV fera plusieurs séjours à Chambord et le graveur Israël Sylvestre nous a laissé à ces occasions des œuvres qui témoignent de toutes les activités d'aménagement extérieur. Mais c'est en 1641 et 1642 que des travaux de restauration conséquents furent entrepris. Ils concernaient les voûtes du donjon, la lanterne, les pavillons et les grosses tours. Ces travaux « touchaient la maçonnerie et la sculpture aussi bien que les charpentes et couvertures ». Les deux devis des travaux, qui sont arrêtés le 1er mai 1641, sont un long catalogue d'observations et de prévisions qu'il est impossible de développer ici[5]. Mais certaines d'entre elles ne peuvent être dissimulées si l'on veut juger de l'état du château. Que l'on évoque les voûtes et les plafonds et on constate qu'ils sont « ruinés, pourris et rompus par les eaux et gelées ». Les murs portant les galeries de la façade nord-ouest sont rompus et ils seront « refaits et réparés de fond en comble » ainsi que « tous les balustres et appuis de toute la circonférence du château avec l'entablement[6] ». Concernant la grande lanterne de l'escalier, « tout ce qui se trouve au-dessus des terrasses doit être entièrement restauré : architecture, sculpture, ornement et maçonnerie, en particulier tous les éléments de contrebutement ». Mais il ne s'agit pas de faire n'importe quoi. Gaston prend clairement et nettement position sur la nécessité de reproduire l'architecture et le décor remplacés « de même manière et façon que ceux qui y sont à présent... de même appareil de même ordre... avec les mêmes architectures, moulures et ornements[7] ». Ainsi est-il précisé : « Plus fault faire les balustrades qui sont rompues entre les deux arcs-boutans, qu'il fault construire et faire à neuf de mesme façon que ceux qui y sont à présent, de mesme pierre et de mesme apareil et réparer le reste des balustrades et apuis ou besoing sera », ou un peu plus loin, « plus refaire la carelage qui se trouve rompu, le refaire à chaux et ciment de mesme que celluy que l'on employera aux terrasses de dessus les voultes ».

Il n'est pas nécessaire de poursuivre, mais l'ampleur de ces travaux appelle l'attention sur un point particulier qui est précisément le lien existant entre l'arrêt des travaux à Blois et le début de ceux de Chambord. Pour André Betgé[8], les artisans auraient cessé le travail à Blois dès 1639 pour cause de non-paiement. Comme ceux d'assainissement de Chambord avaient fait l'objet d'un premier devis dès 1640, on est en droit de se demander si la nécessité de préserver Chambord n'avait pas prévalu, tuant ainsi toutes nouvelles destructions et reconstructions à Blois. C'est l'avis de Martin Demézil que nous suivons en grande partie. Mais nous ne pouvons oublier que la forte liaison du prince avec Louison l'a tenu de longues périodes hors de son duché et que ses préoccupations, tant il était séduit, connaissaient quelques flottements. À notre sens, la passion tourangelle a une part de responsabilité. Ainsi, Louison, puis le séjour à Chambord auraient sauvé les parties anciennes du château de François Ier et de Louis XII à Blois, ces ailes que nous avons le plaisir de contempler encore de nos jours.

Gaston n'eut pas le temps et sans doute les moyens pour terminer les réparations. Déjà l'affaire Cinq-Mars était engagée et, un an plus tard, Son Altesse royale allait devenir lieutenant-général du royaume. Ses soucis étaient ailleurs. Il faudra attendre quarante ans pour que la restauration complète soit effectuée. Le 18 février 1681, « Guillaume Grouart, maître sculpteur à Paris, demeurant à présent à Ménards, estant de présent au chasteau de Chambord... a fait marché d'achever et faire pour le roy en son chasteau de Chambord » tout un ensemble de travaux supplémentaires pour lesquels mille livres seront versées par « Colbert de Seignelay, secrétaire d'État [du roi] et de ses commendements, contrôleur général des finances, surintendant et ordonnateur des bastiments et jardins de Sa Majesté et manufactures de France* ». La modestie des fonds envoyés prouve que le château avait bel et bien été restauré par Monsieur qui marquera ainsi d'une manière indélébile son séjour dans le château du roi François.

* Contrat passé devant Pissonnet, notaire, Claude Salet et Pierre Ménard, témoins. Minutier des notaires du Loir-et-Cher, dépôt n° 38, cote 338, cité par Martin Demézil.

16.

Les nouveaux démons

Depuis son retour en France, à l'automne 1634, le duc d'Orléans s'était comporté en sujet fidèle de Sa Majesté et Richelieu semblait rassuré. Mais le calme était trompeur, car avec la naissance des enfants royaux, Monsieur s'était rendu à l'évidence : il ne serait jamais roi de France.

Chaque année, les campagnes militaires se déroulaient sans sa participation, une situation peu honorable pour un fils de France alors que la noblesse laissait ses enfants sur les champs de bataille. On lui croyait de solides défenses psychologiques et, pourtant, Monsieur allait une fois encore être séduit par l'odeur du complot et il se lança dans l'affaire Cinq-Mars.

Henri d'Effiat, marquis de Cinq-Mars, était né en 1620 dans un lignage de haute noblesse qui évoluait au sommet du pouvoir. Sa mère, Marie de Fourcy, est une femme vertueuse et dominatrice. Son père, Antoine Coiffier de Ruzé, marquis d'Effiat, est un Fidèle de Richelieu, ce qui explique bien des faits par la suite. Il a été tué à la tête de l'armée d'Alsace, en 1632, comme maréchal de France, après avoir été surintendant des Finances et gouverneur d'Auvergne. Henri, second garçon d'une famille de six enfants, échappa à la carrière religieuse habituelle pour un cadet et hérita d'un vaste domaine tourangeau et du château de Cinq-Mars.

Richelieu, qui fréquentait beaucoup les d'Effiat, apprécia cet enfant intelligent, vif et d'une beauté prometteuse. Henri possédait, il est vrai, un charme caressant et un regard rêveur qui trahissaient la faiblesse d'un caractère capricieux et violent. La rude éducation de sa mère contribua à nourrir en lui, durant toute sa vie, d'impuissantes et maladroites révoltes contre ceux qui entendaient le gouverner. À quinze ans, il apprend le « métier des armes », tout en recevant une solide éducation classique. En 1636, l'adolescent, qui est devenu un fort jeune homme, au tempérament rieur et primesautier, est envoyé à la cour avec le titre de lieutenant-général du gouvernement de Bourbonnais et le grade de commandant d'une nouvelle compagnie de la garde du roi. La situation à la cour est extrêmement ambiguë. Le roi s'ennuie, méprise la reine et oscille affectivement entre deux femmes : Marie de Hautefort et Louise de La Fayette, sans jamais concrétiser l'amour qui le dévore.

Le problème est qu'Anne d'Autriche et ses dames de compagnie détestent unanimement le cardinal qui a compris que, dans l'espionnage quotidien de son roi, il n'obtiendrait rien. Richelieu a réfléchi au cours des années sur le rôle que pourrait jouer le petit Cinq-Mars. Sa beauté ne pouvait-elle pas conquérir Louis XIII ? Quelle chance, pour lui, s'il pouvait faire entrer dans l'intimité du souverain une personne aimée de lui, fût-elle un garçon, pourvu qu'il lui rapportât tous ses faits et gestes... Pour l'heure, Cinq-Mars est parfaitement à l'aise, au milieu des jeunes courtisans fortement titrés, turbulents et joueurs, mais tous animés du plus grand désir d'étonner, de plaire, d'éblouir et surtout de paraître. La cour fourmille de jolies femmes et le Louvre est au milieu de Paris. Henri fréquente l'Hôtel de Rambouillet et les autres ruelles des précieuses. Son nom lui ouvre toutes les portes. Il fréquente les libertins dont le meneur est « l'illustre débauché » Des Barreaux. Cela dure deux ans. Le rythme est pris : l'été aux armées, l'hiver à Paris. Richelieu n'omet pas de parler du roi à Cinq-Mars qui répond avec étonnement et, le plus souvent, avec agacement. C'était mal connaître le cardinal dont l'idée était désormais : « Si Cinq-Mars ne va pas au roi, le roi ira à lui. » Des courtisans stipendiés parlent de Henri au roi. Ce dernier le trouve beau, juge ses propos agréables, recherche sa compagnie. Les premiers fils de la toile se mettent en place.

La charge de grand maître de la garde-robe vient de se libérer. C'est une fonction considérable car le titulaire partage l'existence et l'intimité du monarque, il reçoit ses confidences et subit les effets de son humeur. Henri, qui vient de prendre son envol, n'a aucune envie de devenir, selon l'expression de son biographe Philippe Erlanger, « l'esclave d'un prince lugubre, atrabilaire et maniaque ». Mais la famille pèse de tout son poids et le 27 mars 1638, jour de ses dix-huit ans, Henri est pourvu de la charge. Il a un pied à l'étrier et l'autre dans un engrenage sans fin. Cela n'empêche pas Cinq-Mars de fréquenter ses amis du Marais et d'enlever à Des Barreaux l'égérie des noceurs : Marion de l'Orme. Elle a vingt-cinq ans et s'est déjà beaucoup égarée en amour, mais la petite provinciale s'est métamorphosée en une femme magnifique, une créature sensuelle, resplendissante, coquette et surtout assoiffée de plaisirs. Henri lui apparaissait charmant avec « son pourpoint de satin blanc orné d'aiguillettes, son haut-de-chausses brodé d'or, avec de vastes canons de dentelles tombant sur ses bottes à revers ». Marion succomba et ils devinrent les amants les plus heureux, les plus remarqués, les plus fêtés de Paris. C'était tant mieux, car, au fil des mois, Henri percevait l'univers sinistre dans lequel vivait Louis XIII. Amant comblé, Cinq-Mars apportait dans cette opacité la lumière de sa jeunesse, sa fraîcheur d'âme, sa vivacité d'esprit et aussi sa frivolité. Cinq-Mars était envié par certains de ses amis tels Fontrailles et de Thou. Tous deux allaient être mêlés au drame.

On a déjà vu Fontrailles. L'autre, François-Auguste de Thou, conseiller au parlement à dix-neuf ans, était un personnage fort méritant mais d'une grande austérité, que Cinq-Mars appelait « son inquiétude ». Les deux hommes détestaient Richelieu pour des raisons différentes, mais avaient perçu, très vite, l'avantage qu'ils pourraient retirer de la position du grand maître de la garde-robe. Le roi venait en effet de se prendre d'une grande passion pour son grand maître. On a tout dit sur les mœurs de Louis XIII et sans doute beaucoup trop. On sait que le roi, depuis son affection de jeunesse pour de Luynes, avait toujours entretenu de profondes amitiés masculines. Mais ses goûts « italiens », bien réels, ne se sont probablement jamais concrétisés tant sa religion, sa rigueur morale et sa vision négative de l'acte sexuel constituaient de barrières et de censures[1]. Laissons-lui donc le bénéfice du doute. Les choses étaient allées très vite... Au début de juin 1639, à Abbeville, Cinq-Mars apprend, non sans surprise, qu'il était devenu le favori.

L'inclination du roi explose : « C'était un engouement, une infatuation, une folie. Désormais, on ne surprend pas dans l'âme de Louis le plus faible combat, la plus légère hésitation, il n'y aura pas une pensée, un regard en arrière. »

La soudaineté et la véhémence de la passion royale n'échappent pas longtemps à la cour. Chavigny s'empressait d'écrire à Mazarin : « Nous avons un nouveau favori à la cour qui est Monsieur de Cinq-Mars, dépendant tout à fait de Monseigneur le cardinal. Jamais le roi n'a eu passion plus violente pour personne avant lui. » Quant à Marie de Hautefort, fort jalouse, elle fut sermonnée et dut supporter de la bouche de son ancien adorateur l'aveu qui signifiait sa disgrâce : « Mes affections sont toutes désormais pour Monsieur de Cinq-Mars. » Le 19 novembre 1639, le favori prêtait serment pour la charge de grand écuyer et devenait ainsi Monsieur le Grand. Mais quelques jours plus tard, Louis XIII, jaloux de Marion de l'Orme, tança son protégé pour son « goût de la débauche, sa dissipation, sa coquetterie et sa paresse ». Meurtri dans ses sentiments, il alla jusqu'à prédire « de grands malheurs s'il [son protégé] n'adoptait pas un style de vie plus conforme à son rang ». Henri ne perçut pas l'avertissement. Bien sûr, Louis XIII fit part de son désarroi à Richelieu qui convoqua l'écervelé et l'admonesta. Le cardinal qui commençait à se méfier de l'indocilité de l'ambitieux favori parvint à la réconciliation. Fait unique et incroyable, Louis et Henri signèrent un document stipulant leur harmonie retrouvée : « Nous ci-dessous signés, certifions à qui il appartiendra être très contents et satisfaits l'un de l'autre et n'avoir jamais été en si parfaite intelligence que nous sommes à présent. En foi de quoi nous avons signé le présent certificat : Louis, par mon commandement : Effiat de Cinq-Mars ; fait à Saint-Germain, le 26 novembre 1639. »

Ce certificat prenait en tenaille le destin de Monsieur le Grand qui sera à l'avenir contraint de parapher plusieurs écrits de contenus identiques. Cinq-Mars détestait le château de Saint-Germain où la cour s'était installée au printemps 1640. Pourtant, ce séjour fut un rare moment de grande joie dans la vie de Louis XIII. Monsieur le Grand organisait des fêtes magnifiques, conviait les seigneurs à de nombreux festins et donnait des bals auxquels le roi participait quelquefois fort tard. En habits luxueux, il ensorcelait le roi dans une atmosphère de soie et de parfum digne de la cour des Valois. Cela ne pouvait durer ; les folles dépenses peinaient le roi et Henri pensait à Marion qu'il rejoignait à Paris dès la dernière chandelle soufflée. Ce train de vie infernal ne manqua pas d'altérer la santé du favori, ce dont, bien sûr, Louis XIII s'aperçut et qui le conduisit à des colères homériques. Anne d'Autriche, enceinte du futur Philippe d'Orléans, observait ces orages habituels avec détachement. Elle n'avait jamais manifesté la moindre jalousie à l'égard d'Henri qui profitait au moment des réconciliations des largesses royales. Il reçut ainsi le comté de Dammartin avec un revenu de 23 000 livres. La pression de Richelieu se fit plus forte. Cinq-Mars sortait mal à l'aise, rongé par le doute et souvent abattu, des entretiens avec l'Éminence rouge. Un leitmotiv revenait à satiété : « Aimer sincèrement le roi, servir fidèlement le cardinal dans sa grande œuvre et surtout s'éloigner de Marion dont le comportement tapageur nuisait à l'honneur du grand écuyer. » La leçon fut tellement rabâchée qu'elle finit par s'incruster, mais bien au-delà de l'espérance souhaitée, dans une fuite en avant vers un abîme ouvert dont nul ne pouvait voir le fond.

La saison militaire appela le roi à l'armée et 1640 devait être une année de victoire. Il fallait achever la prise d'Arras et la conquête de l'Artois. Une énorme armée de deux cent mille hommes avait été levée, commandée par les maréchaux de Châtillon, de Chaulnes et La Meilleraye. Richelieu avait été ferme à leur égard : « Vous répondrez de votre tête si vous ne prenez pas la ville. » On conçoit que les bras lui tombèrent lorsque le roi, pressé par Cinq-Mars, annonça que le favori dirigerait les opérations.

Le cardinal persuada Cinq-Mars de refuser mais dut lui confier, au grand dam des ducs d'Enghien, de Mercœur et de Beaufort, le commandement du corps de mille quatre cents volontaires, « la fleur de la noblesse française ». Le 2 août 1640, Cinq-Mars s'illustra avec bravoure et, le 9, la ville fut prise. Richelieu s'empressa de minimiser le rôle du favori et le taxa même de « lâcheté » auprès du roi de retour à Chantilly. Henri savait désormais à quoi s'en tenir sur les sentiments de l'Éminence à son égard. Mais le fougueux jeune homme venait, début septembre, de tomber sous le charme de Marie de Gonzague, la princesse courtisée autrefois par Gaston. Henri était envoûté par la belle princesse de près de dix ans son aînée, une forte personnalité, pétrie d'ambition. Marie fit germer en lui l'idée de prendre le pouvoir à la place de Richelieu, de l'épouser et sans doute de gouverner sous son nom.

Le pieux de Thou et le cynique Fontrailles sont aux anges. Le père Griffet écrivait, au XVIIIe siècle, que « l'inclination que le roi avait pour lui était si forte que tout ce qui aurait pu la rompre ne servait qu'à l'augmenter ». Voilà le roi, humilié une fois de plus, mais il est clair que Louis XIII, au tréfonds de lui-même, éprouve une certaine volupté masochiste à être rudoyé, martyrisé, supplicié. Henri cherche à abaisser, à condamner, à détruire le cardinal dans l'esprit du roi. En novembre 1640, Chavigny écrit à Mazarin : « S.M. a témoigné depuis peu de très mauvaise humeur contre le cardinal-duc. Pour moi... je vous avoue que j'en crains les résultats. » Mais Richelieu est toujours au zénith. Le 7 février 1641, le roi signe le contrat de mariage de Claire-Clémence de Brézé, âgée de douze ans, nièce de l'Éminence, plus que légèrement idiote, avec le duc d'Enghien, fils du prince de Condé. Cette prodigieuse mésalliance fut l'occasion d'une fête extraordinaire au Palais-Cardinal. Louis XIII qui sait son premier ministre très malade se demande si son favori, dûment éduqué politiquement, ne posséderait pas les qualités d'un futur chef d'État et Henri obtient l'entrée au Conseil, mais, sollicité par le comte de Soissons, il refuse de participer à ce qui aboutit à la bataille de La Marfée *. Cinq-Mars, entièrement soumis à la princesse de Gonzague, avance à pas mesurés. Fontrailles et de Thou comprennent que le favori est maintenant décidé, et après que le cardinal lui eut interdit l'entrée du Conseil à Mézières, Mazarin pouvait écrire : « Le cardinal met tout en œuvre pour perdre Monsieur le Grand. » Peut-être sent-il déjà des étrangetés dans le comportement du souverain. Le 10 août, le duc de Bouillon vient saluer le roi à Mézières et dîne avec le grand écuyer. Mais le chef de l'opposition reste Gaston sans lequel rien ne peut être envisagé.

Monsieur, sorti indemne de l'affaire du comte de Soissons, restait meurtri. Il vit le roi à Mézières lors d'une entrevue glaciale. Ce fut à Amiens, dans les jardins de l'Hôtel de Chaulnes **, qu'il rencontra secrètement Monsieur le Grand, sous les auspices de Fontrailles, tandis que de Thou allait à Sedan relancer le duc de Bouillon. À l'automne 1641, le roi regagna Saint-Germain et Henri retrouva sa belle. Marie de Gonzague avait parlé à la reine qui se révéla confiante à l'égard de Cinq-Mars. Trois mois de bonheur pour Henri et Marie, une passion lyrique et platonique, envoûtante, nourrie des germes du complot en gestation. La trame se noue. Cinq-Mars revoit Gaston que la reine elle-même pousse à soutenir le favori. Mais elle n'oublie pas de faire promettre à son beau-frère qu'en cas de revers, il ne la trahirait jamais. Il est vrai que la régence est ouverte et que le cardinal est intéressé par la suite des événements. Au début du mois de janvier 1642, Bouillon rencontre Cinq-Mars. Certes, la ville de Sedan est une place forte, indépendante mais insuffisante. Il faut l'appui d'une armée étrangère. À ce niveau, la décision appartient à Monsieur. François de Brion, premier écuyer du duc d'Orléans, organise une réunion dans le Marais, à l'Hôtel des Ambassadeurs de Venise, avec Cinq-Mars. On y parle de traiter avec l'Espagne. Quelques jours plus tard,

* Où Soissons révolté contre le roi fut tué.

** C'est dans cet hôtel qu'on avait envisagé d'assassiner Richelieu en 1636.

dans le même hôtel se retrouvent Monsieur, Bouillon et le grand écuyer. Un texte est rédigé qui sera approuvé par la reine. La campagne militaire vient de reprendre. Le roi doit aller en Roussillon, tandis que le duc de Bouillon a été nommé à la tête de l'armée d'Italie.

Le traité est mis au point. Monsieur recevrait de son beau-frère Philippe IV une armée de pied de mille deux cents hommes et six mille cavaliers ainsi qu'une somme de 400 000 écus pour lever les troupes en France* et une armée serait dirigée vers Sedan. Gaston se verrait attribuer 150 000 écus, Bouillon 40 000, même somme à Cinq-Mars. L'armée espagnole devait obéir à Monsieur qui prendrait possession des places soumises. Gaston s'engageait à conclure une « forte paix » entre les deux couronnes qui feraient échange des conquêtes intervenues depuis 1635. La France abandonnerait ses alliés protestants, Suède, Hollande, princes allemands. De plus, « on déclare qu'on ne prend en ceci aucune chose contre le roi Très chrétien et au préjudice de ses États, ni contre les droits et l'autorité de la reine Très chrétienne régnante ». Cette dernière clause ne va pas sans nous interroger sur le rôle de la reine.

Le 27 janvier, Louis XIII part pour le Midi et s'arrête à Chilly chez le grand écuyer. Gaston, Cinq-Mars, Fontrailles et d'Aubijoux palabrent toute la nuit. Au petit jour, Fontrailles quitte Chilly pour l'Espagne. Richelieu, qui suit le roi dans un cortège séparé, redoute la présence du favori auprès de son maître. Il est vrai que le roi est aux petits soins, allant jusqu'à offrir à « son cher ami » le gouvernement de Touraine que ce dernier refuse, faisant valoir qu'il serait séparé de Sa Majesté. À Briare où ils font halte, Louis XIII parle « de l'esclavage où son ministre l'avait réduit ». Les comploteurs perçoivent une sorte d'assentiment du roi à la chute du cardinal. Il est de plus en plus question d'un assassinat qui pourrait avoir lieu à Lyon. Parmi les gentilshommes qui suivent le roi, on assiste à une curieuse division entre les partisans de Cinq-Mars appelés les royalistes et les cardinalistes**.

---

* Soit 1 200 000 livres.

** Les partisans du cardinal, ainsi nommés dans la perspective d'un changement au Conseil, par opposition à ceux de Cinq-Mars.

Fontrailles n'avait pas perdu de temps, il passa par Limoges et arriva dans le Languedoc où d'Aubijoux lui proposa des itinéraires pour traverser les Pyrénées. Après quelques difficultés à Saragosse, il parvint à Madrid où il fallut négocier avec le comte-duc d'Olivares, assez méfiant. Les tractations durèrent quatre jours. Le traité fut paraphé le 13 mars en secret et Fontrailles fut reçu par le roi. Il rentra en France avec le traité et une lettre du roi pour son beau-frère Gaston, et retrouva d'Aubijoux en Languedoc. Tous deux prirent le chemin de Narbonne où se trouvaient le roi et Cinq-Mars. Les nouvelles de la santé de Richelieu et du roi ne sont guère brillantes, surtout concernant le cardinal. Ce dernier sentait qu'il se tramait quelque chose, mais, malgré tous ses espions, n'arrivait pas à en saisir la réalité. Il fut certainement la cause directe de la volonté du roi de consigner Anne d'Autriche et ses deux enfants à Fontainebleau. N'avait-il pas déjà placé des hommes à lui, dont le prince de Condé, dans la capitale ? C'est par la reine que de Thou apprit l'existence du traité espagnol et en fut fort marri. Était-il possible que, malgré l'ampleur de sa participation, « son inquiétude » ait été tenue à l'écart de l'essentiel ? Le 20 mai, il rejoint Gaston à Chambord. Il trouve un prince insouciant, s'attendant à apprendre la mort du cardinal. De Thou finit par lui faire comprendre que l'Éminence simulait l'agonie*, que Monsieur le Grand « était tout à fait ruiné dans l'esprit du roi » et « qu'il fallait pourvoir à sa surêté et à celle de ceux qui l'avaient servi ». Gaston fut d'autant plus bouleversé que Bouillon n'avait pas encore accordé le fameux document ouvrant en cas de difficulté les portes de Sedan aux conjurés, le duc attendant, pour cela, de voir le traité signé par les Espagnols. Les événements vont se précipiter. Le 7 juin, la reine, soumise à forte pression, fit informer le cardinal qu'elle était décidée « à être de son parti sachant bien que son Éminence tel aussi de son côté l'abandonnera point[2] ». C'est à Arles que le cardinal reçut le courrier qui allait le mettre dans le secret. Il n'en crut pas ses yeux en

* Ce qui n'était pas exact, car Richelieu dicta son testament le 23 mai et on lui prédisait alors quelques jours d'existence.

découvrant une copie résumée du traité espagnol*. Aussitôt il envoya Chavigny à Narbonne. Avec le secrétaire d'État à la Guerre Sublet de Noyers, ils devaient informer le roi des « découvertes merveilleuses ». Les deux ministres demandèrent à voir le roi à son réveil et, évitant Cinq-Mars, réclamèrent un entretien en tête à tête. Louis XIII fut abasourdi... L'arrestation de Cinq-Mars et de De Thou fut alors décidée mais, durant toute la journée du 12 juin, le secret fut bien gardé. Le soir, Monsieur le Grand alla souper avec le gouverneur de Saint-Germain à l'auberge des « Trois Nourrices ». Au milieu du repas, le favori fut appelé à l'archevêché où résidait le roi, car Sa Majesté désirait se coucher et réclamait la présence de son favori. Près de l'archevêché, un inconnu glissa un billet à Cinq-Mars et s'enfuit... Le papier portait une mise en garde, quelques mots griffonnés : « On en veut à votre personne. » On s'est interrogé sur l'auteur de ce billet. Chavigny sentant la fin de Richelieu et attaché à assurer son avenir ? C'est peu probable. L'un des membres responsables de l'arrestation ? Pourquoi pas Louis XIII en personne, dans une dernière faiblesse faite d'un mélange de douleur, de profonde angoisse et de ressentiment ? Saura-t-on jamais ?... Le comte de Charost fut chargé de l'arrestation des conjurés. De Thou fut saisi rapidement. Mais Cinq-Mars s'était enfui et avait trouvé refuge chez une certaine Madame Siouzac où il passa la nuit. Les hommes d'armes s'emparèrent de lui le 13 au matin. Alors que le grand écuyer était conduit sous bonne escorte à la prison de Montpellier, Louis XIII prit le chemin de Béziers.

Qui transmit la copie du traité à Richelieu ? La reine, apeurée à l'idée de se voir retirer ses enfants, et qui craignait qu'on ne lui enlevât la régence ? C'est la thèse de Philippe Erlanger, le biographe de Cinq-Mars[3] et de bien d'autres. Claude Dulong cherche à innocenter la reine dans la biographie qu'elle lui a consacrée[4]. Certes, il y a d'autres hypothèses : la piste espagnole, celle des Pays-Bas

* Le 11 juin, Marie de Gonzague avait prévenu Cinq-Mars que son « affaire est sue aussi communément à Paris qu'on sait que la Seine passe sous le Pont-Neuf ».

où se trouve la duchesse de Chevreuse. À Bruxelles, on attendait la copie signée du traité, n'y a-t-il pas eu fuite ? De son côté, Louis XIII n'avait vu qu'une copie résumée du traité, il dut se rendre à l'évidence lorsque, le 15 juin, on lui communiqua la liste des conjurés portant en bonne place le nom de Cinq-Mars. Sa réaction : « Est-ce qu'on n'a pas mis un nom pour un autre ? » est touchante mais déjà dépassée. À Fontainebleau, la reine est rassurée. On l'autorise à rester auprès de ses enfants. Marie de Gonzague est prévenue dans la nuit du 17 au 18 juin. Si elle ne se laisse pas abattre, elle pense aux lettres écrites à son prétendant qui pourraient la perdre. On est confondu de voir cette fière princesse demander à son amie Mademoiselle de Rambouillet d'intervenir auprès de la duchesse d'Aiguillon qui la « reçut le mieux du monde et lui fit rendre ensuite toutes ses lettres ». Les Parisiens découvrirent la conspiration et son échec, le 21 juin dans *La Gazette* de Renaudot.

Louis XIII en voulait surtout à son frère. Il était désespéré de le voir encore mêlé à cette affaire. Cette fois-ci, la clémence serait plus difficile, car les sentiments du roi, sa passion pour Cinq-Mars avaient été piétinés. Le 13 juin, il lui avait adressé deux lettres. L'une annonçait l'arrestation de Monsieur le Grand, la seconde, sans doute à l'initiative de Richelieu, ne manquait pas de cynisme. Elle nommait Gaston à la tête de l'armée de Champagne, celle qui devait arrêter l'invasion des Espagnols au nord. En réalité, on jouait avec Monsieur. Chavigny lui rendit visite peu après à Moulins et le terrorisa[5]. Le dialogue est terrible : « La faute de Votre Altesse est si grande que Son Éminence ne peut répondre de rien. Votre vie même est menacée car vous avez commis un attentat que la clémence humaine ne peut absoudre. — Chavigny, il faut me tirer de la peine où je suis ! Vous l'avez déjà fait deux fois auprès de Son Éminence. — Le seul moyen de vous sauver, c'est de faire un aveu sincère de la faute que vous avez commise. »

En fait, Richelieu, qui connaissait bien Gaston, voulait obtenir du prince des renseignements pour faire tomber la tête de Cinq-Mars et, en même temps, disqualifier le frère du roi dans l'hypothèse vraisemblable d'une régence à court terme. Le duc de Bouillon qui avait rejoint ses troupes en Italie fut arrêté à Mantoue, caché dans un grenier, au milieu de bottes de foin. Le 28 juin, Louis XIII et le cardinal se rencontrent à Tarascon, dans une situation cocasse. Ils discutent des affaires du pays, alités l'un à côté de l'autre, souffrants et meurtris face au Rhône, dans une intimité qui a des relents de fin de règne. Sans doute remuèrent-ils, aussi, bien des souvenirs douloureux. Marie de Médicis, installée à Cologne, était au plus mal et, surtout, qu'allait-on faire de Gaston ? À La Rivière dépêché par son maître, le roi avait signifié violemment : « Pour mon frère, s'il me découvre ce qu'il a fait, sans réserve, il recevra des effets de ma bonté comme il en a déjà reçu par le passé. » Richelieu fut plus dur : « Monsieur a commis une action indigne d'un fils de France, il mérite la mort, mais s'il obéit aux ordres de Sa Majesté, on lui permettra de se retirer à Venise. » Par la voix de Chavigny, La Rivière, menacé d'être arrêté, était chargé de demander à Monsieur « une ingénue et entière confession ». À la cour de Blois, c'était le sauve-qui-peut, certains se rapprochaient ostensiblement du cardinal, d'autres fuyaient en Angleterre où se trouvait déjà Fontrailles.

Réfugié à Aigueperse dans les montagnes d'Auvergne, Gaston, aux abois, écrivit à Richelieu une lettre de repentir faisant part d'une « extrême douleur d'avoir pris des liaisons et correspondances avec ses ennemis ». Il adressait en même temps « une déclaration au roi » dans laquelle il chargeait Cinq-Mars, restait muet concernant la reine, mais prenait la défense du conseiller de Thou qui, affirmait-il, était bien étranger au traité. La déclaration fut jugée insuffisante. On mit les enchères plus haut. Le roi exigeait maintenant une confrontation avec ses complices. Gaston prit les devants et se réfugia en Savoie chez sa sœur Christine où il reçut, c'est bien compréhensible, un accueil dénué de toute chaleur. Une confrontation, il n'en était pas question, et Monsieur fut sauvé par Mazarin qui, déjà, avançait ses pions. Bouillon avait tout avoué au nouveau cardinal ; il eut la vie sauve, mais perdit Sedan. Imitant le prince, il chargea le grand écuyer. En cette fin de juillet 1642, alors que Louis XIII quittait Lyon pour Fontainebleau, les grands commençaient à respirer. Pour sauver leur tête, ils avaient enfoncé Monsieur le Grand, au prix, il est vrai, de bien des entailles dans leur honneur.

17.

La mort passe...

Juillet 1642, mai 1643... Dix mois terribles pour la monarchie française. Marie de Médicis disparaît, loin de ses enfants, en exil volontaire depuis onze ans. Après un procès retentissant, Cinq-Mars et de Thou livrent leurs têtes au bourreau à Lyon. La justice royale est passée pour assouvir la vengeance d'un cardinal à bout de forces, mais dont la détermination à frapper ses ennemis n'a pas faibli. Quelques mois plus tard, en décembre, l'Éminence quitte le monde, suscitant un soulagement général. Il reste quelques mois à Louis XIII, lui-même en piteux état physique, pour organiser la succession. Anne d'Autriche ? Gaston d'Orléans ? Le roi avait beaucoup eu à se plaindre de ses proches. Il savait aussi que ses efforts avaient de fortes chances d'être vains, l'habitude néfaste de faire casser par le parlement le testament politique du roi pouvait être remise à l'ordre du jour.

Revenons à Marie de Médicis que nous avons quittée après l'affaire d'Amiens en 1636. On sait que la reine mère, réfugiée à Bruxelles, posait de multiples problèmes à son gendre, roi d'Espagne, et au cardinal-Infant, gouverneur des Pays-Bas. Le moindre n'était pas la question de ses pensions versées pour qu'elle tienne son rang : Marie de Médicis était très dépensière. Or, en 1637, sa pension avait été portée par l'Espagne de six mille à vingt mille florins par mois, ce qui était très important. Dans son entourage, la cabale était continuelle. Certes, elle éprouvait une affection réelle pour la femme de « son cher Gaston », mais son caractère avait évolué. Elle avait renvoyé son âme damnée, le moine Chanteloube, ainsi que le duc d'Elbeuf et reporté sa confiance, totale, sur un nouveau favori, Fabroni, qui n'allait pas sans rappeler Concini. Sans que l'on en sache vraiment la cause, la reine mère quitta Bruxelles pour la Hollande, un allié de la France. En juillet 1638, le prince d'Orange, qui a établi ses quartiers à Bois-le-Duc, apprend son arrivée imminente. Le choix est d'accueillir cet hôte de marque avec dignité. Une escorte grandiose l'accompagne dans un véritable triomphe jusqu'à Amsterdam, ce qui provoque une belle colère à Paris. On peut penser que la diplomatie française ne fut pas inactive et, en octobre, Marie, et sans doute est-ce là son désir profond, passe en Angleterre.

Il est certain que si Gaston était le fils préféré de Marie de Médicis, Henriette-Marie, sa troisième fille, mariée à Charles Ier, occupait dans ses sentiments une place privilégiée. Elle arrivait au mauvais moment, et son gendre, empêtré dans des problèmes avec le parlement, l'accueillit avec fraîcheur. Il lui fallait subvenir à ses besoins alors que les caisses étaient vides. Des négociations sont ouvertes par le biais de la duchesse d'Aiguillon. Marie réclame de l'argent à son fils Louis XIII et promet en contrepartie de s'en aller finir ses jours à Florence. Richelieu saisit la balle au bond et promet de faire verser 100 000 livres, il lui envoie par la même occasion l'itinéraire de son voyage : en bateau jusqu'à Bâle avec une étape à Cologne, route terrestre en litière de Bâle à Constance, arrêt à Venise, Bologne et, enfin, Florence. À la fin du mois d'août 1641, Marie quitte Londres pour Douvres, passant par la Hollande, elle arrive à Cologne le 12 octobre. Mais la situation se complique car elle n'a aucune envie d'aller plus loin. Accueillie dans une maison de Rubens, elle finit par s'installer dans l'hôtel du comte de Trousseld. Elle est informée de la situation française et attend la suite des événements qui ne peuvent évoluer, à ses yeux, qu'en sa faveur. Elle va même, ce qui est étonnant de sa part, jusqu'à verser à son favori Fabroni 85 000 livres sur les 100 000 versées par la France. Avait-elle pressenti une nouvelle cabale en France ? Le complot Cinq-Mars arrive à point nommé et, en mai 1642, elle fait préparer ses bagages pour rentrer en France. Pour elle, Richelieu est perdu, alors quelle joie de retrouver son fils Louis XIII !... L'abattement qui la saisit à l'annonce de l'arrestation de Cinq-Mars est à la hauteur des espoirs nourris. Le choc est trop dur.

Le 25 juin, Marie est atteinte d'un érysipèle qui, bientôt, lui envahit tout le visage, accompagné d'une forte fièvre. Le premier juillet, la gangrène apparaît. Son médecin, Réolant, un fidèle de Richelieu, prévient la cour de France, alors que l'électeur de Cologne ne quitte plus son chevet. Le 2 juillet, Marie de Médicis dicte son testament, distribue ses objets personnels et, ultime geste d'humour, fait don de son perroquet à Richelieu. Elle meurt le 3 juillet peu après midi, « dans l'abandon et le mépris de toute l'Europe [1] ». La nouvelle de sa mort parvint à Paris une dizaine de jours plus tard et fut rendue publique le 20 juillet. Il faudra attendre le 4 mars 1643 pour que sa dépouille soit inhumée à Saint-Denis. Comme celui de Henri IV, son cœur fut transféré en l'église des Jésuites au collège de La Flèche. Si Louis XIII exprima de la peine, sans pour cela émettre le moindre regret, il semble que Gaston fut, lui, très affecté. Mais les circonstances étaient si défavorables pour lui qu'il n'eut guère le temps de se laisser aller à la morosité, il lui fallait avant tout se sortir au mieux de l'affaire Cinq-Mars.

Durant l'été 1642, le grand écuyer et son ami de Thou sont en captivité dans la citadelle de Montpellier. Cinq-Mars supporte mal son état. On le voit s'abandonner au désespoir ou, n'en pouvant plus, « faire l'enragé ». Au départ, il comptait sur l'attachement du roi, leurs liens étaient tels qu'ils ne pouvaient être effacés du jour au lendemain. Puis, au fil des jours, il s'estima trahi. Un récollet, le père Robert, aumônier de la citadelle, le prit en charge avec humanité, tandis que son geôlier, le lieutenant de la garde écossaise Céton, un homme d'une grande rigueur, séduit par le jeune homme, essayait de rendre son séjour aussi agréable que possible. Mais la surveillance se fit plus sévère après la tentative d'évasion fomentée par le cordonnier et le blanchisseur de Monsieur le Grand. Parfois Céton accompagnait le prisonnier dans une courte promenade et, suivant les ordres reçus, il tentait d'en savoir plus en insinuant la méfiance à l'égard de Gaston : « Monsieur a peut-être tout déclaré à Sa Majesté. » Cinq-Mars évitait de tomber dans le panneau : « Je sais le respect que je dois à Monsieur, mais s'il a dit quelque chose contre moi, je dirai humblement que cela n'est pas et à quiconque me chargera excepté Sa Majesté, je dirai la même chose. »

Le procès de Cinq-Mars et du conseiller de Thou était fortement désiré par Richelieu qui s'impliqua dès le début dans le déroulement de la procédure. Le commissaire Chazé fut chargé d'interroger Cinq-Mars. Le cardinal pouvait ainsi écrire à Chavigny : « Si M. de Chazé est habile, on pourrait pour rendre l'affaire plus authentique lui adjoindre le premier président de Grenoble qui est affidé... parce qu'il faut de telles gens étant sûr entre nous trois [il s'agit de Richelieu, Chavigny et de Noyers] que le perfide dira beaucoup de choses à taire. » Dès le premier interrogatoire, Henri nia tout en bloc. Il va de soi qu'il respectait la parole donnée aux ducs d'Orléans et de Bouillon. Mais n'ayant pas dénoncé le rôle de Gaston, il simplifiait la tâche de l'Éminence rouge qui pouvait confier : « Ce qu'il y a de bon, c'est que M. le Grand n'ayant rien dit contre Monsieur, il ne lui saurait plus donner de reproches valables. »

Le 6 août, Louis XIII, qui a retrouvé à Fontainebleau ses enfants et Anne d'Autriche, signe une longue déclaration explicative des récents événements. Richelieu, de son côté, avait juré la perte de De Thou. Était-il informé que le jeune conseiller n'avait eu vent du complot que par la reine ? Souhaitait-il que de Thou, avant de mourir, révélât la participation de la souveraine, toujours dans le but de se voir éventuellement attribuer la régence ? Cette hypothèse est plausible mais non confirmée. Le procès doit se dérouler à Lyon, en présence du cardinal, le chancelier de France Séguier dirigeant les débats. Ainsi, le 17 août, Richelieu quitta Tarascon par voie fluviale. Les badauds remarquèrent un prodigieux cortège de bateaux remontant le Rhône. Dans celui du cardinal, une chambre tendue de taffetas cramoisi broché d'or abritait le lit du cardinal, paré de taffetas pourpres dans lequel l'Éminence passait le plus clair de son temps. Suivait une impressionnante garde et un bateau dans lequel de Thou était prisonnier. Image étrange que celle d'un Premier ministre alité traînant derrière lui un jeune prisonnier pour le conduire à l'échafaud...

Cinq-Mars fut conduit à Lyon quelques jours après par la route. Le Grand Écuyer, puissamment escorté, n'avait rien perdu de sa superbe. Il se montra aux Lyonnais « vêtu d'un pourpoint de Hollande couleur de musc, couvert de dentelles d'or et d'un vaste manteau d'écarlate à gros boutons d'argent », et fut enfermé au château de Pierre-Encize. Séguier aurait voulu sauver de Thou, mais se heurta à la hargne du cardinal. Arrivé le 29 août à Villefranche-en-Beaujolais, il rencontra Gaston qu'il interrogea longuement et lui fit signer une déclaration en vingt articles qui résumait la conjuration. Il ne fallait pas attendre de nouvelles révélations du prince qui alla jusqu'à dénoncer ses familiers Brion et Aubijoux sans pour cela évoquer le rôle de la reine. Ceci entériné, Monsieur offrit un excellent souper au chancelier et aux juges qui l'accompagnaient. Monsieur était maintenant rassuré. Le 31 août à Lyon, Séguier interrogea Bouillon qui, lui aussi, parvint à s'en sortir. Dès le 6 septembre, lors d'une confrontation avec le gouverneur de Sedan, Cinq-Mars apprend que Monsieur et Bouillon l'ont trahi et en éprouve une grande amertume. Le juge Laubardémont lui rend visite dans sa cellule et, afin d'obtenir de lui un témoignage à l'encontre du conseiller de Thou, il lui signale que son ami a déjà avoué. Henri reconnaît alors les faits et condamne ainsi François de Thou pour lequel le dossier était peu chargé. Le sort en est jeté. Alors que les juges ouvrent les débats, le cardinal quitte Lyon, heureux d'avoir obtenu le sacrifice des deux jeunes têtes. Cinq-Mars était au désespoir d'avoir contribué à la condamnation de son ami. Lorsqu'ils furent confrontés, ils tombèrent dans les bras l'un de l'autre : « Ils s'embrassèrent l'un l'autre d'une grande tendresse, s'interdisant que, puisqu'ils avaient été si bons amis durant leur vie, ce leur serait une grande consolation de mourir ensemble. »

L'exécution était prévue pour le 12 septembre. Alors

que de Thou se préparait à la mort avec une ferveur exaltée, Cinq-Mars se confessa longuement et écrivit à sa mère une lettre pleine de sincérité et de piété filiales. Place des Terreaux, mille deux cents soldats étaient mobilisés pour l'exécution. Cinq-Mars avait revêtu « un habit de drap brun couvert de larges dentelles d'or, des chausses de soie verte, liées par un ruban blanc, son vaste manteau écarlate à gros boutons d'argent, un chapeau noir dont l'aile était relevée à la catalane ». Les deux jeunes gens rejoignirent la place en carrosse au milieu d'une foule énorme. Le bourreau, immobilisé chez lui avec une jambe cassée, fut remplacé par un portefaix qui accomplit sa besogne à l'aide d'un couperet « qui était comme celui des bouchers, mais plus gros et plus carré ». Cinq-Mars mourut le premier sous les yeux de son ami[2]. Le bourreau, n'ayant pas décollé la tête au premier coup, scia carrément le cou de sa victime. Quant à de Thou, il ne fallut pas moins de quatre ou cinq coups maladroits pour le décapiter. De si pénibles circonstances ne vont pas sans rappeler l'exécution de Chalais à Nantes. Qu'allait-on faire des dépouilles ? La sœur de François de Thou, Madame de Pontac, fit venir son corps à Paris où il fut inhumé près des siens à Saint-André-des-Arts. Personne ne réclamant celui de Cinq-Mars, un trésorier de la généralité de Lyon ordonna de l'inhumer devant le maître-autel de l'église des Feuillants. Louis XIII apprit par une lettre du cardinal la mort des conjurés, en même temps que la prise de Perpignan. À Blois, Monsieur, tapi dans son château, était tout simplement occupé à « chasser les mauvaises humeurs ramassées en Savoie ». Mais le cardinal n'en avait pas fini avec lui et préparait en catimini une terrible riposte : la déchéance de ses droits à toute fonction liée à la couronne.

La tension psychologique entourant le complot de Cinq-Mars et le combat pour l'envoyer avec de Thou à l'échafaud avaient fortement altéré la santé du cardinal qui, pourtant, continuait à se préparer un futur glorieux. Dans une lettre de la fin du mois d'août, Henri Arnauld, cité par Philippe Erlanger[3], précise l'emploi du temps du cardinal : « Il travaille et fait écrire de sept heures jusqu'à huit. Depuis huit jusqu'à neuf, on le panse. Depuis neuf jusqu'à dix, il parle à ceux qui ont affaire à lui. Depuis dix jusques à onze, il travaille. Après cela, il entend la messe et dîne. Jusques à deux, il s'entretient avec M. le cardinal Mazarin et d'autres. Depuis deux jusques à quatre, il travaille et puis il donne audience. » Mais son pauvre corps avait du mal à suivre. Venant de Lyon, il s'était inutilement soigné quelque temps à Bourbon-Lancy et arriva à Fontainebleau le 13 octobre où il s'installa à l'Hôtel d'Albret. Pas question pour lui de laisser la régence à Anne d'Autriche ou à Gaston. Pour cela, il devait renouer les liens avec le roi qui, au fond de lui-même, ne manquait pas de lui garder un certain ressentiment.

On assiste alors à l'une de ces scènes baroques où le cardinal offre sa démission pour se voir reconduit avec chaleur ; il morigène le souverain qui le prend mal. Louis qui n'a aucune envie de se voir dicter sa conduite ne répond pas au premier courrier. Une nouvelle lettre, le 5 novembre, relève d'un dangereux chantage : « Sa Majesté saura s'il lui plaît qu'on a appris beaucoup de choses de M. le Grand dont jusqu'ici on n'a pas voulu lui donner connaissance... Elle saura de plus expressément, qu'on ne lui voulut pas faire donner la question de peur qu'il dît en public ce qu'il avait fait connaître en particulier. Elle saura enfin que son confesseur eut bien de la peine à l'empêcher de parler sur l'échafaud conformément à ce qu'il avait dit que, lorsqu'il serait pressé et n'aurait plus rien à espérer, il n'épargnerait personne. » Était-il question de relations sexuelles entre Cinq-Mars et Louis XIII comme le prétend Tallemant ? Rien n'est moins sûr. Il pouvait s'agir de la participation de la reine au complot. Chavigny porta la lettre à Fontainebleau, mais le roi garda un mutisme si profond que le cardinal en souffrit un peu plus. Un troisième mémoire, le 13 novembre, qui abordait la question de la paix extérieure, suscita cette fois une réaction du roi. Le 20 novembre, les deux hommes parviennent à un accord sur l'éloignement de quatre officiers de la garde du roi dont l'Éminence se méfiait. Le 1er décembre, on envoyait au parlement les lettres patentes qui destituaient Monsieur de ses droits. Gaston savait qu'on lui préparait une pénitence mais avoua candidement : « Je ne la prévoyais pas si rude. » Ses compagnies de gendarmes et de chevau-légers étaient supprimées. On lui enlevait son gouvernement d'Auvergne et il était privé à l'avenir « de toute sorte d'administration de cet État et nommément de la Régence pendant la minorité de nos enfants au cas où Dieu nous appelle à Lui, avant qu'ils soient en âge de majorité ».

C'était là le dernier acte voulu et acquis par le cardinal. Il se plaignait d'une forte fièvre et d'une vive douleur au côté que l'on diagnostiqua comme « une pleurésie fausse ». Le 2 décembre, il crachait le sang. Averti à Saint-Germain, Louis XIII lui rendit visite dans l'après-midi au Palais-Cardinal. Dans la nuit du 2 au 3 décembre, il reçut l'extrême-onction du père Le Tonnelier, curé de Saint-Eustache. On a dit qu'au moment où l'abbé lui demandait s'il pardonnait à ses ennemis, l'Éminence se serait contentée de murmurer : « Je n'en ai jamais eu d'autres que ceux de l'État. » La réponse vaut son pesant d'orgueil et appartient bien au style du personnage, mais il n'est pas sûr qu'elle soit exacte. Le 3 décembre, Louis XIII resta une heure auprès de lui. Sans doute savait-il déjà que le cardinal allait lui recommander vivement de conserver au Conseil les hommes les plus aptes à continuer son action : Séguier, Chavigny, de Noyers et Mazarin, et que, s'il léguait son immense fortune à ses parents, il faisait don à son roi du magnifique Palais-Cardinal et de bon nombre de meubles et de bijoux. Le 4 décembre 1642, vers midi, disparaissait à l'âge de cinquante-huit ans Armand Jean du Plessis, cardinal duc de Richelieu et de Fronsac, pair du royaume, premier ministre de France, commandeur du Saint-Esprit, proviseur de la Sorbonne, protecteur de l'Académie française.

Dès le 5 décembre, le parlement enregistra la déchéance de Monsieur et le cardinal Mazarin fit son entrée au Conseil à une place de choix. Gaston apprit à Blois, par le duc de Gramont, la mort du cardinal et laissa percer un vif soulagement : « Dieu soit loué, mon ennemi n'est plus au monde. » Il est vrai que les deux hommes ne s'étaient jamais aimés... Quant au peuple, si l'on se réfère à un passage des *Mémoires* de Guy Joly, « sa disparition fut accueillie dans toute la France avec des témoignages et des sentiments d'une joie qu'on ne peut assez exprimer ». La mort du croque-mitaine libérait les sujets de Sa Majesté. D'ailleurs, le souverain ne montra pas une profonde affliction et, selon Monglat, « il fut ravi d'en être débarrassé et ne le nia point à ses familiers ». Le jugement est sans doute un peu sévère, mais l'ombre de Cinq-Mars s'imposait encore dans les pensées de Louis XIII, et « l'esclave royal » appréciait cette soudaine bouffée d'air frais. Membre du Conseil, Mazarin travailla d'emblée au rétablissement de relations plus sereines dans la famille royale. Dès le mois de janvier 1643, écrit la Grande Mademoiselle, « l'accommodement de Monsieur se fit et il revint à Paris... il y fut aussi gai que si MM. de Cinq-Mars et de Thou ne fussent pas demeurés par les chemins... J'avoue que je ne le pus voir sans penser à eux et que dans ma joie, je sentis que la sienne me donnait du chagrin[4] ».

Gaston passa l'hiver à Paris, auprès de sa fille, attendant le retour de son épouse. La plupart des exilés du temps de Richelieu revinrent, à l'exception de Châteauneuf et de la duchesse de Chevreuse, que le roi jugeait néfaste auprès de la reine. Certes, les relations du couple royal s'étaient améliorées. Louis estimait qu'Anne était une bonne mère, mais il n'allait pas jusqu'à envisager de lui confier la régence complète du royaume. Il soupçonnait son incapacité à diriger le royaume, compte tenu de son caractère, et surtout de son origine espagnole. Or, la tâche qui s'annonçait était lourde et éprouvante. Il fallait gouverner le pays qui ne manquerait pas de manifester son humeur après dix-huit années de ministériat. Il fallait aussi gagner la guerre et faire la paix au mieux des intérêts français. De quel poids pèserait Anne d'Autriche face à son frère d'Espagne et son parent de Vienne ? Dans les premiers mois de 1643, la santé de Louis XIII se dégrada rapidement. La cour était installée à Saint-Germain. Le roi résidait au château neuf*, la reine et ses enfants au château vieux. À partir du 21 février, le roi fut immobilisé dans sa

* Construit par Henri IV, il fut presque entièrement détruit en 1776.

chambre et Anne lui rendit visite tous les jours. Sentant la fin proche, elle cherchait à se faire pardonner les incartades qui avaient pu faire souffrir son époux. Restant de longs moments à son chevet, elle versait des flots de larmes dont il serait malséant de mettre en doute la sincérité. Le 3 avril, Louis XIII effectua sa dernière promenade dans les couloirs du château, soutenu par de Souvré, premier gentilhomme de la Chambre, et Charost, capitaine des gardes du corps.

Le moment était venu de rédiger une déclaration pour le gouvernement de l'État. Richelieu avait conseillé au roi d'écouter les grands du royaume : Condé, son fils d'Enghien, ainsi que Monsieur et quelques autres. Mazarin fut plus souple et demanda d'instituer un conseil de régence « dont les décisions seraient prises à la pluralité des voix ». Il proposait d'y mettre des hommes sûrs et d'en confier la présidence à la reine, qui n'aurait ainsi qu'un rôle représentatif durant la minorité de Louis XIV. Jouant finement, il réussit à convaincre la future régente qu'en réalité elle aurait le gouvernement du royaume. Le 20 avril, dans la chambre du roi, furent convoqués outre la reine et Monsieur, le prince de Condé, le chancelier Séguier, les secrétaires d'État et les grands officiers de la couronne. Le secrétaire d'État Phélypeaux de La Vrillière, gendre du futur contrôleur général des Finances, Particelli d'Emery, lut la « déclaration de Sa Majesté sur le gouvernement de ses États ». Anne d'Autriche était nommée régente et Gaston d'Orléans lieutenant-général du royaume sous l'autorité de sa belle-sœur. Dans le Conseil inamovible, les deux personnages travailleraient avec Mazarin, Séguier, Bouthillier et Chavigny. La pluralité des voix était requise pour les questions de guerre et de paix, de finances et pour la nomination aux grandes charges civiles et militaires. En l'absence de Gaston et de Condé, Mazarin deviendrait chef du Conseil. Après la lecture des dispositions, la reine apposa sa signature au bas du document qui fut porté dès le lendemain au Parlement de Paris et enregistré. Lors de cette déclaration, Louis XIII était revenu sur le cas de Châteauneuf et de Madame de Chevreuse. Il était impensable que Châteauneuf puisse revenir aux affaires, « d'autant que pour de grandes raisons importantes au bien de notre service, nous avons été obligé de priver le Sieur de Châteauneuf de la charge de garde des Sceaux de France... Nous voulons et entendons que le dit sieur de Châteauneuf demeure au même état qu'il est de présent au dit château d'Angoulême jusques après la paix conclue et exécutée, à la charge, néanmoins, qu'il ne pourra lors être mis en liberté que par l'ordre de la dite dame régente, avec l'avis du Conseil qui ordonnera d'un lieu pour sa retraite dans le royaume, ou hors du royaume, ainsi qu'il sera jugé pour le mieux ».

Sur son lit de mort, le roi se montra encore plus dur pour la duchesse. En effet, « la connaissance que nous avons de la mauvaise conduite de la dame duchesse de Chevreuse et les artifices dont elle s'est servie jusqu'ici pour mettre la division dans notre royaume, les factions et les intelligences qu'elle entretient au dehors avec nos ennemis, nous font juger à propos de lui défendre comme nous lui défendons l'entrée de notre royaume pendant la guerre ». Madame de Motteville et une lettre de Mazarin signalent qu'à l'évocation du nom de la duchesse, lors de la lecture de la déclaration, Louis XIII se serait brusquement redressé pour lâcher, malgré la fièvre, ce mot terrible à son encontre : « Voilà le diable, cela, voilà le diable ! »

On imagine aisément la joie de Gaston d'Orléans qui, quelques mois plus tôt, était évincé purement et simplement du pouvoir. Le 21 avril, Louis-Dieudonné, qui avait été ondoyé à la naissance, est baptisé. La marraine était la princesse de Condé et le parrain se trouva être Mazarin qui se voyait ainsi étroitement attaché à la couronne de France. Alors qu'à Paris, la saison des bals, au dire de la Grande Mademoiselle, battait son plein, et que s'amorçaient déjà à Saint-Germain les négociations secrètes sur la distribution des hautes charges, le roi entrait en agonie. Il reçut, le 23 avril, l'extrême-onction*. Louis XIII souffrait

* La mort d'un roi précipite la venue de très nombreuses personnes, même celles qui ne sont pas bien vues. On raconte que l'ancienne favorite, Madame de Hautefort, dans sa précipitation à se loger, aurait élu domicile dans une chambre de bordel.

d'une tuberculose pneumo-intestinale dont l'effet essentiel consistait en une « péritonite purulente par perforation du côlon ». Le 10 mai, il tomba dans une léthargie totale, parvint le lendemain à dicter quelques lettres à Chavigny et mourut le 14 mai vers deux heures trente de l'après-midi. Sans attendre les obsèques, la régente et ses enfants quittèrent Saint-Germain pour Paris, le 15 mai en fin de matinée. Saluée chaleureusement sur son parcours, elle dut savourer les prémices d'un pouvoir qu'il serait difficile de lui contester. Anne, qui s'était tant laissée aller à la division et à la cabale, devait maintenant œuvrer à l'unité du royaume.

TROISIÈME PARTIE

MONSIEUR, LIEUTENANT-GÉNÉRAL DU ROYAUME

18.

Le Conseil de la régente

La Grande Mademoiselle écrit dans ses *Mémoires* que « les premiers mois de la Régence furent les plus beaux que l'on pût souhaiter ». Il est vrai que si Richelieu et Louis XIII avaient pu voir le comportement de la régente, la façon qu'elle eut de se glisser dans le pouvoir, leur étonnement eût été grand. La situation n'était pas facile. Le roi a cinq ans et la Régence risque de durer longtemps. À quarante-deux ans, Anne d'Autriche n'a pas montré jusqu'à maintenant un attachement sans bornes pour sa nouvelle patrie. Certes, elle avait des circonstances atténuantes. Trop longtemps sans enfant, sevrée d'amour conjugal, surveillée comme un simple sujet, bien des fois, il lui sembla qu'elle devait chercher à survivre dans une prison dorée. Mais elle sut recueillir les fruits de ses malheurs passés et Retz a sans doute raison lorsqu'il affirme que « la reine était adorée... beaucoup plus par ses disgrâces que par son mérite. L'on ne l'avait vue que persécutée et la souffrance aux personnes de ce rang tient lieu d'une grande vertu ». Anne et ses enfants reçurent des Parisiens un accueil au-delà de toute attente. La reine était bonne, communicative, révélée à elle-même par les événements. Selon l'heureuse formule de Claude Dulong, sa biographe, elle fut « une Espagnole saisie par la France [1] ». Dire que tout allait pour le mieux serait exagéré. Madame de Motteville qui venait de la retrouver après dix ans d'exil constatait plus tard qu'elle « avait trop de défiance d'elle-même et de son humilité pour n'être pas persuadée de son incapacité au gouvernement ». Elle se trompait.

La priorité était naturellement de faire casser par le parlement, en lit de justice[2], la déclaration royale du 21 avril instituant le Conseil de régence. Du côté de Gaston d'Orléans, le problème était résolu. Certes, son entourage avait évoqué la possibilité d'une co-régence avec sa belle-sœur et certains soutenaient qu'il pouvait bien se faire attribuer de grands pouvoirs lors du lit de justice. Pour une fois, il se montra sage. Malgré l'appui probable de Chavigny qui connaissait intimement le prince, et de ses nombreux amis au parlement, le duc d'Orléans savait que l'opinion publique lui était défavorable. Elle voyait en lui un personnage brouillon, velléitaire et incontrôlable. Pourquoi se lancer dans une nouvelle aventure alors qu'Anne lui avait promis la charge de lieutenant-général du royaume et un gouvernement pour remplacer celui d'Auvergne confisqué après l'affaire Cinq-Mars ?... Le 13 mai, Gaston, en pleine crise de goutte, était venu de Paris au chevet de son frère à Saint-Germain. Le roi avait pris la main de son frère et celle de la reine, et leur avait demandé de veiller en bonne intelligence sur ses enfants et la sérénité du royaume. Un tel moment d'émotion efface bien des ressentiments et Gaston n'avait pas manqué, faisant table rase du passé, une fois de plus de protester « de sa fidélité et de son affection envers sa personne et sa couronne ».

La lieutenance générale du royaume était un titre conférant le commandement général. En réalité, peu de prise sur le pouvoir réel... Plusieurs personnages l'avaient assumée au XVIe siècle : le cardinal de Bourbon en 1552, le duc François de Guise en 1557, Antoine de Bourbon, roi de Navarre, en 1561, et le duc Henri de Guise en 1588. Durant la Ligue, le duc du Mayenne fut lieutenant-général de l'État et couronne de France. La nomination de Gaston prévue par la déclaration royale portait essentiellement sur le temps de la minorité du roi.

Le parlement avait enregistré la déclaration du roi, le 21 avril, et, moins d'un mois plus tard, on lui demandait de revenir sur sa décision... Ce n'était pas là une nouveauté. On avait agi de manière identique pour d'autres régences, en particulier en 1610, en faveur de Marie de Médicis. Quatre jours après la mort de Louis XIII, le lundi 18 mai, le lit de justice eut donc lieu dans la grande chambre du parlement. Il nous est bien connu grâce au journal d'un parlementaire, Olivier Lefèvre d'Ormesson. Dès huit heures du matin étaient rassemblés au palais de justice les ducs et pairs du royaume, revêtus de leurs manteaux doublés d'hermine, les maréchaux de France, les grands officiers de la couronne et les parlementaires en robe rouge. Une heure plus tard, Louis XIV, en tenue violette, « qui était à la bavette... porté par le duc de Chevreuse, son grand chambellan », prit place sur le trône surmonté d'un dais violet. À la droite du trône, sur la première marche, Anne d'Autriche, le visage pâle recouvert d'un voile noir, était assise sur un siège d'apparat. Elle avait à ses côtés Gaston d'Orléans, le prince de Condé et son jeune fils Conti. Le duc d'Enghien était à l'armée. Sur la seconde marche auprès du roi, le duc de Chevreuse. Les ducs et pairs du royaume étaient installés plus loin à la droite du trône. À gauche se trouvait, mis en valeur, l'évêque de Beauvais, un fidèle de la reine. Les parlementaires étaient répartis dans la salle suivant leurs rangs et préséances : grande chambre, chambre des enquêtes et chambre des requêtes.

Le capitaine des gardes Charost ayant demandé le silence, le petit roi fut mis debout sur le trône et bredouilla quelques mots que Lefèvre d'Ormesson traduit en ces termes : « Je suis venu témoigner au parlement ma bonne volonté, M. le chancelier dira le reste. » Anne d'Autriche s'exprima avec modestie, suivie de Gaston dont les parlementaires attendaient l'intervention afin de déterminer leur vote. Mais « Monsieur, oncle du roi, tout d'un coup et sans hésiter, déclara de sa propre volonté qu'il remettait à la reine tout le pouvoir que, comme frère unique du feu roi, il pouvait prétendre dans le royaume [3] ». Le prince de Condé fut moins clair dans son approbation ; la chasse aux grandes charges de l'État était ouverte. Celui que tout le monde attendait était bien le chancelier Séguier. Ennemi de la reine qu'il avait « fouillée au sein » en 1637, peu prisé de Gaston qui avait eu affaire à lui, à chacune de ses incartades, le chancelier s'était heurté aux parlementaires éloignés de Paris sous Richelieu, et avait provoqué de vives réticences l'année précédente, lors du procès et de la mort de De Thou, membre du parlement. Engoncé dans sa robe violette, couleur de deuil, mal à l'aise sous son bonnet carré, Séguier s'agenouilla devant le roi, requérant ainsi l'autorisation de s'exprimer en son nom. Dans son discours qui en d'autres circonstances aurait provoqué l'hilarité, le chancelier reconnut son erreur d'avoir fait approuver la déclaration royale, le 21 avril, et en demanda l'annulation. Plus, il dut parler de la reine malgré le peu de ferveur dont il était capable à son égard et souligna, le visage impassible, « l'autorité de cette vertueuse et sage princesse [qui]... ne saurait être trop grande puisqu'elle se trouvait entre les mains de la vertu même ». Le service supérieur de l'État, quelles que soient les époques, oblige ainsi à des contorsions intellectuelles et psychologiques qui ne manquent pas de piment... Omer Talon, avocat général, répliqua au chancelier en lui adressant une volée de bois vert concernant les méfaits du règne précédent et l'action des ministres. Encouragé par son audace, il versa dans le conseil, souhaitant la paix tant la misère du peuple était grande. Il acheva sa péroraison à l'adresse de la reine, affirmant que « la confiance publique qu'on lui accordait en ce jour l'obligeait à ne pas décevoir la France », et ne manqua pas de rappeler que le parlement était « le dépôt sacré de la justice », et que certaines pratiques devaient cesser. Après le vote, Séguier dut annoncer le résultat qui pouvait signifier pour lui un véritable arrêt de mort.

Ainsi, Anne était maîtresse du pouvoir et le lendemain, 19 mai, le duc d'Enghien saluait son avènement à la régence par la magnifique victoire de Rocroi sur les troupes espagnoles. Il lui fallait organiser rapidement le Conseil et les pressions ne manquaient pas, alimentées par un flot de rumeurs que chacun faisait courir en faveur de sa propre maison. Gaston était déjà servi. Sa fidélité à la reine le 18 mai lui avait permis d'obtenir, outre le titre de lieutenant-général de l'État, la présidence du conseil de guerre que l'on créait pour lui. Mais il dut attendre le printemps 1644 pour obtenir le gouvernement du Languedoc. On le calma avec force espèces sonnantes et trébuchantes. Ses dettes furent une fois encore payées, ainsi que celles de sa femme à Bruxelles, et on lui octroya un copieux pécule qui lui permettait de voir venir. Compte tenu des circonstances, ces deux charges auraient pu lui donner un pouvoir non négligeable, mais l'avenir devait témoigner qu'il n'en fut rien. Le conseil de guerre fut de tout temps une institution fantôme. Un premier conseil, établi en 1616, n'avait tenu qu'une séance avant de se saborder. Celui de 1643, présidé par Gaston, réunissait le premier ministre et les secrétaires d'État, des maréchaux et des anciens lieutenants-généraux des armées, mais il devait également avoir une existence éphémère*. L'idée d'associer Monsieur à la chose militaire au plus haut niveau était bonne. Mais c'était sans compter sur la personnalité de Mazarin et la gloire naissante du sourcilleux duc d'Enghien, le futur Grand Condé.

Plus importante fut la création par la régente du Conseil d'En-Haut, appelé aussi Conseil d'État et, parfois, Conseil du ministère. Il succédait au vieux Conseil des affaires désigné aussi comme Conseil étroit ou Conseil secret. Le Conseil mis en place devait traiter des affaires importantes tant sur le plan intérieur que dans les relations internationales. Les membres seraient ministres d'État ou ministres, la dignité de ministre d'État étant accordée par lettres. Les délibérations seraient tenues secrètes et aucun procès-verbal ne serait rédigé. Gaston, bien entendu, y avait sa place. S'il revenait à la reine de le présider, compte tenu de l'âge du roi, la question était de savoir qui allait en diriger les travaux**. On l'a vu, depuis la mort annoncée du roi, la lutte était vive entre les prétendants. On parla beaucoup de l'évêque de Beauvais, de Condé, de Châteauneuf exilé à Angoulême. Le duc de Beaufort, du clan Vendôme,

* Un troisième conseil de guerre sera créé le 9 octobre 1787. Formé de neuf officiers généraux, il avait pour tâche la réorganisation de l'armée et la limitation des dépenses militaires.

** Il existait deux autres conseils : le Conseil d'État et des Finances et le Conseil privé, finances et direction ou Conseil des parties, celui-ci comprend les conseils de justice et d'administration.

déployait auprès de la reine tout le charme dont il était capable. Les choses allèrent très vite. Fin joueur, Mazarin sut habilement exploiter la situation. Il se montra dévoué, désintéressé, préoccupé par l'ampleur de la tâche qui attendait la régente. Il ne manqua pas d'insinuer rapidement le chantage au départ : le désir de retourner en Italie, sa patrie d'origine, et d'offrir ses services au pape. Pour entrer au Conseil, il lui fallait le brevet de ministre d'État. Ne l'ayant pas, il joua la comédie... Le 18 mai au soir, lorsque la régente réunit le Conseil, il refusa d'y assister n'ayant aucun titre pour justifier sa participation. Il est même possible que Gaston soit intervenu en faveur de son ami, le « signor Giulio ».

Le 20 mai, le cardinal Mazarin, à la stupeur générale, était nommé chef du Conseil et la régente conservait l'ensemble des ministres du défunt roi... et même le chancelier Séguier. Ce choix froissa bien des susceptibilités, et Retz put écrire : « L'on voyait sur les degrés du trône d'où l'âpre et redoutable Richelieu avait foudroyé plutôt que gouverné les humains, un successeur doux, bénin, qui ne voulait rien, qui était au désespoir que sa dignité ne lui permît pas de s'humilier autant qu'il eût souhaité devant tout le monde. » Mais Louis XIII et Richelieu auraient été ravis. Il est même probable que Richelieu, connaissant les capacités d'émotion de la reine et le charme du séduisant Italien, aurait pensé que des relations d'affection au sommet du pouvoir n'étaient pas à négliger pour la bonne marche des affaires. Sans doute est-ce dans ce sens qu'il faut interpréter la présentation qu'il fit à la souveraine du diplomate pontifical en 1639 : « Vous l'aimerez bien, Madame, il a l'air de Mr. de Buckingham. » Maniéré, enjoué, agréable, homme d'esprit, grand amateur d'art et d'une souplesse psychologique extrême, Giulio ne pouvait que plaire à sa reine. Il allait lui être d'un grand secours dans la lutte de clans qui s'annonçait, connue sous le nom de cabale des Importants. Il fallait louvoyer entre les Condé et les Vendôme. La Grande Mademoiselle résume clairement l'intrigue[4] : « Celui à qui, dans les commencements, il semblait qu'elle [la reine] devait porter le plus de bonheur, je veux dire Monsieur de Beaufort, fut le premier qui se ressentit de la disgrâce... Aussitôt que la reine fut la maîtresse, il parut que toute la faveur ne regardait que lui et le seul qui lui faisait ombrage était le cardinal de Mazarin. Cela mit bientôt de la haine entre eux deux ; l'intrigue du cardinal l'emporta sur l'autre, qu'on en fit une affaire d'État. » Il est vrai que le clan Vendôme avait conçu de grands espoirs et la chute n'en fut que plus brutale. François, duc de Beaufort, était le fils du duc de Vendôme. À vingt-sept ans, ayant à son actif un bilan militaire non négligeable, Beaufort désirait jouer un grand rôle qu'on lui refusait car il était jugé présomptueux, envieux, malveillant. Certains le disaient un « esprit lourd et faux ayant le sens beaucoup au-dessous du médiocre ». Pour Retz, c'était un homme « mal poli », avec des manières « grossières ». On le voit, celui que la foule adulera au début de la Fronde et désignera comme « roi des Halles » n'avait pas que des amis. Peut-être chercha-t-il à séduire la reine qui, connaissant sa liaison avec la dévoreuse d'amants qu'était la belle duchesse de Montbazon, mit vite un terme à ses tentatives sentimentales. La famille Vendôme était puissante et, au moment où tous les exclus de la cour effectuaient leur retour, elle ralliait sous son nom bien des partisans.

Gaston d'Orléans avait de l'affection pour Beaufort qu'il avait eu sous ses ordres à Corbie. Mais il est peu probable qu'il souhaitât qu'on lui attribuât une charge sensible. La régente et Mazarin devaient contrebalancer l'influence des Vendôme sans y mêler les Condé ; ils pensèrent à la famille des Guise-Lorraine. Cette solution dont l'efficacité n'était pas certaine impliquait un notable danger, à savoir le retour de Madame de Chevreuse à la cour. Il n'est pas certain qu'Anne ait souhaité avoir la duchesse auprès d'elle. La Régence devait être un gouvernement réparateur. Était-il alors nécessaire de ressasser le passé ? Selon Madame de Motteville, « qui plus qu'elle [La Chevreuse] avait régné dans le cœur de la reine et dans toutes ses disgrâces, avait toujours conservé ses intelligences avec elle et avait paru posséder plus entièrement son amitié » ? Le fait est là, mais la régente avait tardé à se manifester, « n'ayant plus de goût pour les amusements qui avaient fait leur liaison dans leur jeunesse, elle craignait de lui paraître changée* ». Anne hésite, tergiverse, avouant à Madame de Pruges : « J'étais plus heureuse à Saint-Germain, éloignée des affaires, car je ne connais rien au gouvernement et il faut que je gouverne ! J'espère pourtant que Dieu m'aidera puisqu'il m'a donné de bonnes intentions et un ministre bien intentionné, fort éclairé et désintéressé ». Après avoir consulté Mazarin, la régente autorise la duchesse à rentrer en France. Elle quitte Bruxelles le 6 juin en grande pompe, accompagnée jusqu'à la frontière par une vingtaine de carrosses. À Roye, elle retrouve Marsillac venu à sa rencontre et arrive le 14 à Paris. Elle était partie depuis dix ans. Les deux femmes n'étaient plus les jeunes et belles étourdies du passé et ne se reconnurent plus. La duchesse développait les mêmes traits de caractère, le même souci de nuire, alors qu'Anne avait désormais les rênes du pouvoir. Durant tout l'été, elle intrigua. Son idée était de remplacer Mazarin par Châteauneuf qui habitait maintenant à Montrouge, près de Paris.

Au même moment, le duc de Vendôme réclamait l'Amirauté et le gouvernement de Bretagne que Richelieu lui avait enlevés. D'Épernon désirait rentrer dans ses charges, tandis que Marsillac avait jeté son dévolu sur le gouvernement du Havre. Toutes ces charges appartenaient à des parents de Richelieu. Comme aux beaux jours du ministériat de l'Éminence, l'Hôtel de Chevreuse était devenu le lieu privilégié de conférences secrètes dans lesquelles l'on retrouvait inmanquablement Beaufort, Guise, les Luynes, les Rohan, l'évêque de Beauvais, les deux frères Campion et quelques autres. Grâce à la duchesse, ces Importants se développaient et, chose plus grave, ils décidèrent d'enlever Mazarin pour le faire disparaître. Étrange situation. La vie de cour est très brillante. Les réceptions et les fêtes se succèdent dans une atmosphère joyeuse, légère, passionnée, et derrière le décor, les couteaux sont tirés. Mazarin fut le premier à réagir : « Il faut éloigner cette Chevreuse qui fait mille cabales... Cette femme veut ruiner la France », et à l'adresse des Importants, le nouveau chef du Conseil por-

* Anne d'Autriche à Marsillac, futur duc de La Rochefoucauld.

tait un jugement sévère : « Leur profession est de médire et de se moquer des bons, ils se veulent ériger en réformateurs de l'État, trouvent à redire de tout, exaltent des malheurs qui arrivent au royaume, s'affligent des prospérités et battent le pavé. » Retz était à peine plus aimable à leur égard en les qualifiant de « quatre ou cinq mélancoliques qui avaient la mine de penser creux ». Il fallait frapper dès à présent. Lors de la réunion du Conseil d'En-Haut du 2 septembre 1643, à laquelle Monsieur, lieutenant-général du royaume, participait, l'arrestation de Beaufort fut décidée. Beaufort fut arrêté sans bruit au Louvre dans la journée par Guitaut, capitaine des gardes, et écroué à Vincennes. « Ce coup de rigueur, a écrit Retz, fait dans un temps où l'autorité était si douce qu'elle était imperceptible fit un grand effet. » Les complices du duc, stupéfaits, se réfugièrent au château d'Anet chez le duc de Vendôme, père du prisonnier.

La régente et Mazarin prirent leur temps pour arrêter leur plan. Anne décida d'attendre quelques semaines. Alors, « elle lui conseillerait [à Madame de Chevreuse] de vivre agréablement en France, de ne se mêler d'aucune intrigue, de jouir sous sa régence du repos, qu'elle n'avait pu avoir du temps du feu roi ; elle lui représenterait qu'il était temps de se plaire dans sa retraite et de régler sa vie sur les pensées de l'autre monde ; elle lui disait qu'elle lui promettait son amitié à cette condition [5] ». Lorsque, en octobre, la régente fit savoir ses volontés à la duchesse, cette dernière prit fort mal ce qu'elle appela « des remontrances et des conseils ». Décidément, la belle duchesse, dépassée par les événements, ne voulait rien entendre. Elle dut cependant obéir au commandement lui enjoignant de se rendre dans sa terre de Dampierre et, de là, en son château de Couzières, près de Tours. On lui accordait 200 000 livres pour adoucir son exil. Il lui fallut obéir. Gaston n'était pas mécontent de cette décision.

Mais, dans l'immédiat, Monsieur avait d'autres préoccupations. D'abord, il devait recevoir son épouse autorisée à rentrer en France, afin d'établir une vie familiale normale après une si longue séparation. Gaston avait attendu plus de dix ans l'acte officiel de consentement de Louis XIII, signé le 6 mai 1643, qui autorisait Madame à rejoindre son mari. Mais le couple devait passer devant l'archevêque de Paris afin de confirmer la validité de leur mariage. Cette clause déplut beaucoup à Madame qui, lorsqu'elle en eut connaissance à Cambrai, menaça de retourner à Bruxelles, puis se ravisa. La Grande Mademoiselle, qui ne la connaissait pas, se porta à sa rencontre à Gonesse, d'où elle alla à Meudon sans passer par Paris. L'accueil que réserva Gaston à sa « petite Angélique » fut peu chaleureux. « Leur abord se fit en présence de tous ceux qui l'accompagnaient. Tous les assistants furent dans un étonnement de voir la froideur avec laquelle ils s'abordèrent[6]. » Le renouvellement de leur mariage eut lieu aussitôt en la chapelle du château, cérémonie sans éclat au dire de la fille de Monsieur.

« J'accompagnai Madame, et il n'y eut avec elle, dans cette cérémonie, que Madame et Mademoiselle de Guise, la maréchale d'Étampes, dame d'honneur de Madame, Madame de Fontaine, sa dame d'atour, Madame la comtesse de Fiesque et moi... Monsieur dit à l'archevêque (Jean-François de Gondi) qu'encore qu'il fût assuré qu'il n'y eût aucune nullité en son mariage, pour satisfaire à la promesse qu'il avait faite au roi, et aux ordres qu'il en avait reçus, il venait avec Madame lui faire la déclaration que Sa Majesté avait désirée pour une plus grande sûreté. Madame, de son côté, dit, les larmes aux yeux, que rien n'était moins nécessaire que cette démarche que cependant le roi l'avait voulu. Chacun fit la révérence et aussitôt après on se retira. »

Marguerite n'était plus la jeune fille séduite par Gaston. Elle n'avait « plus cette grande beauté dont Monsieur avait été autrefois charmé et la manière dont elle était habillée ne contribuait pas à réparer le tort que les chagrins de plusieurs années lui avaient causé ». Elle s'installa avec son époux au palais d'Orléans* et lia des relations d'amitié avec sa belle-fille alors âgée de seize ans. Gaston aurait dû être ravi de voir les choses rentrer dans l'ordre. Hélas, son cœur battait pour une amie de sa fille, la demoiselle de Saint-Mesgrin.

* Le Luxembourg, ou palais Médicis.

19.

Monsieur entre guerre et paix

Lieutenant général d'un royaume dont le roi n'avait que cinq ans, Monsieur était désormais associé d'une manière plus ou moins active à la conduite générale des affaires. En se faisant nommer chef d'un nouveau conseil de guerre, il était de son devoir de s'impliquer fortement dans la conduite et le succès des armées. Allait-il laisser le jeune duc d'Enghien « acquérir tant d'honneur et de gloire », après sa magnifique victoire de Rocroi, sans réagir ? Certainement pas ! Il y avait des lauriers à cueillir, de la reconnaissance de la part de la régente et, au bout du chemin, cette paix tant attendue, qui balaierait dans une liesse populaire générale le lot de ressentiments que certains continuaient à lui manifester. Durant trois ans, de 1644 à 1646, Gaston partit au printemps rejoindre les armées massées sur les frontières de Flandre et remporta de beaux succès que l'état des Finances du pays empêcha souvent de concrétiser.

Un constat s'imposa d'emblée à la régente : les Finances de la France étaient dans une situation tout à fait calamiteuse, de toute évidence des mesures draconiennes étaient nécessaires. En mai 1643, les fonds des années 1644 et 1645 étaient en partie consommés à l'avance et il était dû 1 200 000 livres de gages aux officiers. Les décisions de finances étaient prises au Conseil d'État et des Finances auquel, bien sûr, Gaston d'Orléans assistait. Il fut donc parfaitement informé lorsque Mazarin installa Michel Particelli d'Emery dans la charge de contrôleur général des

Finances[1]. Cette charge était jusqu'alors une commission exercée chaque trimestre par un intendant des Finances. En faire un office vénal était chargé de sens. Le titulaire possédait des pouvoirs très étendus sur la gestion des Finances en général et impulsait la politique économique et financière. En réalité, il s'agissait là de faire rentrer les fonds au trésor de l'Épargne pour payer la guerre. Particelli d'Emery acheta son office environ 310 000 livres et ses gages étaient d'environ 50 000 livres par an ; 19 000 livres étaient versées au contrôleur général et le reste directement à Mazarin qui se payait largement au passage.

Pourquoi le choix de Particelli d'Emery ? L'homme, qualifié d'italien à l'époque de la Fronde, était bien né français en 1595. Il avait fait une brillante carrière comme diplomate puis comme intendant des Finances, et connaissait Mazarin depuis 1635. C'était surtout l'homme des financiers, de ceux qui prêtaient beaucoup d'argent au roi et se remboursaient sur les sources de revenus de la monarchie. Il était incontournable pour Mazarin. D'Emery était en réalité un homme efficace et sans scrupule qui, dès son arrivée au contrôle général, emprunta immédiatement 12 000 000 de livres à 15 % d'intérêts. Mais surtout on assiste dans la politique financière à une double révolution qui s'était amorcée quelques années auparavant. On sait que les finances extraordinaires composées de traités (ventes d'offices et taxes diverses) et de prêts au roi faits par des financiers constituaient l'essentiel des revenus du pays. L'ensemble, en 1643, s'évaluait à environ 100 000 000 de livres. Jusqu'ici la valeur des traités l'avait toujours emporté sur celle des prêts. Pour les deux années 1640 et 1641, la valeur des traités se montait à 100 884 860 livres et celles des prêts à 88 303 254 livres. Pour les années 1643 à 1646, la tendance est inversée : les traités figurent pour 152 297 149 livres et les prêts atteignent 262 312 308 livres[2]. C'est la première révolution et elle est tout à fait compréhensible. Les créations énormes d'offices et les taxes n'étaient pas sans limites. Et l'on a sans doute atteint un point critique avec les cours souveraines semestres, les offices devenus triennaux et même quatriennaux, la multiplication d'offices de peu d'utilité, parfois supprimés aussitôt leur création. La saturation est une explication, mais il en est une autre, à savoir qu'il était plus facile pour des financiers ayant du crédit de draîner des fonds particuliers pour faire un prêt que de vendre des offices de plus en plus difficiles à placer, ou de percevoir des taxes mal accueillies.

La seconde révolution est bien plus importante. Entre 1639 et 1643, on constate que, peu à peu, toutes les sources de revenus royaux — la taille, le taillon, la subsistance et les étapes des gens de guerre, les fermes, le don gratuit du clergé, les ponts et chaussées — servent d'assignation pour des prêts. On négocie un prêt avec le Conseil, on avance l'argent en plusieurs versements et on se rembourse sur un revenu royal des années suivantes. Le système va très loin, car il oblige les receveurs généraux des généralités, les trésoriers de l'ordinaire et extraordinaire des guerres, les fermiers, les receveurs du clergé, ceux des ponts et chaussées, à faire des prêts au roi. Le phénomène est achevé en 1643 et peut fonctionner à plein rendement. Toutes les sommes prélevées en province servent à rembourser les prêts et les grands officiers comptables du roi deviennent des financiers. Ils font appel à la finance privée. En 1643 et dans les années suivantes, les Finances de la monarchie étaient devenues des finances privées ; en fait, l'affaire de grandes familles, pour la plupart officiers du roi. Il existe alors un véritable pouvoir financier parallèle, car pour être remboursés, les financiers obtenaient des avantages énormes. Ce fut le règne de la commission par rapport aux officiers ordinaires, celui des tribunaux d'exception et des levées de troupe pour l'impôt. Toutes ces mesures coercitives provoquaient des résistances énormes dans les campagnes et dans les villes. Dans le plat pays, c'est-à-dire les campagnes, les agents des financiers passaient avant que les seigneurs ou le clergé aient prélevé leurs droits et souvent il ne restait plus rien. Aussi n'était-il pas rare de voir des nobles à la tête d'émotions populaires dans une sorte de front seigneurial. Dans les villes, de nombreux habitants bourgeois faisaient valoir des droits pour échapper à certaines taxes. Tout cela était très malsain. Mais cette politique décidée au Conseil, menée par

Particelli d'Emery, était celle de la régente, de Gaston et de Mazarin pour une raison bien simple, c'est qu'elle était la seule à permettre des rentrées de fonds régulières pour financer la guerre.

Quelle était la situation de la guerre et de la paix en 1643 ? La France est alors en guerre ouverte contre les Habsbourg d'Autriche et d'Espagne depuis 1635 sans que l'on perçoive une possibilité de paix dans l'immédiat. Cependant, des délégués des divers pays commencent à rejoindre les villes de Munster et Osnabrück en Westphalie où vont débuter des négociations. La délégation française qui quitte Paris à la fin de l'été 1643 comprend le duc de Longueville, un parent de la famille royale et deux diplomates experts : d'Avaux et Servien.

La situation paraît favorable. En Espagne, le cardinal-duc Olivares est en disgrâce depuis janvier 1643 et il y a eu la magnifique victoire de Rocroi. Dans une déclaration du 30 septembre 1643, Mazarin a clairement défini les buts de guerre de la France, un peu différents de ceux de Richelieu. L'idée primordiale est celle d'une paix générale de la chrétienté concernant l'Espagne, l'Empire, la France, la Suède et les Provinces-Unies. Mazarin envisage la constitution de deux ligues, l'une en Italie, l'autre en Allemagne, vouées au respect et au maintien de l'ordre, et décidées à faire la guerre à ceux qui refuseraient.

Bien entendu, les négociateurs français ont reçu des directives très fermes concernant les gains territoriaux. Le Conseil de la régente auquel Gaston participe a fait preuve d'une ferme intransigeance. Pas question de lâcher la place de Pignerol de l'autre côté des Alpes. On souhaite garder la Lorraine et les trois évêchés : Metz, Toul et Verdun, et il convient de « demander que la France ne soit jamais à l'avenir troublée par cette possession ». Ensuite, la France désire réclamer les villes récemment conquises : Hesdin, Arras et Bapaume car « on ne pourrait les abandonner qu'avec bassesse et infamie ». Pour l'Alsace, on verra au fil des négociations, mais la ville de Brisach ne sera pas abandonnée compte tenu de son rôle stratégique.

L'article 23 de la déclaration est intéressant car il évoque les conditions de commerce avec l'Espagne une fois la paix signée. Pour le moment, la guerre continue ; le « généralissime des armées de France », Gaston, ira combattre en Flandre. Alors que la famille royale se rendait à Rueil pour quelque temps sans Madame, qui « était malade d'une fausse grossesse qui lui a bien ruiné la santé », Monsieur quitta Paris le 15 mai avec un équipage fastueux appelé « la Dorée ». Jugeons-en : « Ses tentes sont doublées de toile d'argent et les couvertures des chariots de pareille étoffe. Il y a défense aux orfèvres de travailler à d'autres ouvrages que sa vaisselle d'argent et batterie de cuisine ne soit prête. Bref, ce sera un équipage de Darius[3]. »

L'armée formée de 18 000 fantassins et 6 000 cavaliers était sous l'autorité de Monsieur, commandée par les maréchaux de Gassion et La Meilleraye. Les projets de campagne, arrêtés à Paris, consistaient à prendre Gravelines, une place très bien défendue qui protégeait Dunkerque aux mains des Espagnols. Le choix était téméraire. Selon la Grande Mademoiselle, « le succès de cette entreprise avait toujours été trouvé si difficile que, du règne du roi son frère... l'on n'avait jamais osé former celui [le dessein] d'attaquer cette place[4] ». Monsieur étonna ses maréchaux en préférant traverser la région occupée par les Espagnols de Piccolomini plutôt que de « prendre le chemin par la France ». Trait de génie militaire ou attitude improvisée d'un stratège en mal de gloire ? N'importe ! L'opération prend belle tournure. Gaston fait bloquer l'embouchure de la rivière Aa sur laquelle se trouve Gravelines en coulant des bateaux tandis qu'une flotte hollandaise interdit l'accès au port. Il entreprit alors les travaux de siège en faisant creuser une tranchée devant la place. Malgré une crise de goutte qui le fait souffrir, Gaston pourvoit à tout, réconciliant les maréchaux en désaccord, dirigeant toutes les opérations du siège, faisant face aux sorties courageuses des assiégés et aux secours envoyés par les Espagnols. Gaston, rempli de courage, ne ménageait pas sa participation et exposait « un peu trop franchement sa personne ». Ainsi, au moment de l'assaut final, « il revint plusieurs fois au camp, joyeux des dangers qu'il courait. Il y exalta les actes de courage, distribua de l'argent, porta secours aux blessés qu'il soutint de son zèle malgré la charge et le nombre de ses occupations ». Gravelines capitula le 28 juillet, aussi « sa longue et vigoureuse résistance en rendit-elle la prise plus glorieuse à Son Altesse royale [5] ».

On ne sait quelles furent les pensées de Gaston qui avait si souvent négocié avec les Espagnols, lorsque le gouverneur vaincu vint s'agenouiller aux pieds de son cheval, mais son comportement fut généreux : « Il le reçut fort courtoisement et le loua d'avoir si bien défendu sa place, l'assurant qu'il le publierait partout. » Il est vrai que les Espagnols avaient perdu dans le combat 1 200 hommes de guerre... Cette victoire est saluée à Paris dans l'allégresse. Anne d'Autriche félicite chaleureusement le vainqueur qu'elle invite à rentrer à la cour : « Mon frère, ce n'est pas seulement la France qui admire ce que vous avez exécuté. Avant même que le prince d'Orange pût savoir que vous aviez réduit ceux de Gravelines à se rendre, l'exemple de votre valeur échauffant la sienne l'a fait songer à entreprendre dans les Flandres. » Quant à sa fille, cette victoire « me donna, écrira-t-elle, une joie inconcevable, parce que j'ai toujours eu pour Monsieur toute la tendresse possible ». Le 2 août, un *Te Deum* est chanté à Notre-Dame de Paris en actions de grâces pour cette conquête. « On fit des réjouissances publiques, M. le chancelier fit faire le soir de ce jour-là un feu d'artifice fort joli devant son logis, dont je fus priée par Madame de Sully* de venir prendre le divertissement et nous y eûmes outre cela une grande collation et les violons. » Madame, épouse de Gaston, récidiva en faisant faire « un autre grand feu le lendemain dans la cour du palais d'Orléans, à toutes les fenêtres duquel il y avait des lanternes de papier où étaient peintes les armes de Leurs Altesses royales ». Il y eut aussi un bal et une collation. Comme la fille du vainqueur, Mademoiselle, ne voulait pas être en reste, deux jours plus tard, elle en fit autant chez elle et mena « les violons chez la reine

* Charlotte de Séguier, fille du chancelier, avait épousé Maximilien de Béthune, duc de Sully.

qui prit plaisir à nous faire danser assez longtemps sur la terrasse du Palais-Royal ». Monsieur revint à Paris le 23 août et Son Altesse « fut applaudie et caressée de la reine et de toute la cour... Elle est maintenant regardée comme un soleil levant ou un nouveau conquérant ». Ainsi, vérifiant les prédictions de Ruggieri qui avait affirmé « Il aimera bien les armes », Monsieur avait révélé dès cette première campagne des qualités dignes d'intérêt de la part d'un fils de France soudainement paru assagi. La cour alla à Fontainebleau où Monsieur put manifester son empressement auprès de Mademoiselle de Saint-Mesgrin, ce qui provoqua une belle jalousie de son épouse. Mais il n'est pas certain que Mazarin ait apprécié les vers élogieux de Tristan L'Hermite à l'adresse de son maître :

« Gaston, depuis longtemps je l'avais bien prédit
que, si vous aviez le crédit
de gouverner un jour les armes de France,
vous sauriez hautement écarter le malheur
et par mille traits de prudence
et par mille éclats de valeur. »

Comme chef d'armée, Gaston avait manifesté des dispositions d'esprit qui n'étaient pas passées inaperçues. D'aucuns avaient noté sa générosité envers les blessés et surtout cette faculté à introduire la religion sur le champ de bataille. D'autres armées, il est vrai, n'hésitaient pas à suivre une messe avant d'en découdre avec leurs adversaires. Ennemi du pillage, affable avec les vaincus et les prisonniers, conciliant avec les officiers, ferme mais juste dans l'application de la discipline, Gaston se présentait comme un meneur d'hommes original. 1645 allait être pour lui une année faste. Au printemps vint la saison de mettre les troupes en campagne. Son Altesse royale, appliquant les projets d'opérations mis au point durant l'hiver, se dirigea vers la Flandre. Il passa la rivière Colme à Capelle-Brouck, « passage dont on a depuis beaucoup parlé et qui a été fort signalé par la résistance qu'y firent les ennemis. Le combat fut rude et quoique toute l'armée des Espagnols fût passée à l'autre bord de la rivière et que la plus grande partie des nôtres la passât à la nage, néanmoins nous y perdîmes fort peu de gens [6] ». Les villes flamandes se rendirent alors les unes après les autres. Le 10 juillet 1645, Mardick est prise après cinq jours de siège. Puis ce fut le tour de Linck et de Bourbourg libérée après une semaine d'encerclement, alors qu'elle avait des vivres pour tenir un bon mois.

Mazarin signala vivement sa satisfaction : « Cette place fortifiée régulièrement avec double fossé, défendue par près de 2 000 hommes de guerre, des meilleurs qu'eussent les ennemis, a été emportée en huit jours de siège, ayant été attaquée si vivement en plein jour, à la nage et en coups d'épée, que, du consentement de tous les gens de guerre, il ne s'est jamais rien vu de semblable. Monsieur ne les a point voulu recevoir qu'à discrétion et y a fait 1 500 prisonniers effectifs, parmi lesquels il y a une multitude incroyable d'officiers. Il est certain qu'une bataille n'aurait pas plus défait de gens aux ennemis que la prise de Linck et de Bourbourg leur en coûte et ce qui importe extrêmement, c'est que c'est une infanterie dont ils ont le plus grand besoin. » C'était un réel succès pour Gaston, félicité par Mazarin. Bien entendu, la gloire se partage. Un homme a aidé Gaston, il s'agit d'un étranger au service de la France et appelé Rantzau. Monsieur ne l'oublie pas, comme l'écrit plus tard la Grande Mademoiselle dans ses *Mémoires* : « M. de Rantzau avait si utilement agi pour le succès du siège (Bourbourg) comme l'un des lieutenants-généraux de Monsieur, ce qui porta Son Altesse royale à lui rendre de bons offices et il fut fait maréchal de France, honneur digne de sa naissance puisqu'il est une des premières maisons du Holstein, et récompense due aux larges services qu'il avait rendus pendant la guerre à cette couronne. » La campagne militaire se prolongea de la façon la plus heureuse pour Gaston : « Il semblait qu'il n'eût qu'à se présenter pour en faire ouvrir les portes, tant le succès qu'il avait eu à Gravelines avait donné de terreur aux Espagnols en Flandre. » Charles IV de Lorraine, chargé de la défense espagnole, voyait les villes tomber les unes après les autres. Béthune ouvrit ses portes aux Français le 29 août 1645. Monsieur avait conscience que les négociations de la paix étant en cours, rien ne justifiait que l'on s'acharnât sur les populations civiles qui avaient déjà tant souffert. Mieux valait les ménager et conduire la Flandre à retrouver « son repos sous la domination d'un monarque plus puissant et plus heureux pour la protéger ».

C'est le moment que choisit Anne d'Autriche pour rappeler son beau-frère à Paris. Gassion et Rantzau continuèrent l'œuvre de Monsieur mais, « soldats au cœur dur », ils dressèrent rapidement les Flamands contre eux et la progression des troupes françaises fut stoppée. Le rappel du généralissime était motivé par des raisons de stricte politique intérieure. Le Conseil voulait utiliser le vainqueur dont la popularité commençait à se répandre pour lui faire enregistrer, au Parlement de Paris où il avait de nombreux amis, des édits fiscaux fort impopulaires.

Revenons un peu en arrière pour voir comment le Conseil en est arrivé là. En octobre 1643, une déclaration du roi confirmait pour son avènement à la couronne ses officiers dans leurs offices, les libertés des villes et des métiers. Il y avait bien sûr une clause financière. La confirmation attribuait 161 000 livres d'augmentation de gages aux officiers, mais, en contre-partie, ils devraient satisfaire une levée extraordinaire de 3 000 000 de livres. Dès le début, la résistance de tous les concernés fut très sérieuse en Bretagne puis gagna d'autres provinces. Les cours souveraines cherchèrent à gagner du temps mais finirent par plier. Le monde des officiers fut en ébullition durant toute l'année 1645. La même année, plusieurs insurrections eurent lieu contre la création du droit de Maubouge, du nom du fermier chargé de lever des taxes nouvelles sur les boissons. En 1644, l'édit sur les riches et aisés fut perçu comme un emprunt forcé ou droit à la fortune. Il s'agissait d'aliéner 1 500 000 livres de rentes sur les aides dans tout le royaume. Le parlement souhaitait que seuls les gens d'affaires soient taxés mais Particelli d'Emery, défenseur des financiers, leur apporta son soutien. On espérait de cette taxe 18 000 000 de rentrée fiscale. Le Conseil prit le parlement de court en lui abandonnant le soin de distribuer les rentes. La manœuvre fort habile réussit, puisque le parlement accepta ce droit exorbitant qui le faisait se couper de la bourgeoisie et des aisés. En portant au parlement ces édits fiscaux, Gaston payait de sa personne, mais l'acceptation par l'assemblée était pour lui un élément très favorable pour l'avenir. Ce qui ne manquera pas de jouer en sa faveur, en 1648, au moment de la Fronde[7].

En cette fin de 1645, Monsieur a l'estime de la régente et du cardinal-ministre. Il ne comprend pas pourquoi, malgré leurs défaites, les Espagnols tergiversent pour la paix. Rien n'avance durant l'hiver. Au mois de mars 1646, il écrit à Munster au duc de Longueville : « Je n'ai pas laissé de m'étonner, sachant le besoin que les Espagnols ont de la paix, qu'ils s'amusent encore aujourd'hui à s'en écarter par des propositions vagues et qui ne concluent rien, au lieu d'en faire des réelles et des solides qui peuvent produire l'accommodement en peu de jours. » Il est vrai que comme l'écrivait Gaston, flatté de son succès, « la Flandre me semble trop belle et m'ouvre trop les bras pour me mettre en peine de retardement de la paix ». Et la situation allait encore lui être favorable en 1646. Anne d'Autriche aurait bien voulu que Gaston restât à la cour. En effet, le duc d'Enghien allait servir sous ses ordres et Mazarin semblait craindre cette coalition de princes. Mais Monsieur, qui ne voulait pas « faire tort à sa réputation », partit en mai rejoindre l'armée qui devait faire le siège de Courtrai. La ville résista longtemps car les Espagnols étaient nombreux, aidés par l'armée du duc de Lorraine. Courtrai se livra le 29 juin 1646, mais il était temps car, comme l'écrit la duchesse de Montpensier, « la négligence du cardinal de Mazarin qui, faute de prévoyance, laissa manquer de tout à ce siège et les généraux se virent dans une telle nécessité que lorsque la place se rendit, il n'y avait plus ni poudre ni boulets ». Et elle ajoute : « Jugez de la capacité et de l'intention d'un tel ministre, qui expose la réputation des armes de son maître et celle de deux personnes de cette qualité avec leurs vies. » Courtrai fut mise en défense afin de résister aux Espagnols et Monsieur se lança, le 18 juillet, à la poursuite de Charles IV qui se réfugia avec son armée à Bruges. Mais l'armée hollandaise, commandée par Guillaume de Nassau, prince d'Orange, fit défaut.

L'été 1646 fut torride et on releva énormément de décès parmi les troupes, à cause de la chaleur et de la soif. Dans un mouvement sublime de volte-face, Gaston, « avec une vitesse incroyable... s'achemina droit sur Bergues sans que les Espagnols se doutassent de cette marche en arrière exécutée avec tant d'adresse ». Bergues se rendit le 1er août. Trois semaines plus tard, Mardick, enlevée depuis peu par les Espagnols, fut reprise une seconde fois : « Ce siège fut poussé chaudement, aussi y eut-il quantité de gens de qualité tués en une sortie que firent les assiégés. » La liste est longue de ceux qui payèrent la victoire de leur vie. Parmi eux retenons le jeune La Roche-Guyon, premier gentilhomme de la chambre du roi, fils unique du duc de Liancourt ; le comte de Fleix « de la maison de Foix, gendre de Madame la marquise de Sénecey, dame d'honneur de la reine » ; le chevalier de Fiesque, Le Terrail, maréchal de camp ; le marquis de Thémines, maître de camp du régiment de Navarre, et le baron de Grignan, capitaine au régiment des gardes. Le duc de Nemours fut blessé et le duc d'Enghien lui-même eut le visage brûlé par une grenade « qui creva près de lui ». La Grande Mademoiselle qui n'aimait pas le futur Grand Condé ne manque pas de malveillance dans ses *Mémoires* en affirmant : « J'en appris la nouvelle avec assez de joie, et l'aversion que j'avais pour lui me fit même souhaiter qu'il en eût le visage défiguré. » Mais sa joie fut de courte durée car elle dut reconnaître qu'il « n'y parut cependant en aucune manière ». Gaston revint rapidement à la cour car Madame était « grosse et dangereusement malade ». Il fut bien reçu à Fontainebleau. Il avait laissé le duc d'Enghien à l'armée pour achever la campagne, « au grand déplaisir de ses bons serviteurs qui lui voyaient quitter à un autre le plus beau laurier à cueillir de toute l'Europe », à savoir la prise de Dunkerque.

À l'automne de 1646, les négociations progressaient à Munster avec les envoyés de l'empereur. Mazarin, qui avait la haute main sur cette affaire, n'omettait pas de tenir Gaston informé. L'empereur se disait prêt à abandonner ses droits héréditaires sur l'Alsace et les trois evêchés lorrains. Encore aurait-il fallu que la campagne de 1647 fût fructueuse. Mais Gaston n'avait pas rejoint l'armée qui perdit peu à peu diverses places de Flandre et de Catalogne. Dans son palais du Luxembourg, Gaston, éloigné des opérations militaires, semblait soudainement intéressé par les négociations et appuyait la politique de Mazarin. Il précise dans une lettre au duc de Longueville du 17 janvier 1648 : « Si ces Messieurs [les Espagnols] m'avaient cru capable d'appuyer aucune chose contre ce que je connais être du bien et du service de Leurs Majestés et de cet État, vous me feriez un singulier plaisir de leur faire savoir qu'ils se sont fait un extrême tort d'avoir jugé si peu sainement de moi. » Le temps n'était plus aux relations particulières d'un fils de France avec une nation ennemie, le lieutenant-général du royaume servait son pays. Et en cette année 1648, la situation intérieure de la France n'allait pas manquer de lui permettre de se mettre en valeur dans le conflit naissant de la Fronde.

20.

« Le temps de la bonne Régence »

On n'a pas fini d'épiloguer sur le temps de la régence d'Anne d'Autriche. Une reine d'origine espagnole et un premier ministre italien à la tête de la France en guerre dans un conflit européen... Sans doute, pouvons-nous suivre sans appréhension la Grande Mademoiselle lorsqu'elle parle dans ses *Mémoires* de cette période exaltante que fut pour elle la Régence entre 1643 et 1648. Bien entendu, la duchesse de Montpensier, fille aînée de Gaston d'Orléans, était une adolescente âgée de seize ans en 1643, qui vivait à la cour, suivait partout la reine et ne voyait que l'aspect clinquant des événements. Tout lui souriait. N'était-elle pas l'héritière de la plus grosse fortune de France ?... Cependant, soyons juste. La rédaction de ses *Mémoires* relatant des faits bien après qu'ils avaient eu lieu avait un but fort clair. La princesse voulait avant tout, en écrivant, en se relisant, se retrouver et revivre les moments marquants de sa vie. Une réflexion rétrospective sur elle-même, disons le mot : une sorte d'analyse. Elle a tout dit, tout ce qui, pour elle, se devait d'être dit. Cela ne signifie pas qu'il faille prendre pour argent comptant chacune de ses confidences, descriptions, émotions. Mademoiselle n'est pas tenue à l'obligation de vérité, au sens historique du terme. Cette conception de l'Histoire lui est étrangère. Elle œuvre dans la subjectivité et c'est sa vérité qu'elle nous livre avec une émouvante sincérité. Certains Mémoires contemporains apportent une meilleure connaissance des faits passés et du rôle joué par les uns et les autres. Peu, bien peu, révèlent l'être profond de leur auteur. « J'y étais ! voici ce qui s'est passé », écrivent en résumé d'Ormesson, l'abbé de Choisy, Madame de Motteville, Omer Talon, Mathieu Molé, Conrart et bien d'autres... « J'y étais ! Voilà ce que j'ai ressenti », répond Mademoiselle, seul écrivain avant Rousseau à avoir rédigé de véritables confessions. Il y a dans cette transparence, cette mise à nu des sentiments, cette fragilité acceptée, recherchée même, des accents profondément bouleversants, pathétiques, à la limite du rationnel le plus élémentaire. Or, que nous dit Mademoiselle ? « Ce n'était que réjouissances perpétuelles en tout lieu : il ne se passait pas de jour qu'il n'y eût des sérénades aux Tuileries ou dans la place royale... Les démonstrations extérieures que l'on devait donner du regret de la mort du roy (...) ne pouvaient compatir avec la joie que donnaient les belles espérances (...) conçues du bonheur de la Régence de la reine. » Le délicieux et frondeur Saint-Évremont, qui y va de son couplet, abonde dans le sens de la princesse :

« Le temps de la bonne régence,
Temps où règne l'abondance
Temps où la ville et la cour
Ne respirent que les jeux et l'amour. »

Tout le monde applaudit à cette « seconde Renaissance ». Au fil des mois, l'entente entre la régente et son principal ministre Mazarin se fortifie, les premières égratignures de la cabale des Importants sont passées. Ainsi que l'écrit Madame de Motteville dans ses *Mémoires*[1], quand on est « insouciant », qu'on a « l'art d'enchanter les hommes et de se faire aimer » ; la voie est grande ouverte pour la réussite. Aucun point commun avec le prédécesseur de Mazarin qui, disait-on, n'avait fait que foudroyer les humains plutôt que les gouverner. La cour adule le nouveau premier ministre. Elle idolâtre la reine chez qui « le sang de Charles-Quint » donne tant de hauteur. Il faut rattraper le temps perdu. On s'enivre, on joue, on se distrait, voilà que l'on « importe », grâce au cardinal-ministre, ces « pièces à musique » qu'on nomme dans les salons « comédies italiennes ». Il s'agit tout simplement des premières manifestations en France de l'opéra importé d'Italie. La reine y assiste, le visage radieux, illuminée, au-delà de ses responsabilités quotidiennes de mère de l'héritier du trône, par cette force intérieure qu'implique la responsabilité du pouvoir. Anne, surveillée autrefois, Anne brimée, Anne à qui on voulait enlever la garde de ses enfants, décision indigne visant une mère, fût-elle reine, est devenue une femme libre, épanouie, responsable. Curieux raccourci de l'Histoire, qu'explique sans doute ce quatrain d'Olivier d'Ormesson :

« La reyne donne tout
Monsieur joue tout
Le cardinal fait tout
Le chancelier scelle tout. »

Cette situation pouvait-elle durer ? Pouvait-on éviter des lendemains qui déchantent ? L'homme Mazarin, si modeste en apparence, a su accroître son influence. Il a tissé sa toile, élargissant le nombre de ceux auquels il demande d'être ses « amis ». Il est vrai qu'à chaque fois il demande à ses interlocuteurs de concrétiser leur accord par des espèces sonnantes et trébuchantes. Faveur après faveur, il a obtenu de la reine une prise de pouvoir rapide et solide. Malgré la guerre et les difficultés financières, la cour de France, la plus belle, la plus grandiose, anime un Paris fait de contradictions et de pittoresque, de héros amoureux à la manière du *Cid* qu'on jouait alors sur les tréteaux, d'écrivains effrontés, de femmes fardées de poudre, et de minois peints. Paris des intrigues, des aventures où l'on s'épiait, trompant l'oisiveté en passant en revue le carrosse et les équipages des autres. Et Scarron peut s'exclamer :

« C'est ici, pour des goûts divers
le théâtre de l'univers
où chacun fait son personnage. »

Longues plumes, rubans et dentelles. Poitrines à la Rubens. Cheveux poudrés d'iris, de Chypre ou d'Espagne.

Mouches en taffetas noir aux noms évocateurs : la passionnée, l'assassine, la baiseuse. Paris où, cependant, on a quelques difficultés à se nourrir : le pain est cher, la viande rare. Le désordre financier s'installe alors que les fortunes des financiers de la guerre s'étalent au grand jour dans leurs magnifiques hôtels particuliers et que Mazarin développe un train de maison fastueux, faisant venir d'Italie œuvres d'art et marbres antiques, sans compter aussi le nombre de ses serviteurs, ses officiers, ses écuyers et sa compagnie de cent hommes à cheval veillant sur son éminentissime personne. Le peuple, lui, a faim. Et quand le peuple a faim, le désordre s'installe. Il murmure, il se plaint. Il trouve un soutien dans le Parlement de Paris qui cherche à étendre ses pouvoirs au détriment de la monarchie. Deux droits lui sont reconnus : celui d'enregistrer les lois et, à cette occasion, d'émettre « d'humbles remontrances ». Or ces remontrances prenaient de plus en plus l'aspect du refus. Le Parlement de Paris, cour souveraine de justice, certes la plus fameuse, n'avait pas le pouvoir de contrôler la monarchie comme le possédait celui d'Angleterre engagé dans un long conflit avec son roi. Le Conseil avait été contraint, en 1645, d'emprisonner contre l'avis de Monsieur, Barillon, un parlementaire actif qui avait suscité une résistance à vingt-trois édits fiscaux que Gaston, nous l'avons vu, avait été chargé de faire passer avec succès auprès des parlementaires. En décembre 1645, Monsieur avait même reçu au Luxembourg une délégation de femmes des Halles, venues se plaindre des « sangsues » que constituaient pour elles les financiers traitants, maltôtiers et partisans. Pour elles, il fallait « prendre l'argent où il est ». Monsieur est au courant de tout cela. Lui qui remporte des lauriers en Flandre, lui pour lequel on chante des *Te Deum* à Notre-Dame passe tous les hivers à Paris, participe aux fêtes somptueuses. Il connaît la situation des gens de son apanage, la pression fiscale qui pèse sur eux, la brutalité des gens du fisc. Lors de ses séjours à Blois, il rassure, cherche à adoucir les effets de la rigueur du temps. La paix viendra bientôt ! Il le faut.

En attendant Monsieur tient pleinement son rang d'Altesse royale et remplit ses fonctions de lieutenant-général du royaume et de responsable du conseil de guerre. Installé avec sa famille dans son palais du Luxembourg, il laisse la régente et le cardinal-ministre gouverner le pays tout en étant informé de l'ensemble des questions politiques*. Quelles sont ses relations avec la famille royale, Mazarin, et les autres grands, en particulier les Condé ? Depuis la mort de Louis XIII, Anne d'Autriche et ses deux enfants s'étaient installés au Palais-Cardinal légué par Richelieu à son roi**. Le palais moderne présentait des avantages dans la disposition des salles et offrait un visage plus humain que le Louvre. Lorsqu'il était à Paris, Gaston se rendait presque quotidiennement auprès de la régente et assistait alors au lever du jeune roi auquel « il présentait la chemise ». Il en profitait pour assister aux conseils, avoir des entretiens avec la reine, le cardinal et les ministres. Souvent, il s'attardait en longues conversations avec de grands seigneurs et s'asseyait le soir venu aux tables de jeu où, non seulement il lui arrivait de perdre des sommes importantes, mais surtout d'entamer largement la nuit. Ses relations avec Anne d'Autriche, excellentes, relevaient de l'accord tacite, du *modus vivendi* dont les racines puisaient largement dans le temps. Plus âgée que lui de sept ans, la reine avait connu Gaston enfant. On sait qu'à l'époque de l'affaire Chalais, Anne avait probablement caché des sentiments et des émotions nourris secrètement à l'égard de son séduisant beau-frère. Le ministériat de Richelieu les avait réunis en une sourde opposition et il n'est pas certain qu'Anne ait fait reproche au prince de ses exils à l'étranger, fussent-ils prolongés. Et puis il y avait eu l'aventure Cinq-Mars dans laquelle sa participation réelle ou fictive est loin d'être claire et élucidée. Anne était régente et Monsieur avait accepté le fait, se laissant flatter par cette femme intelligente et sensible qui savait si bien être prévenante et lui prodiguer attentions et honneurs. Lorsque Gaston était souffrant, elle lui rendait visite au Luxembourg et restait de longs moments près de lui dans une attitude de bienveillante tendresse.

---

* Voir chapitre 21, « La vie au palais d'Orléans ».
** Actuellement le Palais-Royal.

En fait, Anne dominait son beau-frère, et Madame de Motteville a pu écrire à juste titre « que le roi était devenu son propre fils et la reine sa véritable sœur[2] ». Gaston aimait infiniment ses neveux : Louis et Philippe, que l'iconographie de l'époque représente comme deux solides bambins avec un visage légèrement joufflu qui semble être un détail héréditaire des Bourbons*. Louis, le jeune roi, est l'objet de toutes les attentions de Monsieur. Le prince était attaché au roi mais il savait que le cardinal était son parrain. Peut-être se sentait-il encore plus proche du petit Philippe d'Anjou qu'on qualifiait comme « l'enfant du monde le plus joli ». Formule déjà adoptée pour lui durant son enfance. Éternel adolescent, Gaston découvrait en lui cet aspect enjoué et spirituel qui avait fait son propre caractère et, le 11 mai 1648, il deviendra le parrain officiel de Philippe, « beau comme un ange », lors de son véritable baptême dans la chapelle du Palais-Royal. Les relations de l'oncle et de l'enfant étaient tendres. Gaston avait souffert d'être frère cadet et sans doute voulait-il éviter des ressentiments chez le petit prince. Aussi la familiarité était-elle coutumière et Philippe, dans les mots qu'il écrivait à son oncle, l'appelait tout simplement « Monsieur mon pendard ». Connaissant le comportement de Gaston, on peut penser que son affection n'allait pas sans sautes d'humeur. On a rapporté qu'à l'automne 1647, les deux princes étant malades, Louis de la petite vérole et Philippe de dysenterie, Monsieur n'aurait pas montré beaucoup d'inquiétude et qu'on aurait même bu lors d'un souper en l'honneur de « Gaston premier ». L'événement assez fade ne fit que peu de bruit dans le milieu blasé de la cour.

Gaston avait aussi accepté Mazarin comme principal ministre. L'intimité des deux hommes remontait au temps de son séjour à Blois. Chavigny parlait beaucoup du « signor Giulio » à Gaston et ce dernier lui demandait de le faire venir dans son apanage lorsque cela était possible. Giulio avait séduit le prince qui, nous l'avons noté, était très latin, disons : Médicis, par la souplesse de son esprit et

---

* *Anne d'Autriche et ses enfants*, peinture anonyme, château de Gripsholms (Suède).

son aptitude à démêler les situations les plus inextricables. Surtout, les deux hommes avaient le même goût pour les belles choses, pour les œuvres d'art et l'argent. Gaston était indifférent à la nature des relations de la régente et de son ministre qui résidait dans des appartements du Palais-Royal depuis 1644. Ce n'est qu'avec la Fronde que les pamphlétaires dénonceront insidieusement des relations plus que suspectes dans le couple gouvernemental. On n'a retrouvé aucune trace d'un mariage secret. Quant à une liaison amoureuse profonde, tendre et suivie, si elle a eu lieu, et c'est ce que nous pensons, elle eut au moins le mérite de stabiliser un gouvernement fragile. Lorsqu'un homme a en charge l'éducation d'un futur roi et qu'il passe des journées en tête à tête avec la mère, on conçoit aisément que certaines circonstances ne pouvaient qu'être fatales à certaines faiblesses. Aussi Monsieur n'eut aucune hésitation, lorsque arrivèrent à Paris, bien plus tard, les nièces du cardinal, les brunes et jeunes Italiennes au regard de feu, pour s'exclamer : « Voilà des petites demoiselles qui, présentement, ne sont point riches, mais qui bientôt auront de beaux châteaux, de bonnes rentes, de belles pierreries, de bonne vaisselle d'argent, et peut-être de grandes dignités. » Les « Mazarinettes » étaient acquises au cœur de la reine.

Avec le prince de Condé et son fils, le glorieux duc d'Enghien, vainqueur de Rocroi, les sentiments allaient et venaient au gré des circonstances. Condé était un personnage cabotin, grognon, toujours insatisfait et insupportable. Perpétuellement préoccupé de rang et d'étiquette, il lassait tout le monde. Gaston feignait d'ignorer ses incartades mais appréciait le fils d'Enghien qui avait combattu avec lui dans les Flandres : « Je suis l'homme du monde en qui Monsieur le prince a le plus de créance. Et comme il n'est pas grand politique et que je passe pour l'être davantage que lui, il ne fera rien sans mon conseil et sans me le demander. » Bien entendu, c'était là un jugement sans vrai fondement. Pour des questions de préséance, la Grande Mademoiselle détestait la maison de Condé dont les femmes lui disputaient le rang au cours de certaines cérémonies. Condé n'admettait pas que l'on tînt le conseil des Finances au Luxembourg et que Monsieur eût un secrétaire debout, derrière sa chaise, prêt à obéir au commandement soudain de son maître. Tout cela faisait l'objet de maintes conversations en ville.

Il faut se rendre à l'évidence, la Régence a changé Gaston. Monsieur brimé, Monsieur courroucé, Monsieur révolté, la page était tournée. Monsieur est désormais reconnu et apprécié. Ami de nombreux parlementaires et de « nobles libéraux », selon l'heureuse formule de Jean-Marie Constant, outre son action efficace aux armées, il s'était assigné pour tâche de veiller au fonctionnement d'un gouvernement sans faiblesse, mais sans excès. Ne pas revenir, surtout pas, à la tyrannie de l'ancienne Éminence rouge. Le souvenir de cette époque est ancré en lui d'une manière si indélébile qu'en 1644 il s'exclamait encore en plein Conseil à l'adresse des présents : « Y a-t-il quelqu'un exempt de la violence du cardinal de Richelieu ? » La dispersion de la cabale des Importants, l'arrestation du duc de Beaufort, puis plus tard celle de son ancien fidèle Montrésor (en décembre 1643) s'étaient faites avec son assentiment. Certes, il avait demandé un an plus tard la libération du turbulent blondinet Beaufort dont il avait apprécié le comportement à Corbie en 1636, mais Mazarin avait su toucher la corde sensible en affirmant que l'empressé galant avait froissé la reine par ses assiduités amoureuses au moment même où le roi était mourant. Beaufort devait donc tâter encore pour quelque temps des funestes geôles du donjon de Vincennes afin d'y calmer ses ardeurs. Mazarin veillait sur la mère et le fils...

Peut-on évaluer le rôle politique du lieutenant-général du royaume dans les années précédant la Fronde ? Que restait-il des idées de l'auteur du manifeste de 1631 ? Certes, les temps étaient changés. La réussite d'un homme politique, sa prétention à satisfaire les espoirs mis en lui se mesurent à sa capacité, à son aptitude à s'adapter aux circonstances du moment, en cherchant à entraîner le plus grand nombre dans un projet qui suscite enthousiasme et reconnaissance. Là, bien sûr, la guerre n'autorisait qu'un profil bas, qu'une humilité contraignante, en somme une modestie forcée et bien peu glorieuse. Il n'est pas certain que Monsieur ait accepté toutes les décisions du Conseil sans réticence, il n'y avait pas une véritable « troïka » à la tête du pouvoir. L'Altesse royale était ménagée, écoutée, consultée ; on savait faire appel à sa soudaine sagesse et à son ralliement à une politique qui procédait davantage de la continuité que de l'innovation et qui le heurtait sans doute par moments. Même si Gaston se laissait parfois aller à bousculer en son palais un ministre ou un autre, il faut admettre que le véritable pouvoir se trouvait bien au Palais-Royal. L'image d'un Gaston à l'affût, attendant son heure qui ne pourrait qu'arriver, est celle d'auteurs contemporains. Monsieur veut la réussite de la Régence, il tient à servir la famille royale, sa propre famille, et à présenter à la France un futur roi digne d'Henri le Grand. Peut-être a-t-il alors le pressentiment que le destin allait bientôt le solliciter au-delà de toute attente...

21.

La vie au palais d'Orléans

Après la mort du roi, Monsieur s'installa au palais du Luxembourg, également appelé palais d'Orléans. La magnifique demeure avait été léguée, en 1642, à ses fils par Marie de Médicis. La succession sera réglée le 15 mars 1646, la régente agissant au nom du jeune roi. Le lieutenant-général du royaume possédait alors une habitation digne de lui et y organisa sa maison et sa petite cour. Il y réunissait les membres du conseil de guerre dont il était le chef, y recevait des ministres et donnait de nombreuses et fastueuses réceptions. De temps à autre, on y tenait Conseil, lorsque le prince était saisi par la goutte. Mais, généralement, il se rendait au Palais-Royal pour les affaires politiques et pouvait y rester fort tard pour jouer aux cartes ou discuter avec des nobles ou de hauts personnages du royaume.

La maison de Monsieur au Luxembourg était fort nombreuse. Il y avait le haut personnel civil, le personnel militaire et les menus serviteurs. Parmi les responsables importants, on trouve son chancelier, Jean de Choisy, le trésorier général de la maison, domaines et finances, charge détenue entre autres par Jean Terrat puis Nicolas Pinette, son directeur des commandements Barthélemy Mascrany, fils de financiers. Les officiers de la maison avaient tous une fonction définie. Lorsque le prince avait confiance, il n'aimait pas changer son personnel, que ce soit son premier écuyer, de L'Hospital, comte de Sainte-Mesmes, ou le maître de sa garde-robe, d'Ornano. La maison militaire comprenait, on le sait, des gardes françaises et des gardes suisses et, bien entendu, leurs officiers. Quel que soit leur statut, tous ces gens étaient rétribués par le prince. Pour l'anecdote, on note que le concierge-portier du palais perçoit environ 1 000 livres par an et que le salaire des jardiniers varie selon leurs responsabilités : parterres ou allées*. Si l'on ajoute au domaine politique qui n'était pas mince, avec son cortège d'allées et venues au palais, la gestion des affaires privées et l'organisation de la vie mondaine d'un prince de cette importance, on perçoit le Luxembourg comme une véritable ruche, besogneuse, ouverte et accueillante. Le tempérament humain de Monsieur, sa facilité de communication avec autrui, sa générosité dans la difficulté des temps et surtout ses capacités nouvelles d'agir sur les événements le conduisirent avec la Fronde à ouvrir ses portes, avec facilité, au plus grand nombre.

Dans l'intimité, Monsieur vivait en famille. On l'a vu, Marguerite de Lorraine, « la petite Angélique », épousée secrètement en exil, avait rejoint son séducteur et, depuis leur second mariage en 1643, elle avait acquis une certaine quiétude. Peut-être regrettait-elle de n'avoir pas connu le roi Louis XIII, qu'elle n'eut pas le temps de rencontrer car il était mourant à son arrivée en France. Marguerite n'était plus la jeune fille appétissante et frivole de Nancy. Dix années de doute, de pleurs et de déboires l'avaient profondément marquée. Serait-elle un jour la véritable épouse du frère du roi de France ? Elle avait eu tout le loisir de s'interroger... Ajoutons à cela les perpétuelles difficultés financières inhérentes à sa situation qui la faisait dépendre de l'Espagne, le malaise psychologique qui en découlait, et le vif désir qu'elle avait pour qu'on la juge avec bienveillance. Il y avait aussi eu la protection étouffante de Marie de Médicis, qui appartenait à présent au passé. Tallemant des Réaux est pourtant très dur à son égard. Il reconnaît à propos de Gaston que « la plus belle chose qu'il ayt faitte en sa vie, c'est d'avoir gardé la foy à

* En 1659, les jardiniers du Luxembourg perçoivent au total environ 3 500 livres.

sa seconde femme et n'avoir jamais voulu l'abandonner », mais il ajoute aussitôt : « C'est une pauvre idiote... Quand on les maria à Meudon, après la mort du cardinal, elle pleurait parce qu'elle croyait avoir esté en péché mortel jusque-là. » Et Tallemant de conclure : « Elle est belle, mais elle a les dents gastées et tient la teste entre les épaules. Il est vray qu'elle se redresse en dansant et danse bien[1]. » Madame de Motteville est plus nuancée : « Elle est belle sans l'être, grasse et maigre à la fois, ayant le visage plein, la gorge belle, mais bras et mains fort maigres. » Quant à Retz, il juge qu'elle a « l'esprit vindicatif et assez borné ». Il est probable que Gaston aimait toujours sa femme, à sa manière. Quant à elle, son arrivée la plongeait dans un monde bien différent de celui de la modeste cour de Lorraine. Selon Madame de Motteville, « elle aimait Monsieur, mais ce sentiment n'avait nulle opération en elle que celle de le gronder continuellement et de lui causer beaucoup de chagrin ».

Marguerite était entourée de dames d'honneur dont le choix dépendait en grande partie de son époux, même si elle sut conserver auprès d'elle des gens venus de Lorraine. L'inconstance de Monsieur était bien connue et Marguerite n'avait pas ignoré sa liaison avec la merveilleuse Louison Roger. Ce n'est pas pour cela qu'elle accepta sans rechigner les nouvelles incartades de son mari, car elle était d'une jalousie féroce. Dans ses *Mémoires*, Mademoiselle parle de l'animosité de celle qui était devenue Madame à l'égard de Mesdemoiselles de Saint-Maigrin et de Saujon, qui n'avaient pas laissé insensible son père. Péripéties ? Sans doute, car Monsieur semblait remplir honnêtement ses devoirs conjugaux. Au Luxembourg, Marguerite cherchait à vivre le plus possible auprès de son époux dans une fière indolence. Elle restait au lit une bonne partie de la journée, grignotait sans arrêt et recevait, en déshabillé, ses amis dans sa ruelle. De ses appartements, donnant sur les jardins, la vue qu'elle avait de l'extérieur lui suffisait et, craignant l'agitation de la rue, elle sortait peu. Ses déplacements, en chaise à porteur, étaient pour elle, à chaque fois, un véritable événement. On la voyait peu au Palais-Royal. En réalité, elle ne sut pas profiter du capital de sympathie qu'elle avait suscité à son arrivée. On s'était ému de son sort, de son attente et de ses déboires, mais cela semblait pour elle être du passé. Dans son désintérêt pour les choses politiques, il y avait une exception : les affaires de Lorraine qu'elle suivait de très près. En un mot, elle était restée fidèle à sa patrie et à ses frères qu'elle reçut à diverses reprises au Luxembourg.

Madame, malgré quelques fausses couches, donna naissance à cinq enfants : quatre filles et un garçon. La plupart de ses grossesses lui posaient des problèmes de santé et la contraignaient à rester allongée durant de longues périodes. Marguerite-Louise d'Orléans naquit le 28 juillet 1645*, Élisabeth appelée Mademoiselle d'Alençon le 26 décembre 1646** et Françoise-Madeleine dite Mademoiselle de Valois vit le jour le 13 octobre 1648***. Quant au fils, légèrement difforme car Madame ne l'avait porté « que d'un côté », il disparaîtra en 1652 au bout de deux ans d'existence. La quatrième fille, Mademoiselle de Chartres, née le 9 novembre 1652, mourra le 17 août 1656. Sans avoir le comportement paternel d'Henri IV, Monsieur faisait preuve d'un attachement profond pour ses enfants, veillant sur leur éducation et à leur sécurité au temps de la Fronde. S'il est une personne qui se montre bien plus encombrante, c'est bien la fille de son premier mariage, Anne Marie Louise, la fameuse Mademoiselle, qui deviendra la Grande Mademoiselle après la naissance de ses demi-sœurs. Têtue, immensément riche, elle adorait son père mais n'hésitait pas à le malmener. Son attitude aboutit à des relations difficiles avec sa belle-mère. Logée au Louvre, Mademoiselle voulait se marier, mais, on s'en doute, ce n'était pas la préoccupation première du duc d'Orléans. À cette époque, il est vrai, les mariages princiers étaient précoces et Monsieur, enfant, avait eu la tristesse

---

* Mariée le 19 avril 1661 au grand-duc de Toscane, décédée le 17 septembre 1721.

** Mariée à Louis-Joseph de Lorraine, duc de Guise, le 15 mai 1667 et morte le 17 mars 1726.

*** Mariée en 1663 à Charles-Emmanuel II de Savoie, elle mourra un an plus tard, en 1664.

de voir partir ses sœurs, bien jeunes encore, vers l'Espagne, l'Angleterre et la Savoie. Et la « petite Angélique », épousée en secret, n'avait guère plus de seize ans. Du fait de sa naissance, Mademoiselle est emprisonnée dans un réseau contraignant de contradictions. Une fille de France ne se marie pas sans l'autorisation du roi et son union n'échappe pas aux réalités incontournables des relations internationales. Le problème est compliqué par la personnalité orgueilleuse et volontaire de la princesse. Née pour commander, obligée d'obéir à un père et à un souverain, en l'occurrence, ici, la régente, elle sait mieux que quiconque plier sans rompre, et n'hésite pas à s'opposer résolument à ceux qui veulent la contraindre.

En 1643, Mademoiselle a seize ans. Blonde, plutôt boulotte, son visage ne dénote pas de qualités particulières. Elle n'est point belle et elle le sait[2]. Cela ne l'empêche pas d'être sensible aux attentions que l'on peut avoir à son égard. À la naissance du futur Louis XIV, en 1638, la reine s'était exclamée d'une manière inconséquente : « Vous serez ma belle-fille ! » Cette proposition incongrue avait marqué la fillette de onze ans qui n'hésitait plus à parler de son « petit mari » à propos du nourrisson royal. Quel était le sens de ces billevesées ? Faire rentrer Monsieur dans le rang ? Rendre à la couronne les immenses biens des Montpensier ? Ce n'était sans doute qu'un enfantillage mais Richelieu ne tarda pas à s'inquiéter. Il fit venir la princesse à Rueil, la réprimanda fortement et lui offrit une bonne collation pour la calmer. La leçon fut retenue. À peine adolescente, elle fut l'objet de sollicitations pressantes de Louis de Bourbon, comte de Soissons. Après avoir été éconduit par la mère, le comte voulait épouser la fille. Pour avoir refusé d'épouser Madame de Combalet, la nièce du cardinal, Soissons s'était attiré la haine farouche de ce dernier, et la lui rendait bien. Il avait même trempé dans un complot visant à l'assassiner. Révolté contre son roi, Soissons avait remporté le 6 juillet 1641 une victoire sur les troupes royales au bois de La Marfée, près de Sedan, mais fut tué d'un coup de feu dans lequel, dit-on, Richelieu avait quelque responsabilité. Et Mademoiselle avait libéré sa mélancolie : « Hors la disproportion de mon âge avec le sien, mon mariage avec lui était très faisable. » Funeste année 1641 ! Elle voit la mort d'un autre mari possible, Ferdinand, frère d'Anne d'Autriche, cardinal-Infant d'Espagne, archevêque de Tolède. Tout cardinal et archevêque qu'il était, l'Infant, qui commandait en Flandre les armées espagnoles, n'était pas, bien entendu, un ecclésiastique : simple diacre, donc laïque et libre de se marier. Mademoiselle avait regretté sa mort : « Lorsque je fis réflexion sur mes intérêts, j'en fus très fâchée, parce que c'était l'établissement du monde le plus agréable pour moi, à cause de la beauté du pays... Pour les qualités de la personne, quoique je l'estimasse beaucoup, c'était à quoi je pensais le moins. »

Les choses sont claires : la princesse ne s'intéresse pas aux hommes. Les titres et les biens suffisent à l'impressionner favorablement. Peu lui chaut au demeurant que le prétendant soit en guerre avec la France. Le 6 octobre 1644, Élisabeth de France, sœur de Gaston, femme de Philippe IV d'Espagne, meurt. De nouvelles tractations voient le jour. Pourquoi ne pas marier Mademoiselle avec le veuf ibérique ? Un homme y croit, et ce n'est pas n'importe qui. Il s'agit du pape Innocent X qui veut réconcilier les deux puissances catholiques qu'opposent des guerres incessantes. Des tractations ont lieu mais n'aboutissent pas. Il est fort possible que Monsieur ait été opposé au projet, mais il ne peut empêcher que sa fille, éprise de rêve de grandeur, suive avec un intérêt un peu morbide l'actualité des cours européennes. La voilà fichant les maladies ou les décès des reines et des princesses. Automne 1646, un prétendant sérieux se présente sous les traits du prince de Galles, fils de Charles Ier d'Angleterre... « Il n'avait que seize ou dix-sept ans, il était assez grand pour son âge, la tête belle, les cheveux noirs, le teint brun et passablement agréable de sa personne*. » Le problème est que Charles n'est qu'un prince héritier en exil. Rien ne prouve qu'il règne un jour et l'empressement de sa mère à vouloir le marier a quelque chose de suspect.

---

* Son portrait peint par Philippe de Champaigne ne contredit pas les dires de Mademoiselle.

Le prince fera une cour aussi vaine que malhabile. C'est qu'un autre parti appelle l'attention de Mademoiselle. Marie-Anne, sœur d'Anne d'Autriche, femme de l'empereur Ferdinand, vient de mourir d'apoplexie. Épouser l'empereur ! N'y a-t-il pas là de quoi rêver ? La reine et Mazarin y sont favorables. Monsieur est réticent. « L'empereur est âgé et il vit à l'Espagnole. » Il préférerait une alliance anglaise ou savoyarde. Sa fille ronchonne. Qu'est-ce que cela à côté de la splendeur du rang d'impératrice ? Magnifiquement parée, adulée, dominant un parterre de monarques et de princesses, elle se voit, elle se sent, elle est impératrice ! Elle doit épouser le dévot Ferdinand III de Habsbourg. Alors, elle se consacre à son chatoyant projet, cesse quasiment de s'alimenter, s'abîme dans la dévotion et veut se faire carmélite, en attendant, pour se purifier. Gaston considère avec effarement l'attitude de sa fille et tente de la raisonner. La communication est difficile entre le père et la fille. Monsieur n'en peut plus, il éclate : « C'est Madame de Brienne et ses bigotes qui vous mettent cela en tête, vous ne leur parlerez plus et je prierai la reine de ne plus vous mener avec elle dans les couvents[3]. »

L'empereur lui échappant, un gentilhomme saintongeais, Saujon, qui n'a que « la cape et l'épée », s'entremet pour lui faire épouser l'archiduc Léopold, frère de l'empereur, qui commande en Flandre les troupes opposées aux Français. On parle d'un projet d'enlèvement, de mariage secret. La reine et Monsieur réagissent avec vigueur. Convoquée au Palais-Royal, Mademoiselle se trouve face à un simulacre de tribunal. Anne d'Autriche se livre à un véritable réquisitoire. Le ton est très vif. L'insulte perce sous le propos courtois. À la reine qui l'accuse d'envoyer à l'échafaud Saujon qui l'a servie, Mademoiselle rétorque : « Au moins ce sera le premier*. » Elle ajoute dans ses *Mémoires* : « Comme je n'avais jamais été interrogée, je ne savais pas répondre à ce qu'elle me demandait**. » Mazarin,

---

* Allusion à Cinq-Mars et de Thou.

** Référence à l'interrogatoire d'Anne d'Autriche en 1637 au Val-de-Grâce.

silencieux, rit sous cape. La princesse n'épousera pas l'archiduc, mais l'affaire fit grand bruit. Aussi revint-on au malheureux prince de Galles. Son père Charles Ier est décapité à Whitehall le 9 février 1649. Le voilà donc roi d'Angleterre sans royaume sous le nom de Charles II. La reine d'Angleterre fait pression sur Monsieur, qui avec la Fronde a bien d'autres problèmes à résoudre, pour que l'on négocie un mariage. Le charme de Charles II, son empressement, sa galanterie réussiront-ils, en dépit de ses préventions, à convaincre Mademoiselle ? Elle est si romanesque... Et pourtant ! Ignoré en 1646, éconduit en 1649, Charles II a été définitivement refusé en 1651... Entretemps, la nouvelle impératrice était décédée. Anne d'Autriche semblait prendre les choses en main : « C'est à cette fois qu'il faut faire toutes choses pour que vous le soyez. » Le rêve impérial brille à nouveau de tous ses feux. La princesse va y croire quelque temps, pas assez longtemps pour que l'échec ne soit pas une grande déception. On conçoit aisément que Monsieur commençait à considérer tout cela avec désinvolture...

On sait que Monsieur désirait toujours être entouré et conseillé, mais le climat n'était plus à la compagnie des jeunes nobles écervelés de l'époque de la cour de Blois. Le lieutenant-général du royaume avait désormais des responsabilités qui nécessitaient de la mesure et du suivi dans ses actions. Des amis d'autrefois, quatre personnages pouvaient influer sur Monsieur : Chavigny, Montrésor, Goulas et La Rivière. Dans les faits, pendant la Régence, le personnage le plus influent sera l'abbé La Rivière qui, fidèle de Mazarin et de la régente, agissait dans le bon sens auprès de son maître. La Rivière réussira à évincer ses rivaux, avant d'être lui-même victime de Gondi. Le premier à quitter Monsieur fut Chavigny, que Richelieu avait placé comme chancelier auprès de Gaston. Le jeune secrétaire d'État avait abandonné sa charge au début de la Régence. En mars 1644, il se démit de sa fonction de chancelier de Son Altesse royale. Il ne réapparaîtra qu'en pleine Fronde, lors de l'exil de Mazarin. Montrésor, au tempérament fougueux, se rendit vite compte que son temps était révolu ; il se débarrassera de sa charge de grand veneur. Ses intrigues le conduisirent à l'arrestation. Il est vrai que Mazarin l'appréciait peu. Malgré les interventions de Mademoiselle, Monsieur ne le soutint pas. Quant à Goulas, las de lutter contre la prééminence de La Rivière, il se retirera en 1648, une éviction à laquelle Mazarin n'est certainement pas étranger, frappant en sa personne l'ami de Chavigny.

La Rivière était donc tout-puissant et cela offusquait beaucoup Mademoiselle qui le soupçonnait « de mauvais offices auprès de Monsieur ». La Rivière et Mademoiselle s'aimaient peu. La princesse savait que l'abbé médisait contre son maître : « Je disais librement à Monsieur tout ce que j'apprenais qu'on disait dans le monde et son ministère où je n'apprenais rien à son avantage, parce qu'il était souvent soupçonné de trahir son maître et que personne que moi n'osait le faire remarquer à Son Altesse royale. » Cela ne facilitait pas les relations entre le père et la fille. La Rivière régnait sur l'esprit de Gaston et sur le palais du Luxembourg, ce que Madame regrettait vivement. Compte tenu de ses bonnes relations avec la cour, La Rivière pouvait se targuer de la complaisance de hauts personnages, mais sa suffisance lui attirait aussi beaucoup d'inimitiés, et certains voyaient en lui un vrai parvenu. D'aucuns le qualifiaient d'esprit bas, de poltron, d'ambitieux et surtout d'intéressé. L'abbé voulait devenir cardinal et Monsieur le soutint longtemps dans cette voie. En mai 1648, le Conseil d'En-Haut proposa son nom au Saint-Siège pour qu'il devînt « cardinal à la première promotion qui se fera pour les couronnes ». Mais la conviction était modeste car, visiblement, Mazarin ne souhaitait pas le voir accéder au cardinalat. Cela n'empêchait pas le duc d'Orléans de lui décerner honneurs et prébendes. La Rivière aurait dû savoir que la protection de Monsieur n'était pas éternelle, et pour avoir combattu l'influence naissante de Gondi, il fut contraint de s'exiler sur sa terre de Petit-Bourg*.

Les activités politiques de Monsieur ne l'empêchaient pas de consacrer beaucoup de son temps à ses collections et à

---

* Achetée 240 000 livres avec les dons de Gaston.

son cabinet des livres. Il entretenait des relations suivies avec les savants et les poètes qu'il recevait à demeure*, s'enfermant avec eux de longues heures en tête à tête. S'il dépensait beaucoup d'argent pour ses collections, l'essentiel de ses dépenses avait trait aux frais de sa maison. Ses intendants faisaient rentrer les fonds des diverses composantes de son apanage, mais cela ne suffisait pas, loin s'en faut, à boucler son budget à cette époque. Georges Dethan note qu'en 1648 ses dépenses annuelles s'élevaient à 2 400 000 livres[4]. Il dépensait près d'1 000 000 pour l'entretien des 400 personnes à son service, 400 000 livres pour la nourriture, 60 000 livres pour ses affaires personnelles. La régente lui versait des dons copieux qui se seraient montés à plus de 4 000 000 de livres en huit ans, payés le plus souvent par ordonnances de comptant**. On comprend ces largesses grâce à l'appui du lieutenant-général du royaume à la politique du cardinal et d'Anne d'Autriche. Monsieur n'a pas fait preuve d'une grande originalité politique au cours des années de la Régence, tout au plus ne l'a-t-il pas entravée, et c'est bien, en vérité, ce qu'on lui demandait.

---

* Un chapitre est consacré au prince mécène dans la quatrième partie.

** Le détail des revenus et dépenses de Monsieur après la Fronde est étudié dans la quatrième partie.

22.

Le temps des frondeurs

L'année 1648 ouvre une crise qui va durer près de cinq ans. Elle entraîne dans la tourmente le pouvoir politique et la plupart des groupes sociaux, repliés depuis plusieurs années sur la défense de leurs intérêts lésés par la politique du Conseil. Cette crise pose plusieurs problèmes, et d'abord celui de la conception de la monarchie française. Il existait, en effet, une vieille doctrine appelée « corps mystique », selon laquelle le roi était la tête, et le peuple les membres ou le corps. Le corps n'avait qu'une chose à faire, obéir à la tête. Ainsi, ce que décidait le roi était bon pour l'ensemble du royaume et toute révolte était par là même injustifiée. Dans ses « Mémoires pour l'instruction du Dauphin », Louis XIV écrit, parlant du roi : « La vie de ses sujets est son propre bien... » Il faut donc la ménager, éviter les troubles et les émotions. Roi de droit divin, responsable seulement devant Dieu, le monarque est l'oint du Seigneur, son représentant sur terre et, lors du sacre à Reims, il prête deux serments. Un premier aux évêques de France auxquels il promet de conserver leurs privilèges canoniques, leurs lois, et de les défendre contre toute agression. Puis il prête un deuxième serment « au peuple chrétien de France », qu'il jure de conserver en paix, d'empêcher toutes les iniquités qui pourraient s'exercer dans les différents états et les différents ordres du royaume et de garder la miséricorde et l'équité dans toutes les décisions de justice.

Certes, c'est là de la théorie, mais elle fut reprise par plusieurs auteurs, au XVIIe siècle.

Le second point soulevé par la Fronde est le sérieux de cette révolte dont le nom même évoque un jeu d'enfants ; ensuite, dans le fatras d'événements, de discours, de divisions, de rébellions et de soumissions, une action têtue apparaît en filigrane, celle d'un chef d'orchestre : Jules Mazarin. L'homme fait preuve d'une grande finesse, mais sa réussite n'échappe pas à la double question : quelle est la part de son action sur les événements ? Quelle influence ces derniers ont-ils eu sur ses décisions ? Mazarin n'avait pas, face aux événements, une attitude définitive, mais il suivait son idée, adaptant les moyens aux circonstances. Il s'agissait pour lui, dans une démarche très lente, de ramener chaque groupe au dialogue avec le Conseil, quitte à l'abandonner aussitôt. N'oublions pas que nous sommes dans une société de fidélités, celle décrite par le théoricien Loyseau et largement développée par Roland Mousnier dans ses travaux. Les gens du Conseil et les grands, dont Gaston, possédaient des clientèles au parlement, dans les cours souveraines et chez les particuliers. Celles-ci jouaient un rôle important au gré des événements. Mazarin avait constitué des liens importants avec ceux qu'il appelait « ses amis ». Beaucoup de financiers et leurs enfants entrés dans les cours souveraines étaient fidèles au surintendant Particelli d'Emery*. Le duc d'Orléans et le prince de Condé agiront de même. Condé n'avait pas pardonné à Mazarin l'éviction, en 1643, de son père, chef du Conseil, d'après le testament de Louis XIII, cassé par le parlement. Pour le perdre, Mazarin lui reprochait ses prêts à la monarchie. Condé rétorquait que si sa mère et lui-même avaient fait de gros prêts, c'était pour le service du roi et les nécessités de la monarchie. Bien entendu, Gaston d'Orléans bénéficiait lui aussi de ces attachements. L'un des groupes les plus influents du parlement, celui du conseiller Coulon, gendre de feu Nicolas Cornuel, richissime intendant des

* En juillet 1647, Particelli était devenu surintendant des Finances de France, laissant son poste de contrôleur général à son beau-frère Le Camus.

Finances, et ses cinquante « Frondeurs » l'assuraient de leur sympathie. Le chancelier Séguier, de son côté, avait reçu trop de serments pour ne pas avoir ses partisans un peu partout. Ajoutons à la liste le prince de Conti, le duc de Longueville, beau-frère de Condé, le cardinal de Retz et bien d'autres.

Tous ces personnages provoquaient avec leurs fidèles des actions, des manifestations, des discours, des votes. Il faut bannir l'idée d'un parlement frondeur uni contre la monarchie, la reine et Mazarin. Il a été le théâtre d'une énorme comédie, l'instrument de clans qui constituaient ou défaisaient des alliances au gré des circonstances. Comment en est-on arrivé là ?

Incontestablement, la poursuite de la guerre, qui coûtait fort cher, en est la principale responsable. On a vu que Gaston d'Orléans comme lieutenant-général du royaume avait été averti à diverses reprises par la population du point extrême atteint dans les ponctions financières. Le pays était exangue. Pour trouver de l'argent frais, Particelli d'Emery s'était replié sur les gens solvables. Ce fut d'abord un repli sur les cours souveraines avec la création de parlements semestres* à Rouen (1643), puis en Provence, le 12 octobre 1647. Si les parlementaires n'étaient plus en charge que six mois, leurs gages étaient aussi réduits de moitié. Ensuite, on retrancha les gages sur les possesseurs d'offices d'un quartier et demi. Enfin on s'attaqua aux gens du Conseil. En août 1646, trente avocats avaient été nommés au Conseil, ce qui diminuait la valeur de la charge de ceux déjà en place. En janvier 1648, c'est la nomination de douze maîtres des requêtes et de nouveaux secrétaires du roi. Ces nouveaux offices rapportaient des fonds mais provoquaient des mécontentements dans ces corps. En même temps, une lutte larvée voyait le jour au Conseil entre gens de finances et gens de justice. L'idée de Particelli d'Emery était de disposer totalement des fonds et « ce faisant se rendre si puissant dans les finances qu'il puisse subsister quand mesme le cardinal viendrait à manquer[1] ». En juillet 1647, il agit au Conseil d'État et des Finances.

* Ainsi nommés parce qu'ils siégeraient six mois pendant l'année.

Dorénavant, les affaires de finances extraordinaires seront réglées hors de ce Conseil, dans « la petite direction » des Finances. Si l'on considère que les revenus extraordinaires étaient devenus les finances du pays, nous voyons l'importance de l'enjeu. En réalité, il souhaite « oster aux maîtres des requêtes les affaires de finances, et retrancher le grand nombre de conseillers d'État ». Les prêts, les traités et autres affaires financières disparaissent des sources de la série E des Archives nationales. Pendant un an, jusqu'à la Fronde, les registres du Conseil d'État et des Finances nous le montrent comme « un conseil des parties », traitant des affaires de justice. Ce n'est plus que rapports de conseillers d'État et maîtres des requêtes, concernant des conflits, des requêtes au Conseil, des justifications. Le jeu en valait la chandelle. Qui mettra la main sur cet embryon de conseil des parties ? Maîtres des requêtes et conseillers d'État entament une course de vitesse. Il semble que Mazarin, Particelli et sans doute Gaston, au courant des événements, aient opté pour les maîtres des requêtes et qu'ils aient désiré compléter ce corps pour le rendre plus efficient par la création de nouveaux maîtres début 1648. Mais ce fut la goutte qui fit déborder le vase. Ce n'est qu'à la fin de l'année, en décembre, que les maîtres des requêtes obtinrent satisfaction de la reine après une lutte d'une année. Ils remerciaient la souveraine « de la grâce qu'ils recevaient en ce qu'il était défendu aux conseillers d'État sinon ceux qui étaient vétérans, maîtres des requêtes, ou président au mortier, de rapporter au conseil des parties, et aux intendants des Finances de rapporter au conseil des Finances, des affaires des particuliers[2] ». En évinçant les conseillers d'État et les intendants des Finances du conseil des parties, les maîtres des requêtes obtenaient une grande victoire, mais ils dressaient contre eux le Parlement de Paris qui voyait là un danger.

Afin de bien saisir la marche des événements, il convient de revenir sur la première moitié de l'année 1648. Le mécontentement des officiers était si fort qu'ils entraînèrent les cours souveraines dans la contestation : la Chambre des comptes, la Cour des aides et le Grand Conseil. Elles tinrent des assemblées avec le parlement en la chambre Saint-Louis du palais de justice. C'est l'arrêt d'union du 13 mai. En juillet 1648, le parlement travailla à un texte qui voulait imposer tout un programme de réformes* : suppression des intendants, vote des impôts pour les cours souveraines, interdiction d'emprisonner une personne plus de vingt-quatre heures sans la faire comparaître devant son juge naturel, rétablissement de l'ordre dans les finances. C'était placer la monarchie sous le contrôle des officiers et le parlement s'attribuait un rôle qui n'était pas le sien. Déjà au carrefour des ruelles, on pouvait entendre la chanson qui faisait florès auprès des foules en attente de jours meilleurs :

« Un vent de Fronde
S'est levé ce matin
Je crois qu'il gronde
Contre le Mazarin
Un vent de Fronde
S'est levé ce matin. »

La reine et le Conseil durent s'incliner mais il existait beaucoup de ressentiment à l'intérieur même du Conseil, surtout entre Mazarin et Particelli d'Emery. À la fin de 1647 et dans le premier semestre de 1648, les rapports entre les deux hommes s'étaient gâtés, aboutissant au renvoi du surintendant des Finances le 10 juillet 1648. Les divergences apparues entre les deux hommes étaient telles que l'un des deux devait disparaître de la scène politique. Deux hypothèses se présentent. Selon la première, Particelli qui a pris la direction complète des Finances a provoqué des tiraillements dans divers corps composant le Conseil et porté au maximum la dette de l'État. Il sait que le pays, malgré tous les prodiges financiers, ne peut tenir longtemps, puisque, en 1648, les fonds de 1649, 1650 et 1651 sont presque tous consommés. Au printemps 1648, soulignent plusieurs contemporains, il aurait tenté de contraindre Mazarin à signer la paix, négociée depuis trop longtemps. Pour cela, il aurait « essayé de le perdre » en

* Il s'agit de la déclaration des vingt-sept articles.

créant des mouvements au parlement[3] dans lequel, selon Omer Talon, il désirait devenir conseiller honoraire. La paix revenue, on aurait pu amortir les dettes et éviter la banqueroute que Particelli redoutait comme principal défenseur des financiers. Attaqué, Mazarin, qui voulait avoir les coudées franches pour la paix, aurait sacrifié Particelli à la vindicte publique et en aurait profité pour faire la banqueroute[4]. Dans la seconde hypothèse, Mazarin aurait fait la banqueroute pour perdre d'Emery et rétablir son crédit personnel avec ses propres financiers. Nous aurions alors une lutte de clans. Particelli d'Emery renvoyé, est remplacé le lendemain par le maréchal de La Meilleraye. Le 18 juillet 1648, en séance du Conseil d'État et des Finances, « Sa Majesté estant en son Conseil, la reyne régente sa mère présente », et bien entendu Gaston d'Orléans, un arrêt est rendu reconnaissant la banqueroute. Le motif qui a conduit à la décision est l'impossibilité pour le roi « de fournir aux dépenses de guerre et autres, nécessaires à la conservation de son État en laissant subsister les prêts[5] ». L'arrêt reconnaît que les prêts portent sur les fermes, les recettes générales (généralités), le taillon, les bois et autres deniers pour 1648 et les années suivantes. Tous les prêts sont révoqués et les sommes déjà avancées seront remboursées, intérêts compris. Aussitôt s'ouvre un débat au Parlement de Paris concernant ces remboursements. Les magistrats en discutent le jeudi 23 juillet et le vendredi 24. On envisage de rembourser dans vingt ans, en 1668, ou de fournir d'autres assignations, comme des rentes sur le roi. Le véritable problème est que les financiers, assaillis par leurs créanciers, se retournent vers le Conseil et demandent des délais pour les rembourser, ce qui leur est accordé. Le Conseil, en ce mois de juillet 1648, ne peut renverser d'un trait de plume une situation qui perdure depuis plus de quinze ans.

Le règlement des questions financières n'empêchait pas que le Conseil cherchât parallèlement à négocier avec les représentants de la chambre Saint-Louis. Comme lieutenant-général du royaume, et il faut bien le dire, compte tenu de ses bonnes relations avec le parlement, Gaston fut chargé d'ouvrir les négociations. Elles se déroulèrent chez lui, au palais du Luxembourg, à partir du 21 juin. Monsieur expliqua la situation à ses interlocuteurs. Certes, la reine avait conscience des difficultés du temps mais il n'était guère possible de réduire les impôts avant la signature de la paix qui était sur le point d'aboutir. Le parlement devait se montrer responsable et ne pas prendre de décisions contraires aux intérêts du royaume. Gaston cherchait à faire prévaloir une politique d'apaisement, multipliant les rencontres et les discussions. On aboutit à la déclaration royale du 23 juillet qui limitait le pouvoir monarchique. Anne d'Autriche et le cardinal semblaient reconnaître que ces concessions au parlement résultaient des négociations de Monsieur et ils craignaient que, en négociant, son Altesse royale « ne se fortifiât au parlement où il avait acquis grande réputation [6] ».

Au moment même où Gaston était en passe d'obtenir des résultats concrets, la reine et Mazarin s'entretenaient avec Condé, sans doute pour contrebalancer l'influence du négociateur. Ce fut une erreur. Le 25 août, le Conseil d'En-Haut comprenant la régente, Monsieur, Mazarin, Séguier et Chavigny, décrète l'arrestation des principaux meneurs du parlement. Le 26 août, à la sortie du *Te Deum* solennel à Notre-Dame pour la victoire de Lens, la reine fait arrêter deux parlementaires : le vieux Broussel, personnage très populaire pour sa simplicité, et Blancmesnil. Un troisième, Charton, s'est enfui. Cette fois, c'en est trop, et Paris se couvre de barricades. Le Palais-Royal est cerné. Le lendemain, la fièvre continue. À l'aube, le chancelier Séguier quitte son hôtel de la rue de Grenelle et se rend au Palais* pour interdire qu'on y siège. Près de la rue Saint-Honoré, une chaîne barre la rue, tendue en cet endroit par des bourgeois qui refusent le passage. On fait demi-tour pour gagner le Pont-Neuf : autre chaîne. Quai des Augustins, même scène. Séguier sort de son carrosse. Immédiatement, le voilà entouré, pressé, bousculé par les émeutiers. Des pierres volent dans sa direction. Il lui faudra l'aide des archers pour se réfugier dans l'hôtel du duc de Luynes.

* Il s'agit du palais de Justice où siège le parlement.

Le parlement continue de siéger. De ses délibérations souvent tumultueuses, allait sortir une importante décision : on irait en grand cortège exiger de la régente la libération du président de Blancmesnil et celle de Pierre Broussel. Anne d'Autriche dut céder, la mort dans l'âme. On libéra, effectivement, les deux prisonniers. En échange, le parlement devait donner l'ordre d'ôter toutes les barricades des rues de Paris. Ce qui fut fait. Le peuple reconnaissait, par ce geste, la suprême autorité du parlement au détriment du gouvernement de la régente. Mademoiselle qui était alors au Palais-Royal note dans ses *Mémoires* : « Dès lors ils commencèrent à affronter Monsieur le cardinal... Ce fut là l'origine des troubles qui ont suivi et où l'autorité du roi a commencé à être attaquée. » La fille de Monsieur venait, malgré son peu d'expérience politique, de comprendre que la Régence avait commis une faute. D'autres surent saisir la balle au bond et envenimer l'atmosphère avec art. Parmi eux, Paul de Gondi, le futur cardinal de Retz. « Petit homme noir, myope, maladroit, aux jambes tordues », selon la duchesse de Nemours, ayant le génie de l'intrigue, la passion du désordre et « vingt ans de guerres civiles dans le ventre » ; prêtre qui sait « mêler aux Saintes Huiles de la poudre à canon », ajoute le président Molé. Il aime, en effet, le désordre et sait mieux que quiconque en rendre compte : « Le mal s'aigrit, écrit Gondi, Paris se sentit, il poussa des soupirs. L'on n'en fit point cas, il tomba en frénésie. » N'est-ce pas lui qui relate ainsi l'étrange négociation entre le parlement et Anne d'Autriche : « Le cardinal faisait l'assuré et il ne l'était pas autant qu'il le paraissait. Il y eut quelques moments où la reine contrefit la douce : elle ne fut jamais plus aigre. Monsieur de Longueville témoignait de la tristesse mais il était dans une joie sensible... le maréchal de Villeroy faisait le gai, pour faire sa cour aux ministres ; et il m'avouait en particulier, les larmes aux yeux, que l'État était sur le bord du précipice... » Nul n'échappe au regard cynique du coadjuteur. Pas même Gaston d'Orléans : « Monsieur d'Orléans faisait l'empressé et le passionné en parlant à la reine, je ne l'ai jamais vu siffler pourtant avec plus d'insolence qu'il siffla une demi-heure après. »

L'ordre pour un temps rétabli, la cour quitta Paris le 13 septembre et se rendit à Rueil. Monsieur, resté à Paris avec Condé, « maîtres pour lors de la décision des affaires, le pouvoir des ministres étant éclipsé, consentirent facilement que l'on mit toutes les propositions de la chambre Saint-Louis en délibération ». On reprit le canevas élaboré avant les barricades et on le compléta. Le tout aboutit à la déclaration royale enregistrée au parlement le 24 octobre 1648. Il s'agissait ni plus ni moins que de l'établissement d'une véritable charte institutionnelle. Au vrai, la monarchie, qui venait d'apprendre le même jour « l'heureuse conclusion de la paix » à Munster et Osnabrück avec l'Empire, gagnait du temps, mais beaucoup de gens à la cour commençaient à s'interroger sur le sens de ces concessions. La Grande Mademoiselle ne manque pas de clairvoyance à l'égard de cet acte le plus conséquent du Parlement de Paris durant cette époque trouble. Cette « déclaration » présentée par beaucoup comme infiniment utile pour le bien de l'État et le « repos public » n'était, d'après elle, pas conforme à l'autorité du roi, étant obtenue par la force et seulement propre à apaiser les troubles. Un concept de gouvernement nouveau qui sied mal quand on est née « d'une qualité si peu propre à approuver ce genre de chose », et intimement convaincue de ce que « l'autorité d'un seul tient tant de la divinité que l'on devrait avec joie et respect s'y soumettre par son propre choix ». Qui songerait que, quelques mois plus tard, cette belle héroïne, farouchement acquise au principe de la monarchie de droit divin, allait faire donner du canon sur les troupes royales ? Son père, Monsieur, qui avait contribué avec Condé aux négociations, montrait plus de souplesse. Mais comme d'habitude, l'esprit de cour, nocif, vindicatif et mesquin faillit l'emporter lorsque la reine, inquiète de l'alliance des deux princes, voulut une fois de plus les opposer par personnes interposées. Le motif fut le chapeau de cardinal brigué à la fois par Conti, frère de Condé, et La Rivière, le vieux complice de Monsieur. Gaston prit très mal l'affaire, d'autant que l'arrestation de Chavigny, de Beaufort et Goulas, suspectés de connivence avec les parlementaires révoltés, l'inquiétait au plus haut point. Mais Beaufort s'évada de Vincennes et la reine, lâchant du lest devant la bouderie de son beau-frère, libéra Chavigny, rappela Châteauneuf, accorda sa grâce à Beaufort et fit entrer La Rivière au Conseil d'En-Haut avec le titre de ministre d'État.

La cour avait regagné Paris le 31 octobre mais l'intention de la régente et de son ministre était de fuir la capitale, de faire assiéger la ville par Condé et d'y rétablir l'ordre au plus vite. Déjà des troupes patrouillaient en Île-de-France. La fuite de Paris devait bien entendu avoir l'assentiment de Monsieur, il n'était pas possible, en effet, de le laisser au milieu des Parisiens attaqués par Condé. Alité au Luxembourg, victime d'une crise de goutte, Monsieur fut soumis à une pression aimable mais soutenue de la reine qui vint le voir avec les enfants royaux. Son Altesse royale était indécise. Certes, elle voulait faire le maximum pour la monarchie et la sauvegarde de l'État, mais elle hésitait à abandonner le parlement avec lequel il y avait eu tant de négociations. De plus, Monsieur craignait une répression terrible de Condé mettant Paris à feu et à sang. Afin d'éviter le massacre, il accepta, contraint, le départ pour Saint-Germain. Il est vrai que, depuis octobre, la situation ne s'était guère arrangée. Les esprits se sont aigris. Le parlement témoigne d'une animosité hargneuse à l'encontre de la régente. Le peuple, avec irrévérence, critique tout à présent, tandis qu'ouvertement, du haut de sa chaire, Paul de Gondi engage à la désobéissance, traitant le cardinal de « Juif le plus convaincu de l'Europe ». Grivoiseries burlesques et scatologiques, les Mazarinades savent aussi, sur les murs de la capitale, entretenir un climat de nervosité et de révolte. Mazarin devient un « Sicilien de très sordide naissance », « naturel sujet du roi d'Espagne » et oppresseur de « l'esprit et du Conseil de la reine au grand scandale de tous les Grands, de toute la Maison royale, et de toute la France ». Calomnies, agitation, bruits incontrôlables, l'air de Paris devient malsain, irrespirable. Alors, dans cette nuit du 5 au 6 janvier 1649, alors que l'on vient la veille de fêter les rois, on décide de fuir. On réveille le jeune roi et son frère, le duc d'Anjou. On les achemine vers l'escalier dérobé donnant sur les jardins du Palais-Royal et là-bas, par-delà les bosquets saupoudrés de givre, vers la petite porte devant laquelle sont rangés les équipages. Angoisse, peur, regards inquiets, un Louis XIV les paupières lourdes encore de sommeil et saisi par le froid...

Au Luxembourg, ce ne fut pas une surprise. Deux jours auparavant, « la reine alla tenir conseil chez lui [Gaston], ce fut là que la dernière résolution de ce voyage se prit... l'on trouva que la nuit du jour des rois était propre pour ce dessein[7] ». Le soir du départ, Mademoiselle qui soupe chez son père est indirectement informée. Monsieur est debout vers trois heures. Soutenu par des gens de la suite, il est conduit jusqu'à une chaise à porteurs qui l'emmène à la porte de Conférence au bout du jardin des Tuileries où il est rejoint bientôt par la reine, les enfants royaux, Mazarin, Mademoiselle et quelques autres. Par le Cours-la-Reine, on se dirige vers Saint-Germain-en Laye[8]. Un Saint-Germain où les deux châteaux, le neuf et l'ancien, sont vidés comme chaque année de leurs meubles, de leurs tapisseries, de leur vaisselle, et où l'on va camper car, dans Paris survolté à l'annonce du départ, on empêche les cochers transportant « le bagage du roy » de quitter le Palais-Royal, on pille même des chariots. Le parlement, resté seul maître à bord, ordonne au prévôt des marchands de ravitailler la capitale. Les bourgeois, quant à eux, devront veiller à la sûreté de la ville : chaque porte cochère fournira un homme et un cheval. Le coadjuteur de Gondi lève à ses frais un régiment de cavalerie appelé « régiment de Corinthe* ». En tout, cent mille bourgeois armés pour défendre Paris qui commençait à prendre goût à la liberté. Le 7 janvier, de Saint-Germain, Anne d'Autriche ordonne la dispersion des cours souveraines : le parlement, à Montargis, la Chambre des comptes à Tours, la Cour des aides à Poitiers et le Grand Conseil à Nantes. Aucune n'obéit... En guise de réponse, le 8 janvier, le parlement publie un arrêt déclarant le cardinal Mazarin perturbateur du repos public, « ennemi du roy et de son Estat ». Il lui demande sous huitaine de quitter le royaume, sinon « enjoint à tous

* Gondi était archevêque de Corinthe.

les subjects du roy de lui courre sus ». C'est le début du cri de ralliement « Au Mazarin ! », contre le cardinal ministre.

Paris s'attendait à être attaqué puisque Gaston lui-même, son interlocuteur privilégié, était à Saint-Germain avec la famille royale. Certes, il restait des princes auprès du parlement. D'abord Conti, le frère de Condé, personnage contrefait, difforme, empêtré dans de violents sentiments d'amour pour sa propre sœur, la duchesse de Longueville, maîtresse du futur La Rochefoucauld dont elle était enceinte. La duchesse prétexta de son état pour rester dans la capitale. Conti avait été promu généralissime des armées de la Fronde. Autour de lui, Retz cimenta « les généraux de Paris » : le duc d'Elbeuf, le duc de Beaufort (le fameux « roi des Halles »), le duc de Bouillon, son frère Turenne, le maréchal de La Motte-Houdancourt, La Trémouille, marquis de Noirmoutier et bien d'autres grands. La Rochefoucauld qui n'est encore que prince de Marcillac s'engage sans conviction pour les beaux yeux de sa maîtresse, également par rancœur à l'égard de la reine qui lui a toujours refusé le gouvernement du Havre, tout comme à son épouse le « tabouret », privilège attribué normalement aux princesses et aux duchesses. Alors que l'on prépare le siège d'une manière romanesque, la duchesse de Longueville accouche à l'Hôtel de Ville d'un gros garçon prénommé aussitôt Charles-Paris. À Saint-Germain, la stratégie est mise au point. Il s'agit de bloquer les entrées routières et fluviales de la capitale. Monsieur est responsable en chef des troupes qui sont placées militairement sous les ordres de Conti : environ huit à dix mille hommes. On perçoit déjà le rôle que Gaston entend jouer et que résume parfaitement un pamphlétaire lorsqu'il écrit que « demeurant en puissance de s'entremettre de la paix quand il lui plaira... charge M. le prince de toute la haine et de toute la malédiction de cette guerre ».

Le choc principal a lieu à Charenton, le 8 février 1649. Gaston assiste, par un froid glacial, à la débandade des troupes frondeuses et doit calmer Condé qui, avec hargne, fait jeter dans la Seine des prisonniers nus et vivants et a ordonné que l'on brûle Charenton après l'avoir pillée. Paris souffrait de l'insuffisance des vivres et comptait sur

Gaston pour qu'il intervînt auprès de la reine. Parfois c'était un véritable appel au secours qu'on lui adressait sous forme de libelle, ainsi celui-ci :

« Gaston, Gaston réveille-toi
Entends mes cris, assiste-moi [la France] ! »

Il fallut au lieutenant-général du royaume plusieurs semaines pour convaincre la reine de la nécessité d'un « accommodement » avec le parlement. Les négociations sont amorcées à Rueil dès le 4 mars. Côté parlement, on trouve Molé, Talon et de Mesmes représentant la majorité du parlement ; en face d'eux, le ministre Michel Le Tellier... Elles sont supervisées par le duc d'Orléans et aboutissent, le 1er avril 1649, à la paix de Saint-Germain. Cette paix maintenait la déclaration d'octobre et empêchait toute poursuite à l'égard des parlementaires ; ces derniers acceptaient, de leur côté, de suspendre leurs services jusqu'à la fin de l'année. Monsieur avait été le médiateur de cet « accommodement de cœur qui ensevelit dans un oubli perpétuel toutes les aigreurs passées ». Mais il n'est pas au bout de ses peines car il faut maintenant traquer la presse pamphlétaire clandestine qui continue à pulluler. La police du Châtelet a si fort à faire que Gaston demande le 5 juillet à l'Hôtel de ville de faire appel aux responsables de quartiers, les quartiniers, pour venir à bout des pamphlétaires. Certains libelles et pamphlets mettant en cause la reine et Mazarin étaient par leur aspect pornographique et outrancier difficilement supportables, ainsi celui imprimé par Claude Morlot et intitulé « la custode du lit de la reine * ». Les deux premiers vers donnent le ton et n'invitent pas à s'étendre davantage :

« Peuples, n'en doutez plus, il est vrai qu'il la fout [baise]
Et que c'est par ce trou que Jules nous canarde. »

Le 17 juillet, le manuscrit est saisi chez l'imprimeur. Morlot, malgré ses soixante-dix ans, est condamné par le

* Libelle de sept pages tout à fait ordurier. La custode est un rideau. L'auteur fut peut-être le baron Blot, un ami de Monsieur.

Châtelet de Paris à être étranglé et pendu place de Grève, mais la foule ameutée le libère et il peut s'enfuir. La cour qui, après la paix de Rueil, s'était établie à Compiègne et déplacée en Picardie, rentre à Paris le 18 août venant d'Amiens. Curieux retournement du peuple. Le siège de Paris semble loin. Il acclame, hurle sa joie. Mazarin n'en revient pas ; on lui tend les mains, on sourit avec gentillesse à son passage et son nom est prononcé avec ferveur puisqu'il ramène le petit roi. On aime l'enfant Louis et les fêtes que l'on donne en son honneur sont à la mesure des sentiments de réelle adoration qu'on éprouve pour lui. Vêtu d'or, il sait se présenter. Il a les gestes qu'il faut, le tact qui convient. Au grand bal de l'Hôtel de Ville, il conduit sa cousine Mademoiselle, et dans la première « courante* » avec tant de grâce et de mignardise « qu'on les eût pris pour l'Amour dansant avec l'une des Grâces[9] ». Luxe des toilettes bourgeoises sous les feux des chandelles, diamants rivalisant de taille et de pureté avec ceux des duchesses. Anne d'Autriche sourcille ; la monarchie doit compter avec une bourgeoisie rendue puissante par les récents événements, arrogante et rivale. Et, comme un malheur n'arrive jamais seul, dit-on, certains princes s'apprêtent à leur tour à s'imposer. Le vainqueur de Rocroi, héros de Gravelines, Lens et Dunkerque, celui qui a si bien su mettre un terme récemment aux fantaisies incongrues de la canaille parisienne, exige aujourd'hui d'être « à l'honneur ». Le trône lui doit bien cela : n'a-t-il pas, en effet, par ses talents de capitaine sauvé la couronne ? Monsieur le prince de Condé ne va pas tarder à faire parler de lui.

---

* Danse de l'époque.

23.

Le médiateur

La paix de Rueil apporta environ huit mois d'accalmie que beaucoup essayèrent de mettre à profit pour se renforcer. Cette période fut marquée par l'éclatement au grand jour de l'opposition inévitable entre Mazarin et le prince de Condé. Mais il ne faut pas négliger l'attitude belliqueuse de Gondi à la tête des frondeurs parisiens et celle du turbulent Beaufort. Au Luxembourg, Monsieur observait la situation. Sa fidélité à l'égard du roi et de la régente était totale, mais toutes ces intrigues ne laissaient pas indifférent le lieutenant-général du royaume.

Certains observateurs, tel Guy Patin, n'hésitaient pas à dire que le camp qui « aura le duc d'Orléans de son côté sera le plus fort ». Aussi, Condé ne manquait-il pas de flatter La Rivière pour satisfaire son maître. De son côté, Mazarin conseillait à la reine « de faire de grandes caresses à Son Altesse royale ». Que pense Monsieur ? La réponse pourrait se résumer en trois points. Mazarin ? Dans l'immédiat, on ne peut que le garder. Gondi ? C'est un intrigant à la tête de la Fronde parisienne qui aspire à devenir cardinal et sans doute à remplacer Mazarin. L'homme est dangereux, car il peut manipuler les Parisiens comme il veut par l'intermédiaire des curés des paroisses. Condé ? C'est un homme d'armes exceptionnel, prince du sang et respectable bien qu'il ait eu avec lui des désaccords importants dans lesquels la jalousie réciproque n'est pas absente. De plus, il faut faire attention, car Monsieur le Prince possède dans l'armée et les provinces une clientèle importante prête à le suivre dans ses incartades. Et puis il y a la sédition de Bordeaux. La révolte s'étale après l'interdiction du parlement. Mais les parlementaires en rupture avec le gouverneur d'Épernon refusent d'obéir et la population leur apporte un soutien fort approprié[1]. D'Épernon est contraint de quitter la ville. La guerre civile durera jusqu'en décembre. En Normandie, le duc de Longueville vise lui aussi à abaisser le parlement. C'est de la cour que viendront les premières escarmouches. Ce fut d'abord l'affaire Jarzé.

Gentilhomme assez turbulent de la suite de Condé, le falot marquis de Jarzé, après une tentative infructueuse auprès de Mademoiselle de Saint-Mesgrin*, s'était tout bonnement entiché de la reine et s'était mis à lui faire une cour assidue avec l'aval de son maître. Bien entendu, la reine le chassa de son cercle après l'avoir, avouons-le, quelque peu humilié. Mais Condé obligea la reine à le recevoir à nouveau, ce qui ne fut pas de gaieté de cœur. Le second fait fut le projet de mariage manigancé dès avril 1649 de Laure Mancini, nièce du cardinal, avec Louis de Bourbon, duc de Mercœur, fils aîné du duc de Vendôme et frère de Beaufort**. L'initiative ne venait pas du cardinal mais de Vendôme qui, tenu à l'écart depuis la cabale des Importants, cherchait à rentrer en grâce. Ce projet était, pour Mazarin, pétri d'avantages. Sa nièce épousait un petit-fils du Vert Galant, les Vendôme qui étaient un clan puissant ne manqueraient pas de le soutenir dans son cheminement entre Condé et Gaston d'Orléans. Condé est profondément choqué et part bouder dans son gouvernement de Bourgogne. Le 22 mai 1649, la nouvelle est publique et les pamphlétaires attisés par Beaufort s'en donnent à cœur joie.

> « Vos nièces, trois singes ragots
> Qu'on vit naître de la besace
> Plus méchantes que des vieux cagots
> Et plus baveuses qu'escargots
> Prétendaient ici quelque place[2]. »

---

* La même Saint-Mesgrin aimée de Gaston.

** Beaufort ne voulait pas entendre parler de ce mariage.

La malheureuse Laure, âgée de treize ans, que l'on veut marier à un homme qui en a trente-sept, subit la haine des libellistes à l'égard de son oncle ; ils vont jusqu'à écrire qu'il est le père de toutes ses nièces. Pauvre Giulio ! Déjà catalogué de sodomite, le voilà affublé désormais du qualificatif peu envié d'incestueux récidiviste. Début juin, les deux familles parviennent à un accord sur les clauses du contrat de mariage. Le marié deviendra vice-roi de Catalogne, une province occupée par les troupes depuis plusieurs années. Son père, Vendôme, obtiendra l'Amirauté, qui ira à Beaufort en survivance. Les fiançailles sont prévues pour le 19 septembre. Mais, dès le 14 août, à son retour à Paris, Condé refuse de signer le contrat de mariage*. C'est la rupture entre Mazarin et Monsieur le prince. Par l'intermédiaire de La Rivière, Gaston intervient, et le 17 septembre, le « petit abbé » qui voulait toujours être cardinal obtint un premier accommodement qui fut concrétisé le 2 octobre. En échange du mariage, Condé fut assuré qu'à l'avenir Mazarin ne serait plus autorisé à marier son neveu et ses nièces sans l'aval du prince, et qu'en plus il devrait prendre son avis pour toutes les nominations importantes dans l'État et pour décider des grandes affaires du royaume. Incontestablement, les Vendôme avaient lâché du lest. Pendant qu'à la cour on crie, on s'indigne, on tempête pour l'affaire des tabourets de la reine**, Condé projette de faire juger par le parlement les principaux frondeurs. La situation en cet automne 1649 est critique. Les caisses du Trésor sont vides. Le surintendant des Finances, le maréchal de La Meilleraye, est tout à fait incapable de faire rentrer les fonds de l'année qui, on le sait, avaient déjà été consommés par anticipation. Mazarin se résout à rappeler Particelli d'Emery qui reprend ses fonctions le 9 novembre, secondé par le comte d'Avaux, l'un des négociateurs du traité de Westphalie. Au

* Il en était autorisé en tant que prince du sang.

** Anne d'Autriche avait accordé l'autorisation de s'asseoir en sa présence à la princesse de Marcillac et à Madame de Pons, honneur accordé aux princesses (famille royale) et duchesses, ce qui avait provoqué une violente réaction de certaines candidates.

mois de décembre, Mazarin et la régente ont probablement arrêté le projet de mettre Condé hors d'état de nuire plus longtemps. Ils sont aidés par les anciens frondeurs en passe d'être jugés. Le rapprochement se fait par l'entremise de la duchesse de Chevreuse de retour à Paris après six ans d'exil et dont la fille, Charlotte-Marie, d'une grande beauté mais de peu d'intelligence, était devenue la maîtresse attitrée de Gondi. Les tractations se font dans des conditions remarquables. Gondi, déguisé, a de nuit plusieurs entrevues secrètes avec la reine au Palais-Royal. L'accord est conclu dans les premiers jours de janvier 1650. Vendôme retrouve l'Amirauté promise avec survivance pour Beaufort. Le duc de Mercœur obtiendra la vice-royauté de Catalogne. Le marquis de Châteauneuf qui avait tant caballé avec la Chevreuse se voit promettre les sceaux tenus par Séguier. Gondi recevra enfin son chapeau de cardinal. D'autres anciens frondeurs n'étaient pas oubliés. Le problème était d'avoir l'accord de Monsieur que la duchesse de Chevreuse s'empressa de rechercher. Les deux personnages se connaissaient bien. S'estimaient-ils vraiment ? Ils avaient vécu trop d'aventures ensemble pour qu'il n'en restât point une vieille complicité facile à réchauffer... Et l'intrigante, de vive voix, émut le lieutenant-général du royaume sur le sort de la reine aux abois, humiliée et fragile. Sans doute parla-t-elle aussi du jeune roi qui, à onze ans, allait faire le 25 décembre, jour de Noël, sa communion à l'église Saint-Eustache. La famille royale était en danger, il lui revenait à lui de la protéger, et Son Altesse consentit à l'arrestation.

En même temps que Condé, il était prévu d'arrêter son beau-frère le duc de Longueville et Conti, mais ces arrestations n'étaient pas une mince affaire, car on s'attendait à des mouvements dans les gouvernements des princes. Elle eut lieu le mardi 18 janvier 1650, au Palais-Royal[3]. Le secret était bien gardé, quelques personnes seulement étaient au courant : Anne d'Autriche, Gaston d'Orléans, Mazarin, les duchesses d'Aiguillon et de Chevreuse, et peut-être les marquis de Laigne et de Noirmoutier.

Ce jour-là, un conseil extraordinaire fut convoqué au Palais-Royal et la régente envoya quérir les trois princes.

Prévenu qu'il courait un danger, Condé passa outre, certain qu'on ne s'attaquerait pas à lui. Le matin, Mademoiselle avait vu son père au Luxembourg et lui avait fait reproche au sujet de Condé, lui disant que, depuis la paix de Rueil, il s'arrogeait une trop grande autorité tant à la cour qu'à Paris : « Vous devriez le faire arrêter, on a bien fait arrêter son père*. — Patience, répondit Gaston d'Orléans, vous aurez bientôt consentement. » La princesse comprit qu'il se préparait quelque chose et se rendit au Palais-Royal où, bien entendu, son père ne la suivit pas puisque officiellement il n'y avait pas réunion du Conseil. Arrivée sur place, elle trouva une atmosphère curieuse, une odeur de drame. Chacun s'interrogeait de savoir ce qui se passait au Conseil qui durait plus que de coutume. Enfin, les portes s'ouvrirent et la reine apparut, invitant Mademoiselle à l'accompagner et lui conta ce qui était arrivé : « Guitaut** a arrêté M. le prince et Comminges, M. le prince de Conti et le duc de Longueville. Ils sont descendus par le petit degré et sont sortis par le jardin, où un de mes carrosses les attendait avec les gens d'armes et les chevau-légers du roi. »

Le carrosse des prisonniers escorté par la compagnie des gendarmes du roi, commandée par le comte de Miossens, quitta Paris par la porte de Richelieu et prit la direction de Vincennes. Les princes furent mis dans le donjon et comme il n'y avait pas de lits, ils passèrent la nuit à jouer aux cartes... Sur le chemin, un incident avait provoqué un peu d'anxiété. Suivons Miossens : « Tout à coup, le carrosse de M. le prince ayant versé à cause de l'obscurité et du mauvais temps, ce dernier dit : "Ah ! Miossens, vous me rendriez un grand service si vous vouliez." À quoi Miossens avait rétorqué : "Je suis au désespoir de ce que mon devoir ne me le peut permettre." » Au récit de l'arrestation, Monsieur, qui était au Luxembourg, se contenta de répondre : « Voilà un beau coup de filet, on a pris un lion, un singe

* Allusion à l'arrestation de Henri de Bourbon au Louvre, le 1er septembre 1616.

** Le comte de Guitaut était capitaine des Gardes. Comminges était l'adjoint et le neveu de Guitaut.

et un renard. » De leur côté, les Parisiens laissèrent éclater leur joie en allumant des feux sur les places et aux carrefours des rues. Mais Vincennes étant bien près de Paris. Quelque temps plus tard, Mazarin fit transférer les prisonniers dans le château-fort de Marcoussis ; près de Montlhéry, et ensuite dans la citadelle du Havre.

La première victime de cette opération menée secrètement fut, cinq jours plus tard, l'abbé de La Rivière qui reprocha à Gaston de l'avoir tenu en dehors de l'affaire. Mais Monsieur connaissant les relations du petit abbé avec Condé s'était à juste titre montré méfiant. De plus, La Rivière l'agaçait avec ses airs de grandeur, les deux hommes se connaissaient depuis trop longtemps pour qu'ils aient de l'effet sur Son Altesse. Au soir du 23 janvier, Monsieur donnait un grand bal au Luxembourg. Parmi les invités) la duchesse de Chevreuse et la Montbazon, amie de Beaufort. Sur le coup de minuit, alors qu'il allait se coucher, on vint le prévenir que La Rivière demandait la permission de se retirer dans la belle maison de Petit-Bourg*. Fatigué par la soirée et excédé par l'abbé, Monsieur se contenta de répondre : « Eh bien qu'il aille ! », mettant sur-le-champ un terme à des relations fort anciennes**.

S'il en est qui commencent à mieux respirer, ce sont bien les anciens frondeurs, qui relèvent la tête. Le 22 janvier 1650, le parlement disculpa Beaufort, Gondi, Broussel et le président Charton dans l'affaire de la mystérieuse tentative d'attentat contre Condé en novembre 1649, qui n'avait jamais été tirée au clair, même si de forts soupçons pesaient sur Gondi. Le lendemain, qui était un dimanche, les principaux chefs furent reçus par la reine au Palais-Royal afin de fêter la victoire et d'envisager des jours meilleurs. Madame de Motteville, présente, raconte la scène : « Je m'en allai chez la reine en qualité de curieuse... En entrant dans sa chambre, je fus surprise de voir tant de visages nouveaux. Tous les frondeurs, les ennemis de notre ministre, la remplissaient entièrement. Ils tenaient chacun

* Évry-Petit-Bourg, de nos jours Évry.

** Quelques jours plus tard, La Rivière recevra l'ordre de se retirer dans son abbaye de Saint-Benoît-sur-Loire puis à Aurillac.

leurs épées à la main, mais dans le fourreau, jurant qu'ils étaient bons serviteurs du roi, et qu'ils allaient être les défenseurs de la reine et la force de l'État. » Attitude qui provoqua chez la mémorialiste le jugement suivant : « Je trouvai leur orgueil ridicule et leurs fanfaronnades un peu trop fortes ; et comme il y avait d'honnêtes gens dans cette cabale qui étaient de mes amis, je leur dis ma pensée, et je les fis demeurer d'accord que j'avais raison de me moquer d'eux[4]. » Qu'allait-il advenir de la nouvelle situation dont Monsieur n'était pas mécontent ? Bien sûr, tout dépendait de Mazarin qui, on s'en serait douté, en était le principal bénéficiaire : « Par cette action, le cardinal Mazarin montra clairement qu'il n'était pas si faible », écrit Madame de Motteville[5]. La véritable question était de savoir comment il allait gérer la crise, qui n'allait pas manquer de se développer en province.

Dans son livre sur la Grande Mademoiselle, Amiguet écrit : « L'arrestation des princes plongera la France dans une atmosphère de roman de cape et d'épée. Fuites romanesques, amazones habillées en hommes sillonnant les routes, traversant des forêts profondes en pleine nuit, tendant des embuscades, soulevant des villes, passant en revue des garnisons, écoutant avec ravissement le bruit de la Mousqueterie. Et, toutes, ayant dans leur cœur la même haine de Mazarin, le même ressentiment de la régente[6]. » Bonjour duchesses ! Voilà de belles rebelles, puissamment titrées, portant les plus grands noms de l'armorial de France. Elles s'appellent Longueville, Montbazon, Châtillon, Nemours, Lorraine, Bouillon. Elles sont révoltées, courageuses, aventureuses, exaltées. Pour elles, rien n'est impossible. Ce sont, comme l'écrit le comte de Saint-Aulaire[7], « des romantiques déchaînées contre le genre classique de Richelieu ». L'exemple de Madame de Longueville, sœur de Condé, est éloquent. La duchesse avait été convoquée au Palais-Royal, mais elle n'obéit point. Elle se sauva et « alla en Normandie, croyant y trouver beaucoup de secours, étant le gouvernement de son mari ». Mais l'accueil fut mitigé et, ayant quitté Rouen, elle se réfugia à Dieppe où elle essaya de soulever la population. Échec ! Qu'importe, elle s'enferme dans un château où elle est assiégée par terre et par mer, mais refuse de se rendre. Gagnant de nuit le petit village de Pourville et s'emparant d'une chaloupe, elle tente de monter à bord d'un vaisseau. Mais « la mer étant très agitée, le vent soufflant en tempête, la duchesse est renversée par une lame et roulée par les vagues ». Conduite sans connaissance au presbytère de Pourville, et réanimée, elle arpente le bord de mer dans l'espoir de s'embarquer et, à bout de force, trouve un bateau qui accepte de l'emmener à Rotterdam.

Claire-Clémence de Maillé-Brézé, épouse de Condé, fait mieux. Elle quitte Paris, passe par le Berry escortée de cavaliers, s'enferme quelque temps dans la forteresse de Montrond et, de là, rejoint Bordeaux en s'arrêtant le soir dans des gentilhommières pour se reposer. À Bordeaux, elle soulève la ville contre Mazarin, aidée des fidèles de son époux, les ducs de Bouillon et de La Rochefoucauld. La cour partit de Paris le 4 juillet 1650, pour faire le siège de la ville, et arriva à Libourne le 1er août, elle y resta pendant un long mois. « Il faisait une chaleur horrible, de sorte que pour en moins sentir l'incommodité, la reine demeurait tout le jour sur son lit sans s'habiller que le soir, ainsi elle ne voyait personne[8]. »

Resté à Paris, Monsieur avait reçu la charge d'administrer « la partie du royaume au nord de la Loire » avec le titre de « lieutenant-général du roi en toutes ses provinces et armées ». Aidé d'Abel Servien et de Michel Le Tellier, secrétaires d'État à la guerre, il avait également en charge les affaires d'ordre général. C'est ainsi qu'il proposa à Mazarin de remplacer le gouverneur d'Épernon en conflit avec le parlement et les Bordelais, de suspendre les hostilités et d'amnistier les révoltés. Ces propositions de Monsieur, négociées avec le Parlement de Paris, sont très importantes et, comme l'écrit Le Tellier à Mazarin : « Il ne se peut rien de mieux que ce que Monsieur a fait au parlement. » Quant à Henriette, la veuve de Charles Ier d'Angleterre et la sœur de Gaston, elle reconnaît : « Mon frère a fait merveille et véritablement, sans lui, tout aurait été mal. » Mais Mazarin fit la fine bouche. La cour s'était installée à Bourg, sur la Dordogne, et le cardinal « alla au siège de Bordeaux, qui fut un siège imaginaire. L'on prit un faubourg, il y eut peu de résistance et cependant l'on fit un bruit comme si c'eût été une occasion admirable. M. le cardinal était en haut du clocher de Saint-Sévrin à regarder ce qui se passait ». Quelle image ! Mazarin observant les combats perché sur un clocher...

Si le cardinal refusa les bons offices de Gaston, il se montra très empressé auprès de la Grande Mademoiselle, sans doute pour adoucir son attitude à l'égard du père. Il l'entretint de choses et d'autres durant des heures au point qu'elle dût un jour, avec l'insolente franchise qu'on lui connaît, le remettre à sa place avec éclat en lui jetant au visage : « Il n'y a pas de bassesses dont vous ne vous avisiez ce matin. »

Bordeaux finit par se soumettre et les députés envoyés à Bourg signèrent la paix le 1er octobre. Le 3 octobre, la princesse de Condé et son fils quittèrent par bateau la grande cité de la Guyenne et, sur les conseils du maréchal de La Meilleraye et des ducs de Bouillon et de La Rochefoucauld, fit un détour pour rencontrer la reine. L'occasion était trop belle pour la Grande Mademoiselle et elle ne rata pas dans ses *Mémoires* le portrait de la princesse vaincue. « Madame la princesse entra ; elle avait été saignée la veille, ce qui lui faisait porter une écharpe mise si ridiculement, aussi bien que le reste de son habillement, que la reine eut grand-peine à s'empêcher de rire, aussi bien que moi... Après avoir salué la reine, elle lui parla de sa maladie et de son fils. Puis ils se jetèrent à genoux devant Leurs Majestés pour leur demander la liberté de M. le prince ; ce qu'elle fit de mauvaise grâce. La reine la releva et leur répondit peu favorablement, sa visite fut fort courte. » Sitôt la princesse éloignée, la Grande Mademoiselle s'empressa de rédiger une longue lettre à son père pour l'informer des événements.

La ville soumise reçut la cour dans un flot de réjouissances, de défilés et d'illuminations. La fille de Gaston fut complimentée par le parlement, ce qui vexa Mazarin. Dans l'esprit de Mademoiselle, Bordeaux fut incontestablement un prélude à son expédition à Orléans. Par Saintes et Poitiers, la cour reprit la route de Paris. Dans la capitale, l'image du cardinal ne s'était guère améliorée. Une tentative d'assassinat fomentée contre Beaufort avait coûté la vie à l'un de ses gentilshommes. « Encore un coup du cardinal », avait-on laissé entendre. Guy Joly décrit l'atmosphère qui s'ensuivit : « Cinquante cavaliers parcourent Paris pendant la nuit, avec des torches, et dans les lieux les plus fréquentés, ils pendirent Mazarin dans sa robe de cardinal. » Les effigies de Mazarin, de grandeur nature, avaient « deux trous à l'endroit du cou, à travers lesquels l'on avait passé une corde, sur un écriteau, on avait inscrit les différents crimes pour lesquels il était déclaré digne de mourir[9] ». Dès l'arrivée de la cour à Fontainebleau le 10 novembre, Monsieur apostropha le premier ministre. Le motif en était le désir qu'avait Mazarin de transférer Condé au Havre sans sa permission. On voit bien la manœuvre : disposer de la personne du prince, et manipuler les Condé contre les Orléans. Mazarin craignait, bien entendu, une réconciliation des deux familles. Ainsi, Gaston bouda quelque temps, enfermé dans sa chambre. La reine envoya Mademoiselle auprès de son père pour l'amener à de meilleurs sentiments. Ce ne fut pas simple : « Je l'allai voir à sa chambre à Fontainebleau, il était fort en colère. Il me déchargea son cœur, et me dit que, quelque persécution que l'on fît pour donner son consentement à ce changement, il ne le ferait jamais, et que c'était le vrai moyen d'augmenter les troubles en France ; que le parlement fronderait plus que jamais et qu'il était résolu de ne plus se mêler de rien[10]. »

Gaston finit par aller saluer la reine mais quitta Fontainebleau après avoir rompu avec Mazarin, précisant à Le Tellier : « Je ne me peux fier à un homme qui fait profession de toujours fourber et tromper. » Mais était-ce le seul motif ? On le sait, durant l'absence de la cour, Gaston avait reçu le pouvoir de gérer de Paris le nord du pays. Comme la guerre continuait avec l'Espagne, il fallait prendre des dispositions militaires pour protéger les frontières. Malgré les efforts de Monsieur, le 4 août 1650, La Capelle fut prise par les Espagnols et l'armée, confiée au maréchal du Plessis-Praslin, n'étant pas payée, restait inefficace. Il fallait trouver 500 000 livres rapidement afin d'éviter la débandade. Mais les circonstances étaient telles que les financiers se montraient récalcitrants. Les bonnes relations du lieutenant-général du royaume avec le parlement lui permirent, le 22 août, de faire appel aux magistrats qui, comme les autres cours souveraines, acceptèrent d'anticiper d'un an (1651) le droit annuel appelé paulette qu'ils versaient pour conserver leur office dans la famille.

Monsieur délia même sa bourse pour montrer l'exemple. L'exode des populations du Nord vers l'Île-de-France témoignait de l'ampleur du danger. Les troupes de l'archiduc Léopold dévastaient la Champagne. Turenne était passé à l'ennemi et combattait contre son pays. Mais, à la fin du mois d'août, la situation fut rétablie. L'archiduc proposa à Gaston de négocier ; ce dernier accepta. Cependant l'autorisation de la régente se fit longuement attendre et les Espagnols finirent par refuser les propositions françaises. On le voit, l'action de Monsieur pour défendre le royaume et sa capacité à négocier avec le parlement pour calmer les factions parisiennes l'avaient mis sur un piédestal, à tel point que Renaudot pourra le désigner dans *La Gazette de France* du 9 décembre 1650 comme « le père de la patrie ». On conçoit aisément que cela ne plut point à la régente et surtout à Mazarin. Et puis les Parisiens avaient accueilli dans l'enthousiasme la naissance, le 17 août, du fils de Monsieur, le petit duc de Valois*. Gaston avait reçu, tel un souverain, les hommages des nombreuses délégations parisiennes. Chacun venait à lui, était reçu avec gentillesse et repartait réconforté. Cela faisait ombrage à Mazarin qui refusait à Monsieur toute faveur à l'égard de Gondi devenu un fidèle hôte du palais du Luxembourg.

Dès son arrivée à Paris, début décembre, Mazarin apprit que le parlement demandait avec insistance à la reine la libération des princes. Le ministre commence à sentir autour de lui une atmosphère de danger latent et indéfinissable. Il écrit dans ses « Carnets » le 12 décembre : « Beaucoup de monde s'est promené à cheval cette nuit dans la ville. À six heures sont passés devant le Palais-Royal deux bandes de trente ou quarante chevaux chacune et

* L'enfant mourra deux ans plus tard.

quelques fusiliers à pied. » Si le cardinal se rend compte qu'il lui faut fuir momentanément, il en retarde le moment jusqu'à la nuit du 6 au 7 février 1651. Vers onze heures du soir, « vêtu d'une casaque rouge et coiffé d'un chapeau orné de plumes », il quitte le Palais-Royal à pied suivi de cinq serviteurs et gagne la porte Richelieu. Selon l'ambassadeur vénitien Morosini, le rusé ministre avait envoyé cinq hommes habillés pareillement à chacune des portes de Paris afin de dérouter d'éventuels poursuivants. Rejoint et escorté par deux à trois cents cavaliers, le cardinal alla finir la nuit à Saint-Germain où il apprit à son réveil que le parlement avait décidé de le chasser du royaume.

Paris s'éveilla dans un bourdonnement de rumeurs plus ou moins fondées. Les Parisiens craignaient que la famille royale ne suive Mazarin à Saint-Germain : « Tous les gens du roi et de la reine, écrit Mademoiselle, mouraient de peur de s'en aller, de sorte que l'on avait cent avis tous les jours des desseins que Leurs Majestés avaient de se sauver. » Chaque soir, à une heure tardive, Monsieur envoyait Des Ouches, capitaine de sa garde suisse au Palais-Royal, pour voir si le roi était bien dans sa chambre. Le départ de Mazarin signifiait la libération des princes qui arrivèrent à Paris le 16 février. Réconcilié avec Condé, Monsieur alla à la rencontre des princes à Saint-Denis. Il était accompagné du duc de Beaufort, du coadjuteur Gondi et d'une escorte de cinq mille cavaliers. « Tout le chemin de Saint-Denis à Paris, selon Mademoiselle, était bordé de carrosses, jamais l'on n'avait vu une joie si grande que celle que tout le peuple témoignait de voir M. le prince. » Mais au Palais-Royal, les visages étaient inquiets : « Je fus toute l'après-midi chez la reine, précise Mademoiselle, elle enrageait de voir toute la foule qui était dans sa chambre pour le voir arriver, elle se plaignait sans cesse du chaud... Elle affecta néanmoins de paraître gaie, quoique personne ne le crût et ne se laissât tromper à cette apparence. »

Les voilà, enfin, portés par une grande rumeur... Condé fit un court compliment à la reine que réitérèrent Conti et Longueville et tout le monde devisa gaiement. Mais comme le dit Mademoiselle, « les rieurs étaient bien de notre côté, mais non pas de celui de cette pauvre reine qui témoignait en cette occasion beaucoup de force et de vertu à supporter cette affliction et à voir devant ses yeux les plus grands ennemis de M. le cardinal triomphant de sa perte. »

Un magnifique souper réunit au Luxembourg les princes et le lieutenant-général du royaume. L'heure de la réconciliation avait enfin sonné, mais quelle ne devait pas être la détresse au Palais-Royal d'Anne d'Autriche et du petit Louis XIV qui allait vers ses treize ans et sa majorité...

24.

La Fronde des princes

La guerre condéenne et l'appui que lui apportera Gaston d'Orléans, en 1652, ont été remarquablement étudiés par Michel Pernot dans son ouvrage sur la Fronde[1]. La révolte de Condé est une suite logique des événements. Les circonstances politiques, l'importance de ses titres, son désir de jouer un rôle de premier plan et, il faut bien le dire, son orgueil démesuré et sa morgue en faisaient un personnage redoutable. Ce que l'on comprend moins, c'est la participation de Monsieur à cette affaire, sa dernière empoignade avec la monarchie et le jeune roi Depuis dix ans, on pensait le duc d'Orléans assagi, pénétré de ses devoirs de responsabilité. Loin s'en faut !

Le glissement progressif vers la guerre civile se fera au printemps et durant l'été 1651. Le départ de Mazarin avait privé les Frondes de l'élément qui en faisait l'unité. Aussi leurs chefs respectifs vont-ils à nouveau chercher à en découdre. Il est probable que, de son exil, le cardinal continuait à jouer un rôle non négligeable. Au printemps, la noblesse réunie à Paris, au couvent des Cordeliers, réclamait des états généraux. Un moment, sa prétention à contrôler le pouvoir fut soutenue par Monsieur et Gondi. Mais comme le parlement, le clergé et le peuple montraient leur réticence, Gaston cessa, le 24 mars 1651, d'apporter son soutien. Comme Condé était très opposé à cette prétention, on assistait globalement à une rupture entre les princes et la noblesse. Les états généraux seront repoussés aux calendes puis annulés. La régente retrouva une liberté d'action compromise par cette pression quotidienne. L'essentiel était de provoquer une rupture parmi les Frondeurs. Un épisode fortuit allait y contribuer, le projet de mariage du prince de Conti et de Mademoiselle de Chevreuse, fille de la duchesse et maîtresse en titre de Gondi. Cette alliance devait parachever l'union des Frondeurs. Mais, de retour en France, la sœur de Conti, Madame de Longueville, trouva déshonorant ce mariage et le fit échouer. De plus, le 3 avril, intervint un fait politique que d'aucuns ont appelé coup d'État.

Des conseillers au parlement obtiennent de la régente un arrêt excluant du gouvernement tous les étrangers, même naturalisés, et ceux ayant déjà prêtés serment (les cardinaux, au pape). Anne en profite pour remanier le gouvernement. Châteauneuf doit abandonner les sceaux, confiés au premier président Molé, et Chavigny revient au gouvernement. Les partisans de Condé sont favorisés par l'opération, mais Gaston d'Orléans semble en faire les frais car tout fut décidé à son insu. Gondi est écarté, vu ses ambitions cardinalices, du pouvoir. La décision de la régente ne peut qu'attiser la rivalité traditionnelle des maisons d'Orléans et de Condé. En ce mois d'avril 1651, Condé n'a jamais été aussi puissant. Mais, durant tout l'été, les intrigues éclatent de plus belle, au grand jour.

Condé qui craint à nouveau pour sa liberté se réfugie au milieu de ses fidèles et glisse immanquablement vers la rébellion armée. Un événement aurait pu calmer le jeu : la majorité du roi qui intervient dès les treize ans atteints. La cérémonie de proclamation a lieu le 7 septembre au cours d'un lit de justice au parlement. Fastes, magnificence, accueil enthousiaste des sujets... Louis XIV et la reine mère, après avoir suivi une messe à la Sainte-Chapelle, sont accueillis dans la grande chambre du parlement, par la famille royale, les ducs et pairs du royaume, les magistrats et les grands dignitaires de la monarchie. Louis XIV s'adresse à l'assemblée en termes simples : « Je suis venu en mon parlement pour vous dire que, suivant la loi de mon État, j'en veux prendre moi-même le gouvernement, et j'espère de la bonté de Dieu que ce sera avec piété et justice. Mon chancelier vous dira plus particulièrement mes intentions. » Suivent les interventions du chancelier Séguier, de la reine mère et un interminable discours de l'avocat général Omer Talon. Une ombre plane sur l'assemblée, celle de Condé, absent de la cérémonie. Deux conséquences découlent de la majorité du roi. Désormais, la révolte de Condé ne s'opère plus contre la régente et son gouvernement, mais contre le roi lui-même, et surtout Gaston a cessé d'être lieutenant-général du royaume, mais cela ne l'empêche pas de faire des propositions de paix à Monsieur le prince.

De Chantilly, Condé se rend à Bourges, puis séjourne dans la forteresse de Montrond où se trouve sa femme et son fils, et s'installe à Bordeaux le 22 septembre. Son intention est de regrouper, grâce à ses fidèles, un vaste territoire allant de la Guyenne, dont il est le nouveau gouverneur, jusqu'à la Normandie de Longueville, et de faire une entrée en vainqueur à Paris. Le danger est grand. Si Monsieur souhaite toujours la paix, Mazarin, de son exil, pousse à la guerre et la régente va décider en ce sens. La guerre est déclarée au rebelle, et tandis que la cour et une armée de quatre mille hommes se dirigent vers le sud-ouest, une véritable bombe éclate à Paris : Mazarin revient !

Le 12 décembre, le cardinal a obtenu du roi une autorisation de rentrer en France et, le 24, il passe la frontière avec une armée de sept mille hommes levée à ses frais. La réaction ne se fait pas attendre, le parlement rentre dans une nouvelle opposition et, le 29 décembre, il met la tête du cardinal à prix pour 150 000 livres. Le duc d'Orléans est chargé de l'exécution de l'arrêt du parlement. Sans doute, la guerre eût-elle été courte sans ce retour inopiné de Mazarin. Tout est à refaire[2]... Paris passe à la Fronde et le Conseil du roi quitte la capitale. Gondi intrigue et tente de constituer un tiers parti dont Monsieur serait le chef nominal. Selon Omer Talon, il voulait « autoriser Monsieur le duc d'Orléans à lever des troupes pour s'opposer au retour du cardinal Mazarin et engager le parlement dans un tiers parti ».

Mazarin, lui, traverse la France. Il est à Épernay le 3 janvier 1652, le 6 à Arcis-sur-Aube, le 9 à Pont-sur-Yonne et arrive à Poitiers le 28 ou le 30 janvier, où il retrouve la cour. Redevenu premier ministre, il dirige à nouveau les affaires*. « La guerre des écharpes » commence. Les officiers de Mazarin à la suite du maréchal d'Hocquincourt en portent des vertes, ceux du roi des blanches. L'isabelle est celle du prince de Condé, et les partisans de Monsieur et de Gondi les bleues[3]. Après un rapide succès en Saintonge, Condé est repoussé vers la Dordogne. Échec aussi en Bourbonnais et en Bourgogne. Les troupes royales avancent maintenant sur Saumur et Tours. Le 12 mars, elles sont à Amboise, le 14 à Blois. C'est clair : elles visent Orléans au moment où Condé s'apprête à franchir à nouveau la Loire. Orléans doit rester à la Fronde. Monsieur hésite, à son habitude. Un jour, il décide de rejoindre sa ville, le lendemain, il ne s'y rend plus. On reconnaît bien là Gaston d'Orléans. Gondi, qui est devenu entre-temps cardinal de Retz, ne s'y trompe pas : « Il était l'homme qui aimait le mieux à se donner à lui-même des raisons qui l'empêchassent de se résoudre. » En l'occurrence, il faut choisir. Le 24 janvier 1652, dans un coin de couloir du Luxembourg, on avait obtenu une alliance avec Condé. Il était temps de la rendre effective. Exaspérés, Messieurs de Beaufort et de Fiesque prennent le taureau par les cornes : ils se rendent chez Mademoiselle. Le sort en est jeté : « Si Monsieur ne veut pas y aller, supplient-ils, il faut que cela soit vous. » Mademoiselle exulte, elle qui a rêvé de l'équipée de la princesse de Condé à Bordeaux, de chevauchées, de villes assiégées et qui se rendent... Le moment est arrivé.

Le 25 mars 1652 à trois heures de l'après-midi, Monsieur regarde partir l'amazone assistée de Mesdames de Fiesque et de Frontenac baptisées « comtesses maréchales de camp de l'armée de ma fille contre Mazarin ». Les Parisiens se rassemblent. On acclame l'impétueuse princesse. Autour d'elle, des hommes en armes, cuirassés, farouches, armés jusqu'aux dents. Elle commande, ils obéissent. À quoi songe-t-elle ? À Jeanne d'Arc libérant Orléans ou tout simplement à ce que lui a dit Condé : « La paix ne se fera

* Peut-être est-il devenu l'amant de la reine à cette époque.

qu'à la condition que Mademoiselle épouse le roi de France. » Tapi dans son palais, Monsieur suit par courriers qui lui viennent régulièrement la progression de sa fille. On fonce vers la Beauce. On quitte le carrosse et l'on monte à cheval pour saluer les troupes et en recevoir l'hommage vibrant. Il fait beau. On donne des instructions, on ordonne en chef suprême des deux armées de Beaufort et Nemours[4]. Le lendemain, après son premier conseil de guerre, entourée de tous les plus grands officiers, Mademoiselle commande la marche sur Orléans. Mais là, grain de sable dans l'engrenage, l'échevinage de la ville, bloquant soudain la machine, fait savoir qu'elle est indésirable tant que les troupes du roi seraient dans les parages. Qu'importe ! On n'est pas fille de sang royal et petite-fille d'Henri IV pour rien...

Le 27 mars au matin, Mademoiselle se présente devant la porte Bannière. La garde lui rend les honneurs mais n'ouvre pas. Scènes identiques aux autres portes. Quand, enfin, des bateliers la font entrer par une porte condamnée depuis longtemps, le chemin est libre. La princesse escalade et se trouve devant la porte Brûlée. C'est par là que la fille de Gaston d'Orléans va entrer dans l'Histoire. Le cri de ralliement de la Fronde jaillit : « Vive le roi, les princes, et point de Mazarin ! » Elle reçoit l'hommage des corps constitués de la ville. Le 28 mars, discours à l'Hôtel de Ville. Elle y déclare le roi trop jeune pour gouverner malgré sa majorité. Le 29, Condé lui écrit pour lui témoigner son éternelle reconnaissance.

Mais le sort des armes relève de la bataille à la Pyrrhus. À Bléneau, le 16 avril, Turenne prive Condé d'une victoire qui aurait pu être décisive. Orléans ne présente plus beaucoup d'intérêt pour les princes. Le 2 mai, Mademoiselle quitte Orléans pour Étampes et arrive le 4 à Paris où Condé lui prend la main pour descendre de carrosse. « La mine assez riante », Gaston laisse éclater sa joie. Mais l'étau se resserre sur la capitale. Succès militaires peu probants, revers parfois lourds, défaites inquiétantes. Deux partis s'affrontent dans Paris : les inconditionnels de la guerre qu'il faut continuer, et ceux du « parti de la paix » auquel adhèrent une majorité de bourgeois las d'une guerre civile qui s'éternise et qui n'enrichit plus.

Début juillet, Mazarin estime le moment venu de frapper un grand coup. Son plan est simple. On approche la cour le plus près possible de la capitale. Les troupes royales du maréchal de La Ferté et de Turenne se portent vers Condé qui campe à Saint-Cloud. Les troupes princières font mouvement vers Charenton. Il suffirait de cinq cents cavaliers pour les bousculer pendant leur repli. Mais Turenne hésite. Au matin, entre Montmartre et La Chapelle, Condé, en mauvaise posture, souhaite se replier dans Paris. La porte Saint-Denis reste fermée sur l'ordre des bourgeois. On presse Monsieur d'intervenir. Il fait répondre qu'il est souffrant et qu'il doit réfléchir avant de donner sa réponse. Le sang de Mademoiselle ne fait qu'un tour. Elle se précipite au Luxembourg et trouve son père dans une excellente condition physique. « Je vous croyais au lit », dit-elle. Il la regarde, sourit, sifflote comme il sait si bien le faire et lance une incroyable réponse : « Je ne suis pas assez malade pour y être, mais je le suis assez pour ne pas sortir. » Porte Saint-Antoine, le combat fait rage. Turenne occupe une partie de la rue du Faubourg. La barricade de Charonne est emportée. Les soldats de Condé, parmi lesquels des Espagnols à l'écharpe rouge, refluent dans un désordre indescriptible, balayés par une batterie de six canons protégeant l'avance du maréchal de La Ferté.

Mandatée par son père, Mademoiselle retraverse Paris où s'étale à ses yeux « le plus affreux spectacle qui se puisse regarder ». Penchée à la portière de son carrosse, elle contemple, effarée, les débris des régiments princiers en déroute... tandis que son père, au Luxembourg, feint la maladie. Tout ce qui arrivait du faubourg Saint-Antoine était en piteux état. Condé, lui-même, se démenait comme un beau diable. « Un démon », diront les gens du roi. Quand il se présenta à Mademoiselle, « il avait deux doigts de poussière sur le visage, ses cheveux tout mêlés, son collet et sa chemise étaient pleins de sang, sa cuirasse était toute pleine de coups et il tenait son épée à la main, ayant perdu son fourreau ». Condé demanda à la princesse de joindre à nouveau son père pour le persuader de prendre enfin ouvertement position pour la Fronde en donnant les ordres nécessaires pour sauver ce qui reste de l'armée. Contraint de s'engager, Monsieur répond par un ordre écrit à l'intention de Louvière, gouverneur de la Bastille : faire tout ce qui lui sera ordonné en faveur de l'armée des princes. Mademoiselle vole vers la forteresse qui n'était pas encore intervenue. Voici ce qu'elle écrira plus tard : « Je me promenais longtemps sur les tours et fis changer le canon qui était pointé du côté de la ville ; j'en fis mettre du côté de l'eau et du côté du Faubourg pour défendre le bastion. Je regardai avec une lunette d'approche : je vis beaucoup de monde sur les hauteurs de Charonne et même des carrosses, ce qui me fit juger que c'était le roi... Je vis aussi toute l'armée ennemie [celle du roi] dans le fond, vers Bagnolet. L'on voyait les généraux sans connaître leurs visages... Je vis comment ils partageaient leur cavalerie pour nous venir couper entre le Faubourg et le fossé ; les uns du côté de Popincourt et les autres par Reuilly, le long de l'eau. J'envoyai un page à toute bride en donner avis à Monsieur le prince de Condé. »

Une dernière fois, elle contemple les armées qui s'affrontent. Tandis qu'elle quitte la Bastille ayant laissé l'ordre fatal, de lourdes décharges ébranlent la forteresse. Les boulets meurtriers pleuvent sur l'infanterie bleue et rouge de Sa Majesté et fauchent au passage tout un rang de la cavalerie royale. Les maréchaux n'en croient pas leurs yeux. On a osé ! Ils décident de retarder l'attaque, permettant ainsi à l'armée de Condé d'entrer dans la capitale*.

Le lendemain, 3 juillet 1652... Aux fenêtres, les bourgeois parisiens contemplent les débris de l'armée des princes. Des Espagnols à Paris ! Cela ne s'était pas vu depuis Henri IV...

Le 4 juillet, les princes se rendent à l'Hôtel de Ville de Paris pour participer à une assemblée générale. Ils pensent entraîner les édiles dans leur camp. Mais ceux-ci, loin d'écouter les deux orateurs, évoquent un accommode-

---

* À cette occasion, Mazarin aurait dit : « Ce canon-là vient de "touer" son mari » ; effectivement, elle n'épousera jamais Louis XIV.

ment avec la royauté, suscitant une vive réaction de Condé. Selon Conrart, dans ses Mémoires, Monsieur le prince aurait crié sur le perron de l'Hôtel de Ville : « Ces gens ne veulent rien faire pour nous, ce sont des Mazarins, faites ce que vous voudrez ! » Et le mot fut entendu. La foule amassée place de Grève se lança à l'attaque du bâtiment. Conrart précise : « On reconnut, alors, qu'il y avait d'autres gens que du peuple, qui savaient le métier de soldat, et qui agissaient comme ils eussent fait à l'attaque d'une place, selon les règles de la guerre. » On le voit, l'affaire avait été préparée. L'Hôtel de Ville fut pris d'assaut. On dénombra une trentaine de morts : notables, magistrats et échevins.

Monsieur est rentré au Luxembourg en compagnie de Condé et de Mademoiselle lorsqu'il est averti par un bourgeois : « Le feu est à l'Hôtel de Ville, et l'on y tire, l'on se tue et c'est la plus grande pitié du monde. » Monsieur découvre, ébahi, un billet griffonné à la hâte par Goulas présent sur place[5] :

« Monseigneur,

L'Hostel de ville est assiégé, on brusle la porte et toutes les compagnies qui estoient à la garde ont faict leurs décharges dans les fenestres de la grande salle. Tout est perdu sans vostre secours, que tous les honnestes gens à la ville réclament. Et je vous assure qu'il n'y a pas un moment de temps à perdre. Je suis, avec tout le respect que je vous doits, Monseigneur, vostre très humble et très obéissant serviteur. »

Gaston propose à Condé d'aller rétablir l'ordre. Mais celui-ci rétorque qu'il est un militaire et non un « homme de sédition ». On pense à Beaufort : « Il est aimé et connu parmi le peuple ; il y servira plus utilement » que Condé. Mademoiselle propose alors à son père de se rendre à l'Hôtel de Ville escortée de ses officiers et de quelques dames de compagnie. Mais elle ne peut aller au-delà du pont Notre-Dame. Gaston lui demande de repartir et elle obéit, heureuse de montrer à son père son courage et son opiniâtreté. À L'Hotel de Ville, Mademoiselle est accueillie par Beaufort. Ensemble, ils parcourent les couloirs vides, rencontrent le prévôt des marchands Lefèvre qui veut donner sa démission, mais ne trouvent pas le gouverneur de Paris, le maréchal de L'Hopital, qui s'est échappé par une fenêtre. L'attaque de l'Hôtel de Ville eut beaucoup de retentissement et Mademoiselle conclut avec amertume : « Cette affaire fut le coup de massue du parti »...

Comme si rien ne s'était passé depuis le printemps, Monsieur et Mademoiselle vivaient calmement, chacun dans leur demeure. L'été 1652 fut très chaud. Sur le Cours-la-Reine, on avait ressorti les belles toilettes, et le célèbre Renard continuait à donner de copieuses collations aux riches parisiens dans son établissement à la mode. Mais la torpeur estivale fut soudain brisée par l'incroyable nouvelle : Beaufort avait tué en duel son beau-frère Nemours, au pistolet, avec trois balles bien placées. De plus, les témoins du duel s'étaient ensuite entre-tués.

Monsieur fut très affecté de la nouvelle, mais il le fut bien plus lorsque, le 10 août, mourut son fils, le petit duc de Valois, âgé de deux ans. Le deuil fut immense chez les Orléans qui reçurent les condoléances des principaux chefs frondeurs. Avertie du décès, la cour interdit l'inhumation de l'enfant dans la nécropole royale de Saint-Denis et se contenta de signifier par billet à Gaston que ce décès « était une véritable punition de Dieu, pour l'injuste guerre qu'il faisait au roi ». Ainsi, la régente et le ministre n'avaient pas l'intention d'en rester là et firent traîner pendant deux mois les négociations. La reine souhaitait une reddition sans condition des princes qui ne devaient surtout pas exiger le départ de Mazarin. Le 13 octobre, Condé, accompagné du duc de Lorraine, fit ses adieux aux Parisiens et partit à la tête de ses troupes pour les Pays-Bas espagnols.

Seul, Gaston fut désemparé. Dans quel guêpier ne s'était-il pas à nouveau mis depuis plusieurs mois... Il chercha à préserver les Frondeurs de la rancune royale et obtint une promesse d'amnistie, mais Son Altesse royale reçut l'ordre de déguerpir du Luxembourg, et sa fille des Tuileries. Vers six heures du matin, le 22 octobre, Gaston quitta le Luxembourg pour sa terre de Limours. Rentré au Louvre, le roi ne pouvait admettre la présence de son oncle à Paris. Le départ de Monsieur fut l'objet d'une déchirante entrevue avec sa fille[6]. Ils avaient manœuvré ensemble, et avaient perdu ensemble. Le 21 octobre, Mademoiselle s'était rendue au Luxembourg pour prendre conseil. Ce fut un duc d'Orléans décevant qu'elle rencontra dans une atmosphère orageuse.

Pris au piège et amer, Monsieur, à son habitude, tente une fois de plus de se disculper en rejetant sur autrui ses propres responsabilités. C'en est trop pour Mademoiselle qui éclate : « Quand j'ai été à Orléans, ç'a été par votre ordre, je ne l'ai pas par écrit parce que vous me le commandâtes vous-même. » Sous l'accusation, son père riposte : « Et l'affaire de Saint-Antoine, ne croyez-vous pas, Mademoiselle, qu'elle vous a bien nui à la cour ? Vous avez été si aise de faire l'héroïne... »

C'est la première déchirure entre le père et la fille. Étonnée de ces reproches, Mademoiselle poursuit l'échange verbal dans une mise au point qui ne manque pas de talent : « Je ne crois pas vous avoir plus mal servi à la porte Saint-Antoine qu'à Orléans... J'ai fait l'une et l'autre de ces deux choses si réprochables par votre ordre, et si c'était encore à recommencer, je le ferai puisque c'était de mon devoir de vous obéir et de vous servir. Je ne sais ce que c'est d'être héroïne : je suis d'une naissance à ne jamais rien faire que de grandeur et de hauteur en tout ce que je me mêlerai [de faire] et l'on appellera cela comme l'on voudra, pour moi, j'appelle cela suivre mon inclination et suivre mon chemin et je suis née à n'en point prendre d'autre. »

Monsieur accuse le coup. Il est vrai que Mademoiselle l'a bien servi... Guerre d'opérette émaillée de fautes politiques innombrables, chevauchées d'amazones, cliquetis d'armes sans lendemain, peut-être ! Mais il y a de la grandeur dans tout cela. Gaston d'Orléans conspirait dans les alcôves, échafaudait des plans fumeux, flanchait au dernier moment. Sa fille, du moins, joue franc-jeu. Il complotait, elle se rebelle, il se voulait clandestin, elle combat au grand jour. Il était Médicis, la voilà Bourbon. L'épopée s'embourbe dans la déroute et le duc d'Orléans n'en sort pas grandi*.

---

* Mademoiselle trouvera refuge dans son château de Saint-Fargeau.

QUATRIÈME PARTIE

LE COLLECTIONNEUR ET LE MÉCÈNE

25.

L'amateur d'art

S'il faut reconnaître une qualité au duc d'Orléans, c'est bien celle de la curiosité. Monsieur fut l'un des princes les plus cultivés de son temps. Le père Jacob disait de lui : « Je ne puis dire sans flatterie que ni Alexandre Sévère, empereur romain, ni Atticus, grand ami de Cicéron, ni le docte Varron ne l'ont dépassé en cette science. »

Le père Molinet, qui regrettait que Louis XIII se fût peu intéressé à réunir antiquités et médailles, ajoutait : « Mais son frère Gaston, duc d'Orléans, s'y appliqua avec tant d'ardeur qu'il amassa un des plus riches cabinets de l'Europe[1]. » Il est possible que Monsieur ait tenu cela de son ascendance Médicis, ainsi que d'autres traits de son caractère, mais il savait aussi se montrer Bourbon à l'occasion. Rien n'est figé, définitif, tout est flou, évolutif, difficilement palpable. Le prince adore les belles choses, il aime les rassembler, les posséder, les toucher du regard et des sens. Très tôt, son gouverneur, de Brèves, qui avait été pendant vingt-deux ans ambassadeur à Constantinople, avait émerveillé l'enfant avec ses beaux manuscrits syriaques, arabes, persans et turcs, et les admirables caractères typographiques utilisés pour l'impression en ces diverses langues*. Monsieur est un sensuel dans l'acception large du mot. Il est sensible à la dorure d'un livre, à l'éclat d'une

* Antoine Vitié, directeur de l'Imprimerie royale, en fit l'estimation à la disparition de De Brèves et les acheta au nom du roi sur l'ordre de Richelieu.

pierre gravée, à la calligraphie d'un manuscrit. Les collections rassemblées comprennent le cabinet des Livres, une superbe collection d'ouvrages d'une grande variété de contenu en plusieurs langues, le cabinet des Médailles et Monnaies (pièces antiques, bronzes, coquillages, armes et agates), l'admirable collection de planches sur vélin de l'*Histoire naturelle* de Nicolas Robert et les dix-huit atlas de cartes topographiques sans oublier les manuscrits et de nombreuses pièces annexes : musique, ballets, etc. Au palais d'Orléans, la bibliothèque abritant ses merveilleuses collections était installée dans le pavillon de droite, appelé Pavillon de la bibliothèque, situé à l'extrémité de la longue galerie, où Rubens avait peint la vie de Marie de Médicis : « Les boiseries, d'une extrême délicatesse de travail, étaient ornées de riches peintures et chaque tablette, bordée de crépines d'or, était entièrement garnie de velours... Les volumes reliés presque tous par Le Gascon[2] étaient couverts d'une manière uniforme en veau fauve et portaient tantôt sur le dos, tantôt sur les plats, le chiffre de leur maître, un double G surmonté soit d'une couronne, soit d'une fleur de lys[3]. » Ils reposaient sur « des tablettes de velours vert bordées de crépines d'or, avec bandes garnies de passements aussi d'or ». L'ensemble inventorié à la Bibliothèque nationale représente plusieurs milliers d'ouvrages. Malgré son goût évident pour la lecture, il est peu probable que le prince les ait tous lus. Les sciences occupent une place de choix. On trouve des traités d'optique, d'astronomie et de mathématiques signés de Galilée, du père Mersenne, de François Viète et Jean-Baptiste Morin. L'œuvre de l'astronome allemand Kepler côtoie les ouvrages plus métaphysiques de Jérôme Cardan et du dominicain Tommaso Campanella, auteur d'une *Cité du soleil* où sont jetées les bases d'un gouvernement idéal et dans lequel Monsieur, lecteur de Descartes, pouvait trouver matière à sa réflexion.

Si les traités politiques abondent, ils sont peu attachés aux idées de Machiavel. Ils portent pour un certain nombre sur les vertus du prince chrétien, bienfaiteur de ses sujets, thème qu'il nous semble reconnaître dans le manifeste de 1631 du prince révolté contre le cardinal. Les livres à vocation morale et religieuse n'étaient pas absents, loin de là. Mais c'était, à l'époque, le lot de toute bibliothèque. Ouvrages mystiques, livres de saints touchant à l'hagiographie, traités de morale des pères Senault et Le Moyne, sans oublier le fameux *Augustinus* de Jansénius. Bien entendu, Monsieur, excellent latiniste et parlant plusieurs langues, n'avait pas négligé le fonds historique qui constitue une part essentielle du cabinet des livres : histoires des principaux pays européens, de l'empire romain, récits des nouveaux mondes et traités divers. Ajoutons que si les grands classiques grecs font défaut dans la bibliothèque, la plupart des auteurs latins y figurent ainsi que les poètes français de la Renaissance et de nombreux auteurs dramatiques quelque peu oubliés de nos jours. Cet amour de Gaston pour les livres le conduisait à faire acheter partout où cela était possible les livres originaux de grande valeur. Et cela pouvait, compte tenu de la concurrence, le conduire à des situations parfois peu honorables. Est-il exact qu'une mesquine jalousie à l'égard de Mazarin, lui aussi collectionneur averti, l'avait poussé, durant l'exil du cardinal en 1651, à précipiter la vente de la bibliothèque du premier ministre afin de l'acquérir à bas prix ? Si l'affaire est plausible, elle ne se fit pas. L'entretien de la bibliothèque nécessitait l'emploi de personnes sérieuses. Le prince eut d'abord pour bibliothécaire le poète La Serre, raillé par Boileau* dans « Le repas ridicule », puis le sieur Bénigne Bruneau (ou Bruno), abbé de Saint-Cyprien et fidèle du cardinal de Retz. Bruneau, garde des raretés depuis 1641, deviendra plus tard garde des Médailles du roi au Louvre, où il sera assassiné par un voleur en 1666.

Son Altesse royale recevait beaucoup de visiteurs dans sa bibliothèque et se livrait dans ce cadre exceptionnel à de longues conversations politiques. C'est ainsi que le cardinal de Retz rejoignait le cabinet des Livres par « le petit degré qui répond dans la galerie afin d'éviter le grand escalier et le grand appartement ». Le cardinal raconte

* Puget de La Serre (1600-1665), historiographe de Marie de Médicis et auteur dramatique à succès.

qu'un jour de 1652, alors qu'il se trouvait en tête à tête avec le prince, Bruneau était entré « tout effaré pour m'avertir qu'il y avait dans la cour une assemblée de plus de deux à trois cents de ces criailleurs qui disaient que je trahissais Monsieur et qu'ils me tueraient ».

Le classement que nous proposons pour ces diverses collections nous conduit à évoquer maintenant les médailles et autres « raretés ». Monsieur n'était pas le premier prince du sang à cultiver cette vocation de collectionneur. Déjà François Ier avait réuni environ deux cents médailles au garde-meuble et à la bibliothèque de Fontainebleau. Henri II avait ajouté une belle collection provenant des grands-ducs de Toscane et due à Catherine de Médicis. Charles IX avait enrichi ce cabinet par l'achat à Lyon de la collection du célèbre Grolier. L'intérêt de Monsieur pour les médailles fut précocement éveillé même s'il préférait nettement les médailles antiques. Le père Molinet signale que « quant aux modernes, M. le duc d'Orléans n'en ayant pas été curieux et n'en ayant presque point amassé, le cabinet s'en trouva fort dépourvu ». Comment Monsieur rassembla-t-il cette magnifique collection ? Une lettre de Louis XIII du 3 juillet 1638 donne un aperçu :

« À mon frère unique le duc d'Orléans,

» Mon frère, s'il est vray que la parole fait le gentilhomme, j'estime qu'elle est aussi nécessaire aux princes et aux rois. Je vous envoye par Archambault les monoyes que je vous ay promises, qui ont esté trouvées à Chantilly, après les avoir fait voir au père Sirmond. J'en débite tant de la courante pour mes armées et en voy si peu de cette antienne que j'ay mieux aimé m'en reposer sur son jugement que sur le mien. Il a tout étiqueté, selon qu'il a accoutumé de faire des médailles que vous luy envoyiés pour les recognoistre.

» Assurez-vous que, quand je pourray quelque chose de plus important pour vostre contantement je le feray d'aussi bon cœur, puisque je suis vostre très affectionné frère[4]. »

Gaston, c'est clair, collectionnait avant 1638 et le célèbre jésuite Jacques Sirmond « recognoissait les médailles ». Confesseur du roi, en remplacement du père Caussin, le bon père avait été saisi à Rome de la passion pour les antiquités et s'était constitué un cabinet que l'on citait encore en référence en 1686. Le confesseur avait même commis plusieurs dissertations sur des sujets numismatiques. Même s'il continua à Blois, c'est bien à Paris que Monsieur fit surtout œuvre de collectionneur, et cela avant que le père Bruneau ne s'en occupât. Et Monsieur ne reculait pas devant la dépense. Il profitait de toutes les opportunités, achetait des collections entières et, dès 1630, fit venir d'Italie quatre-vingts statues, des bustes et têtes antiques. Certains personnages étaient employés à la recherche de pièces originales, de médailles romaines et autres « curiosités* ». Rien n'est vraiment très clair quant au contenu global et à l'origine des trésors de Monsieur, tant on a émis d'avis divergents. Le père Molinet évoque beaucoup de pierres gravées et surtout des camées : « On ne négligeait pas aussi l'augmentation des agathes dont on avait été bien fourny d'abord, puisqu'on en reçut 24 belles boîtes de M. le duc d'Orléans dont la plupart étoient en relief. » Certains auteurs** disent que Monsieur aurait acheté beaucoup de ses « raretés » au président de Mesmes et « qu'elles venaient originairement de Louis Chaduc, conseiller au présidial de Riom qui les avait rapportées d'Italie »...

La magnifique collection de cartes topographiques témoigne de son attachement à cet art original. D'où lui est venu cet engouement ? Dans l'incertitude, on peut avancer plusieurs hypothèses. Les premières remontent au temps de l'enfance. Parlant d'un gentilhomme ordinaire de sa maison appelé Machault, les *Mémoires de Gaston d'Orléans* signalent qu'il était « fort universel en toutes sortes de sciences, surtout de la carte et aux mathématiques qui s'en savent servir à propos et avec jugement ». L'enfant royal, vu l'éclat de sa prime intelligence, n'est sans doute pas resté insensible à l'influence d'un tel personnage. Dans la formation que le petit prince avait reçue de De Brèves, les apprentissages studieux de la grammaire avaient probablement forgé bien des souvenirs. Des figures

---

* Ainsi du comte de Marcheville.

** Tel Marion du Mersan dans l'« Histoire du cabinet des Médailles ».

allégoriques empruntées à l'art militaire et à la géographie n'étaient pas absentes. Ainsi, pour intéresser l'enfant, parlait-on du « royaume du nom et du verbe, des provinces du participe et des interjections, en lutte aux rives du fleuve des disjonctives, qui vient du pays des conjonctions, sans parler de la rivière Sive aux navires chargés de cas, nombres et genres[5] ». Quelques années plus tard, dans les assemblées de son « conseil de vauriennerie », Monsieur laissait libre cours à la rêverie géographique. « Son Altesse s'était figuré un royaume imaginaire, prenait plaisir d'en faire la carte et à donner des noms qui fussent convenables et de rapport aux provinces, aux villes, fleuves, passages et autres choses dépendantes de ce royaume[6]. » Le comte de Moret, son demi-frère, né de Henri IV et de Jacqueline du Bueil, mort à Castelnaudary en 1632, était un participant assidu aux réunions. Gaston l'avait fait grand prieur de ce soi-disant État, dans lequel l'abbé de La Rivière était grand monacal et le poète normand Patrix premier maréchal des logis du prince, l'un de ses grands vicaires. Certains auteurs notent que Monsieur avait même été victime d'un « accident géographique ». Un jour qu'il fumait sa pipe sur un billard dans la galerie de peinture, Gaston s'était mis à faire tourner un gros globe pendu à une chaîne de fer « qui avait une visse au bout, cette masse tomba aux pieds du prince après lui avoir un peu touché la teste et mesme fait une petite ouverture... origine peut-être de tant d'excentricités[7] ». On l'avouera, l'homme qui rapporte le fait est fort peu complaisant à l'égard de son maître. Cet incident ne nous indique pas si Monsieur consultait fréquemment ses cartes, plans et vues topographiques. L'ensemble comprend dix-huit atlas : « Ce sont d'énormes *in folio* hauts de 54 cm et larges de 39 cm, épais en proportion et précédés de superbes titres gravés aux figures symboliques. » Les titres des reliures précisent les contenus. Le premier appelé *Description* concerne l'Europe, le second *Les Septentrions*, les trois suivants traitent de l'Allemagne, deux autres intéressent les Pays-Bas, mais un seul touche aux îles Britanniques. Puis trois atlas sont consacrés à la France, autant parlent de l'Italie, un de l'Espagne, un de la Grèce, un de l'Asie et le dernier de l'Afrique et de l'Amérique.

Les atlas, gros de 584 cartes simples et 1 184 à double page, sans parler des feuilles de texte, proviennent de volumes dispersés, renfermant 2 077 documents dont 99 manuscrits, à savoir 130 cartes générales, 618 cartes de provinces, 271 plans et 704 vues de villes, 105 monuments et 150 batailles et sièges. Le relieur Le Gascon « a jeté de pleins veaux fauves, uniformes de la bibliothèque princière [8] ». Un cadre de deux filets d'or laisse nus les plats, et « les dos à sept nerfs montrent un décor aux petits fers avec le double G sans couronne ouverte », entouré de deux grandes et quatre petites fleurs de lis à la gloire du maître. Les cartes manuscrites, mêlées aux documents gravés, constituent avec les vues des villes, les plans de fortification, lavés ou dessins, la partie la plus impressionnante de l'ensemble. On a le sentiment que les géomètres et ingénieurs sollicités par le prince cherchaient à retracer les événements marquants de sa vie agitée. Beaucoup de lieux où il est passé, a combattu, ou s'est retiré, ont été représentés. Parmi toutes les cartes, la carte marine de Paul Ollivier représentant l'Atlantique Nord « faite à Grâce, année 1624 », est extrêmement précieuse.

Donnons quelques exemples. En 1636, Monsieur assure la conduite des armées qui prendront Corbie. On le voit à Bapaume et sur la Somme. On en profite pour faire une carte de la rivière depuis Péronne jusqu'à Bray. Le plan du Catelet propose des chemins, des jardins, des prairies. La Capelle, une autre sûreté de 1631 que Gaston traversera en 1634 en rentrant de Bruxelles, et qu'il reprendra aux Espagnols en 1644, fait l'objet d'un plan. La carte du Languedoc évoque la révolte du prince et la tragédie de Montmorency. Toute l'Europe en guerre et ses épisodes sanglants apparaissent par touches. La place de Lérida résiste à Condé et Saint-Clair « ingénieur du roy » en dessine le plan. Les rêves de Monsieur ne sont pas oubliés puisque Gabriel Perelle dessine pour lui sur vélin, en 1641, une carte de la Terre sainte. Mais, aussi curieux que cela paraisse, Gaston n'a laissé aucun plan de Blois où il mourut.

Parmi les signataires des cartes, croquis, plans acquis par Monsieur, figurent les plus grands noms. On trouve des villes de Claude Chastillon, des provinces de Jean Leclerc, des cartes de Tavernier et de Tassin, de Jean Boisseau et de Nicolas Sauson d'Abbeville. L'hydrographe hollandais Waghenaer se mêle aux Flamands Orteliers, Mercator, Cluvier, Pierre Perret d'Anvers. L'Anglais Speed côtoie les Italiens Forlani, Bertelli, Camotio, et l'Allemand Braun et ses auxiliaires les Hoefnagel. Il faut ajouter à cette fameuse équipe internationale le Suisse Mérion et le Tchèque Wenceslas Hollar.

Dans le monde meurtri de la guerre de Trente Ans, où les hasards des combats bouleversent les frontières, une telle accumulation de documents et manuscrits, de cartes générales et particulières, de vues, de plans de villes et de batailles n'est pas le résultat de l'application d'une simple manie d'un prince curieux. Il y a certes la volonté de joindre l'utile à l'agréable mais nous aurions tort de ne pas y voir la mise en œuvre d'un dessein dont le caractère scientifique est indéniable. Monsieur observe ces planches d'un regard de soldat inemployé qui, somme toute, eut peu la possibilité de s'exprimer les armes à la main, de combattre et de s'affirmer sur le théâtre des opérations. Alors que l'Europe était à feu et à sang et que, sans doute, il eût aimé être un chef de guerre de grande envergure comme l'avait laissé envisager l'horoscope de sa naissance, ses rêves d'enfant cultivé, d'apprenti soldat sabrant ses camarades de jeu dans les couloirs du Louvre s'étaient arrêtés à La Rochelle, Corbie et Gravelines. Et si sa collection n'était qu'une compensation psychologique, elle a l'immense mérite de s'être concrétisée pour la grande satisfaction de l'Histoire.

Nous terminerons l'étude des collections par les recueils de peintures représentant fleurs et oiseaux. Ce sont les fameux vélins du Muséum d'histoire naturelle. À son arrivée à Blois, en 1635, Gaston avait créé un jardin botanique dans la partie du jardin de Louis XII, dit le « jardin haut ». Au bout de quelques années, on était arrivé à rassembler 2 500 espèces botaniques dont 200 exotiques et une vingtaine de variétés de roses. Au jardin furent jointes une ménagerie et une oisellerie. La responsabilité de cette entreprise fut confiée à Abel Brunyer, médecin de Monsieur depuis l'enfance[9]. À partir de 1650, il fut aidé par l'Écossais Robert Morison, Jean Langier, professeur de médecine à Aix, et Nicolas Marchant, médecin à Padoue [10]. Sans doute est-ce le souci et le plaisir du collectionneur qui poussèrent Monsieur à faire reproduire en miniatures sur vélin ses plantes et ses animaux. L'œuvre, peut-être commencée tôt par Daniel Rabel, fut poursuivie par Stefano della Bella et Nicolas Robert. Principal peintre de fleurs et d'oiseaux de Gaston, puis du roi, Nicolas Robert était né en avril 1614 à Langres où ses parents étaient hôtelliers. Nous suivons mal sa carrière. Est-il allé en Italie en 1640 ? Est-ce à Paris ou à Blois qu'ont été exécutés les beaux dessins sur vélin ? Rien n'est sûr. Les volumes de plantes peintes et les 620 feuilles représentant des types zoologiques sont constitués de grands *in folio* reliés en maroquin rouge, aux armes du roi. Les reliures de ces magnifiques ouvrages n'ont sans doute pas été commandées par Monsieur, car elles semblent avoir été faites à la bibliothèque du roi [*].

Qu'est-il advenu de ces collections à la mort de Gaston d'Orléans ? Par lettres patentes de novembre 1661 [**], Louis XIV acceptait le legs fait en sa faveur par son oncle. Le don était stipulé dans l'un des articles du testament de Son Altesse royale, « toutes ses médailles d'or, d'argent et de cuivre, les pierres gravées, les antiques et autres raretés qui estoient à la garde du sieur Bruno, comme aussy de ses livres de fleurs et d'oyseaux qu'il a fait portraire par Robert, peintre, et tous les livres d'histoire et autres qui sont dans le cabinet du palais d'Orléans pour estre le tout avec quelques boetes de coquilles fort rares mis dans vostre cabinet du Louvre et à servir à vostre divertissement ». Mademoiselle laisse entendre dans ses *Mémoires* que c'est Madame qui l'aurait un peu forcé en ce sens. Gaston n'ayant pas d'héritier mâle pour « conserver et augmenter ses collections », pour conserver ces trésors, le mieux était de les léguer à la couronne afin d'en éviter la dispersion.

Au moment même où Goulas et de Belloy, capitaine des Gardes, allaient annoncer au roi la mort du prince, à Blois,

---

* Suivant un décret de la Convention du 10 juin 1793, ces volumes furent déposés au Muséum d'histoire naturelle.

** Enregistrées au Parlement de Paris le 5 juin 1663.

les collections étaient mises sous scellés par le lieutenant-général du baîllage sur la requête de la duchesse d'Orléans [11]. Le sceau du roi était apposé « aux cassettes, armoires, cabinetz et autres choses fermées à clef dans lesquels sont les meubles et effectz deppendans de la succession de feu Monseigneur ». On sait qu'en 1644 les collections se trouvaient en grande partie au palais d'Orléans. Ce que l'on connaît moins, c'est l'origine de ce qui se trouvait à Blois en 1660. Était-ce de nouvelles « raretez » acquises entre 1652 et 1660 ou un transfert des collections parisiennes ?... Le 16 mars, Colbert écrivait à Mazarin : « L'on m'a donné avis que feu Son Altesse royale avait donné ses livres au roy... En ce cas, je supplie votre Éminence d'ordonner qu'ils soient mis dans la bibliothèque de Sa Majesté qui est leur véritable place [12]. » Bruneau dressa l'inventaire d'une partie des trésors de Gaston [13]. Suivons dans les détails, avec beaucoup de réserves, le père Molinet : « On fit donc apporter dans Paris tous ces livres et ces curiosités qui furent mises dans une salle du Louvre au-dessus de la salle des Gardes où ils demeurèrent deux ou trois ans, jusqu'à la mort funeste de l'abbé Bruneau. » On peut donc supposer que lors de son exil de 1652, Monsieur avait fait transporter sa bibliothèque à Blois. Et le père Molinet ajoute pour une date ultérieure : « La bibliothèque du roi ayant été en ce temps-là transportée de la rue de La Harpe en la rue Vivienne, auprès du logis de M. Colbert, on y porta aussi celle de feu M. le duc d'Orléans, pour la joindre et incorporer avec celle de S.M. et on y fit suivre les Médailles et les autres curiositéz*. » Après la mort de Colbert, le cabinet des Médailles aurait été transporté à Versailles près de l'appartement de Sa Majesté. Ainsi les collections de Gaston d'Orléans sont entrées dans les fonds du roi et seraient venus grossir à la fois les départements des Médailles et celui des Estampes, les Estampes étant séparées en 1720 des livres imprimés. On sait que les miniatures sur vélin, d'après les plantes du jardin botanique et les animaux de la ménagerie de Blois, peintes par Robert dont l'œuvre fut sur l'ordre de Colbert reprise par Jean Joubert, puis

* Actuellement la Bibliothèque nationale.

respectivement par Nicolas Aubriet et Madeleine de Basseporte, furent déposées à la bibliothèque du Muséum d'histoire naturelle. Quant aux atlas de cartes topographiques, ils n'ont probablement jamais quitté la rue Vivienne et se trouvent actuellement aux cartes et plans de la Bibliothèque nationale. En léguant ses collections au jeune roi, Monsieur nous permet de les admirer encore de nos jours.

26.

Le prince des poètes

Passionné d'art et collectionneur avisé, il allait de soi que Monsieur s'intéressât à la littérature et fût aussi un mécène des gens de lettres[1]. Dès son enfance, le prince fut entouré et célébré par des poètes à la mode. Son goût prononcé pour les beaux textes, ses qualités intellectuelles et ses dispositions naturelles à être entouré par des gens de talent firent de lui l'un des personnages les plus fameux parmi les grands protecteurs des écrivains. Dès 1624, le poète officiel Malherbe ne s'était pas trompé :

« Muses quand finira cette longue remise
De contenter Gaston et d'écrire de lui
Le soin que vous avez de la gloire d'autrui
Peut-il mieux s'employer qu'à si belle entreprise
En ce malheureux siècle où chacun vous méprise
Et quiconque vous sert n'en a que de l'ennui
Quel espoir avez-vous de trouver de l'appui
S'il ne vous tend les mains et ne vous favorise ? »

Deux ans plus tard, le 30 août 1626, le poète Nicolas Faret écrit à Vaugelas : « Tout le monde espère de voir désormais fleurir avec luy le siècle des honnestes gents. » D'emblée, plusieurs questions sont posées. D'abord, qui sont ces hommes de lettres qui vont suivre Monsieur au cours de sa vie mouvementée ? Quelle fut leur littérature dans le mouvement général des lettres ? Furent-ils vraiment les protégés d'un mécène d'une grande générosité, car lorsque l'on connaît Gaston, on peut émettre quelque doute... Faire partie de la cour de Gaston n'impliquait pas que l'on restât continuellement auprès de lui et, lors de ses deux séjours à l'étranger, bien des gens de plume restèrent en France. Si certains poètes quittaient leurs protecteurs pour venir grossir le nombre des amis de Monsieur, d'autres n'hésitaient pas à faire le mouvement inverse. Jean Mairet faisait partie au départ du groupe du duc de Montmorency. Claude d'Eurre, sieur de Chaudebonne, familier de Gaston et de l'Hôtel de Rambouillet, introduira le poète Voiture à la fois dans « la chambre bleue » et chez le prince. En 1646, après plus de vingt ans de liens étroits, Tristan L'Hermite prendra ses distances avec l'hôte du palais du Luxembourg. Ce poète, attaché très tôt au jeune duc d'Anjou, résume bien par son attitude et son œuvre l'entourage du prince. Ses poèmes héroïques sur le siège de La Rochelle et Corbie témoignent de l'enthousiasme pour un homme en qui il croit fermement. Mais Monsieur ne sera jamais un héros et l'erreur du poète est fort douloureuse[2].

Introduits auprès de Monsieur, les amateurs de poésie recevaient dans sa maison une charge qui leur apportait des moyens financiers pour vivre, mais surtout beaucoup de temps libre pour rimer. Le plus simple est sans doute de suivre la chronologie. C'est au cours des années 1625-1627 que semble prendre forme le rôle de mécène de Gaston d'Orléans. En 1626, plusieurs gentilshommes de Monsieur et fins rimeurs tel Nicolas Favet assistent à Nantes au mariage de leur maître. L'hiver suivant fut propice à une évolution rapide. Madame, enceinte, reste cloîtrée au Louvre et laisse sortir son époux avec ses gentilshommes. Ils sont jeunes, vigoureux, amoureux de la vie et libertins. C'est ce dernier aspect que beaucoup d'auteurs ont mis en exergue : « Le libertin est un homme aimant le plaisir, tous les plaisirs, sacrifiant à la bonne chère, le plus souvent de mauvaises mœurs, raillant la religion[3]. » On peut considérer le libertinage comme étant un mouvement rationaliste, mais aussi réunissant un groupe sociologique opposé à la tradition[4]. Mais si le « conseil de vauriennerie » de Monsieur est débauché, il est aussi très intellectuel. Gaston

« aimait les esprits cultivés et faisait tenir chez lui de savantes conférences où l'on arrivait, préparé sur les matières qu'il avait indiquées lui-même ».

La littérature qui naît et fleurit autour de Monsieur recouvre le ballet, la poésie et le théâtre, et touche parfois au roman. Monsieur aime danser le ballet. En 1624, il joue, chez le roi, le rôle du pirate dans « le ballet des voleurs » ; en 1625, il danse avec son frère « le ballet des fées de la Forest de Saint-Germain ». La même année, on le voit dans « le ballet du monde renversé ». Le livret montre un fou enseignant la philosophie et un écolier fouettant son maître. L'ordre accepté est inversé. En février 1626, Monsieur et le roi paraissent dans « le grand bal de la Douairière de Billebahaut », et, le 4 février, Gaston se montre dans « le ballet des quolibets ». Tristan L'Hermite signe plusieurs livrets. Celui des *Dandins* en 1626 et les vers du « ballet de Monseigneur frère du roi ». Le texte frise l'obscénité. Migne, l'emmancheur de balais, veut accommoder les femmes « d'un manche qui ne se cassera jamais ». Bois d'Annemetz, costumé en femme, veut en faire de même, tandis que les favoris de Monsieur, Brion, Puylaurens et Blaru, « ne songent qu'aux cornes qu'ils font lever sur le front des maris ». Quant à Boutteville, habillé en maître d'hôtel, il se montre beaucoup plus efficace au lit qu'au service de la table[5].

Tristan L'Hermite a sans doute écrit plus tard le livret du fameux « ballet du mariage de Pierre de Provence et de la belle Maguelonne », monté à Tours en 1638 en l'honneur de Louison Roger. L'œuvre eut beaucoup de retentissement et « le grand ballet de Monsieur, frère unique du roy [fut] dansé devant Sa Majesté et devant Monseigneur l'Éminentissime duc de Richelieu ». Ce goût prononcé pour la danse durera jusque vers 1655, même si certaines époques comme le second exil furent moins fertiles en création.

Les auteurs de théâtre, qui étaient aussi poètes et rédigeaient parfois des livrets de ballets, occupaient une place importante à la cour de Gaston d'Orléans. Parmi eux figurent Mareschal, Grandchamp et, bien sûr, Tristan L'Hermite et quelques autres. Mareschal fut sans doute présenté par le comte de Moret à Monsieur, en 1626. Après avoir tâté du roman avec *Chrysolite* qu'il publia en 1627, il se lança dans le théâtre. Sa première pièce, *La Généreuse Allemande* est dédiée à Puylaurens. C'est une tragi-comédie pleine de références à l'actualité : on y parle surtout du siège de La Rochelle et de la prise de l'île de Ré par Monsieur en 1627. Mais au-delà des simples faits militaires, la pièce aborde des thèmes libertins comme la question de la religion et de l'existence de Dieu. Une seconde pièce, *L'Inconstance d'Hylas,* écrite vers 1629, est une comédie pastorale dans laquelle l'idée de l'amour libre n'est pas absente. En 1632, Mareschal quitte Gaston dont il estime qu'il n'est pas assez généreux, mais il continuera d'écrire, en particulier *La Sœur valeureuse,* en 1633. Vers 1626, il est possible que Gaston ait protégé le célèbre comédien Gaultier-Gargouille, mais pour une raison bien particulière. Le comédien était un collectionneur de pièces de monnaies anciennes et rares, très réputé, et il semble bien que le prince ait acquis une partie de ses collections pour développer son propre cabinet[6]. En 1630, Grandchamp dit de Montargis dédie à Gaston *Les Aventures amoureuses d'Omphale.* L'auteur n'y va pas par quatre chemins et annonce d'emblée que tout étant dit, il suffit pour être un bon écrivain de copier « les Anciens sans que l'on s'en doute[7] ». Comme Mareschal, Grandchamp est un adepte de l'amour libre.

Dans son travail sur Gaston d'Orléans et sa cour, Abraham évoque trois personnes auxquelles sont probablement attachées plusieurs pièces. Il s'agit de François Passart, conseiller du roi et aumônier ordinaire de Gaston, Robert Passart, seigneur d'Arcy, conseiller du roi et contrôleur général des Finances de Monsieur, et François Le Comte, gentilhomme ordinaire du prince. Entre 1630 et 1634, diverses tragi-comédies pastorales sont écrites par un certain « Passart » : en 1630, *Cléonice ou l'Amour téméraire* et, en 1634, *Cléonice, Célénie, Florice* et *L'Heureuse Inconstance.* De quel Passart s'agit-il ? On ne sait, de même que l'attribution à François Le Comte, en 1632, de *Dorimène* n'est pas certaine. Quant à Tristan L'Hermite, il aborde vraiment le théâtre en 1635 avec une pièce, *La Marianne,* qui pour un coup d'essai fut un coup de maître[8]. Elle fut jouée au printemps 1636, année du *Cid* et de Corbie, au théâtre du Marais et connut un grand succès. Le privilège d'impression est du 14 juin 1636 mais l'achevé d'imprimer date du 15 février 1637. Entre-temps, Monsieur s'est illustré aux armées en Picardie. Il paraît donc naturel que l'auteur présente pour la seconde édition une ode chaleureuse « pour Monseigneur, frère du roy, allant en Picardie commander l'armée de Sa Majesté ». À son habitude, Tristan chante la gloire de Gaston, ses faits d'armes valeureux. On s'est interrogé sur le point de savoir si cette pièce n'est pas le véritable « reflet de la vie et l'état d'âme de la cour de Gaston ». On ne peut conclure sur le théâtre sans citer le *Thomas Morus* de La Serre, bibliothécaire du prince, qui connut un gros succès en 1641.

On n'étonnera personne en écrivant que la poésie est reine. On a déjà vu quelques personnages de la cour de Monsieur*, leurs idées et leur comportement... Certains étaient des assidus de l'Hôtel de Rambouillet et sacrifiaient à la préciosité. C'est le cas de Mareschal et de Vincent Voiture. Ce dernier est introducteur des ambassadeurs de Monsieur. Ses poèmes mêlent l'élégance à la galanterie et parfois l'esprit à la véritable gauloiserie. Mais voiture se sent à l'étroit à la cour du prince. À Bruxelles, où il a suivi son maître, il s'ennuie et accepte une mission en Espagne. Mais une fois sur place, il n'a qu'une hâte, c'est de rentrer auprès de Monsieur dont il écrit : « outre les hautes vertus que la grandeur de sa naissance lui donne, son affabilité, sa bonté, la beauté et la vivacité de son esprit, le plaisir avec lequel il écoute les bonnes choses et la grâce dont il les dit lui-même, sont des qualités qui, à peine, se trouvent nulle part au point qu'elles paraissent en lui ». Monsieur a négocié son retour fin 1634 et s'installe à Blois. Voiture attend impatiemment l'autorisation de le rejoindre. Nombreux et divers sont ceux qui sont entrés très tôt au service du prince... Dès 1625, Besançon, Maulévrier, Martel et Grignan... Vers 1626, Nicolas Faret, Pierre de Boissat et quel-

* Gaston ne se désintéressera pas complètement du théâtre ; en 1651-1652, durant la Fronde, il a une troupe à Saumur et à Poitiers.

ques autres. Maître de la garde-robe de Monsieur, Maulévrier n'a laissé que des poésies, tout comme Martel, chambellan d'affaires du prince. Charles de Bazoches de Besançon apparaît comme un disciple de Théophile de Viau. Mêlé à tous les complots de son maître, c'est comme lui un être insoumis, emporté, torturé. N'a-t-il pas enlevé en 1631 Marie de Médicis pour la conduire en Flandres ?... Homme de confiance certes, mais aussi homme de débauche, auteur du célèbre aveu : « Gaston, vous savez mieux que nous tous les secrets de la taverne. » Pierre de Boissat assiste au siège de La Rochelle, puis suivra le prince en exil comme gentilhomme ordinaire. On imagine la troupe de joyeux lurons fuyant la France en laissant derrière eux familles et amis. Mais la tristesse n'est pas de mise car « jamais, de mémoire d'homme, on ne vit un frère du roi se choisir un cortège plus brillant, composé de la fleur de la noblesse ni s'entourer d'une pompe plus magnifique pour défendre l'éclat de sa haute situation et sa propre renommée ».

Il convient de faire un sort particulier à Louis de Neufgermain et Pierre Patris. Neufgermain était considéré comme le Triboulet de Gaston. Le personnage est excentrique mais attachant. Il écrit, il écrit beaucoup pour les grands, Monsieur, le marquis de Rambouillet et quelques autres. Ils rient de lui, s'en amusent, mais le poète déréglé, excessif et marginal, garnit ses poches d'espèces sonnantes. Si le fou du prince est dénué de grande compétence littéraire, c'est un parfait courtisan qui « ne pouvant briller par le génie, se fait remarquer par l'originalité ». Et les louanges pleuvent sur Monsieur

« Par l'univers en tout canton
Ce que l'on voit Phoebus reluire
C'est qu'il prend ses feux de Gaston
Second soleil de nostre empire. »

Nous conviendrons que cela ne vole pas très haut... À la demande de son maître, il publia en 1630 un recueil de poésies et une suite en 1637 intitulée *Les Poésies et rencontres du Sieur de Neufgermain, poète hétéroclite de Monseigneur, frère unique de Sa Majesté.* Mais le poète farfelu, tête de turc, attire aussi les sympathies. François-Christophe de Lévis, comte de Brion, autre rimeur et premier écuyer de Gaston, chante Neufgermain et Puylaurens le trouve « savant ». Même Gaston n'hésite pas à prendre la plume pour lui :

> « Bien que je sois un poète neuf
> Qui ne renia oncques en Ger
> Je veux parler jusqu'à demain
> Des vertus du grand Neufgermain [9]. »

Pierre Patris est bien différent. L'homme qui fut grand vicaire du « conseil de vauriennerie » de Monsieur, formé après la mort du maréchal d'Ornano, était né à Caen en 1583 dans une famille de juristes [10]. Certainement influencé par Malherbe, un compatriote normand, bien plus âgé et bien en cour sous Henri IV, vers 1625, Patris devient gentilhomme ordinaire de Monsieur, duc d'Anjou. En 1629, il suit le prince lors de son premier exil. Même s'il a commencé à écrire très tôt, l'œuvre de Patris est en grande partie consacrée à des chansons qui, pour badines qu'elles soient, ne sont pas vraiment licencieuses. Ces chansons, peut-être mises en musique par les musiciens protégés de Gaston, paraissent surtout au temps de la Régence. La protection du prince, au niveau financier, ne fit pas défaut puisque le poète fut désigné comme capitaine et gouverneur du comté et château de Limours avec revenus, avant de devenir gentilhomme de sa chambre. Après de nombreuses années de libertinage, il est probable que Patris ait effectué un retour vers la religion au moment même où son maître, revenu à Blois après la Fronde, adoptait lui-même un comportement plus religieux. Il mourut bien après l'homme qu'il avait servi, le 6 octobre 1671, au palais d'Orléans à l'âge de quatre-vingt-huit ans. Un autre chansonnier de Monsieur fut Claude de Chouvigny, baron de Blot-L'Église. Lui aussi gentilhomme du prince, puis son chambellan en 1642. Il chantait son maître à sa manière :

« De tous les princes de la terre
Gaston est le plus malheureux
Ses armes ne sont que de verre
Ses coups ne sont pas dangereux
Il est vaillant comme fidèle
N'est-ce pas un fort beau modèle [11]. »

Ses vers sur les relations de la dame Ribaudon avec Gaston lui avaient valu d'être chassé comme un malpropre, mais il était rentré en grâce quelque temps après.

En ce qui concerne la prose, plusieurs noms sont à signaler. Nicolas Faret, gentilhomme ordinaire de Monsieur, est considéré comme étant un véritable ivrogne. Il publie en 1630 *L'Honneste homme ou l'art de plaire à la court*. La dédicace qu'il écrit pour le prince est celle d'un courtisan en même temps que d'un ami : « En vous présentant ce livre, je vous présente comme un pourtrait de vous mesme. »

Jean de Favoral de Moussadières est lieutenant de la porte de Gaston en 1642. Il publie surtout des ouvrages érotiques. L'un de ses livres, *Les Plaisantes Journées du Sr Favoral*, connut de nombreuses rééditions. Il faut placer à un niveau supérieur Vaugelas, doté d'une grande érudition. Lorsque fut créée l'Académie française en 1635, plusieurs fauteuils revinrent naturellement à l'entourage de Monsieur : Faret, Voiture, Baro, Bourbon, Vaugelas, Boissart et Tristan L'Hermite. Leur enthousiasme pour la nouvelle institution est fort nuancé. Voiture s'y montre peu. Vaugelas y est très assidu, mais Richelieu devra attendre longtemps le dictionnaire de l'Académie qu'il lui avait commandé. Faret et Boissart y vont de temps en temps.

À la question : Monsieur fut-il un bon mécène ?, la réponse n'est pas aisée. Qu'ils soient artistes, hommes de sciences (Brunyer), musiciens comme Lambert et Moulinié, ou écrivains, presque tous avaient des charges rémunérées dans la maison de Monsieur mais se plaignaient de sa faible générosité, ce qui n'est pas forcément vrai. Voyons d'abord l'affaire Molière et « L'Illustre Théâtre ». La troupe de Molière, au début de la Régence, fut certainement entretenue par Gaston d'Orléans et les comédiens participèrent à des ballets et des fêtes au palais d'Orléans. En 1644, la pièce de Tristan L'Hermite, *La Mort de Sénèque* est jouée par L'Illustre Théâtre. Il faut croire que le soutien de Monsieur est peu efficace financièrement, puisque l'année suivante, en 1645, Molière est emprisonné au Grand-Châtelet pour dettes. Monsieur, qui craint que son nom ne soit associé à la banqueroute de la troupe, retire sa protection. Sorti de prison peu après, Molière part en province pour une longue période de douze années. Sa troupe parcourt le Languedoc et joue beaucoup à Carcassonne. Est-ce une façon pour Monsieur de soutenir Molière ? C'est possible, mais nullement assuré. Certains ont pu dire du dramaturge que, dans le Midi, « il voyage sans obstacle avec l'aide de son protecteur Gaston d'Orléans, gouverneur et lieutenant-général pour Sa Majesté en Languedoc »... Le Languedoc fut effectivement peu remuant durant la Fronde. Une chose est certaine, lorsque la troupe de Molière reviendra à Paris, en 1658, elle sera protégée sérieusement cette fois par Philippe d'Orléans, le neveu de Monsieur. Certains poètes de la cour de Gaston signifièrent leur mécontentement par une rupture déguisée ou définitive. Mareschal et La Mesnedière l'ont quitté les premiers. Neufgermain, malgré toute la joie qu'il procurait au prince, ne fut pas vraiment son protégé. Il ne le suivra pas à Bruxelles où, sans doute, il aurait fait grande impression par ses pitreries. Son recueil de poésies de 1637 montre qu'il n'était plus très fidèle. Il est vrai que Monsieur ne l'encourageait plus à publier ses écrits fades et indigestes. Plus pénible fut l'éloignement du bon Tristan. On ne sait pas s'il existe une relation avec L'Illustre Théâtre qui jouait ses pièces. Au printemps 1645, Tristan s'était mis en tête de prendre Madame comme mécène. Sa déception fut à la hauteur de son choix car elle n'était guère plus généreuse que son époux. Le 17 juillet 1645, notre poète devient chevalier d'honneur de la duchesse de Chaulnes et fréquente le duc de Guise. Il reprocha à son ancien bienfaiteur son ingratitude, en vers éloquents ; la blessure est profonde :

« Je voy que Gaston m'abandonne
Cette digne personne
Dont j'espérais tirer ma gloire et mon suport
Cette divinité de j'ay toujours suivie
Pour qui j'ay hazardé ma vie
Et pour qui mesme encore je voudrais être mort
Irai je voir en barbe grise
Tous ceux qu'il favorise
Épier leur réveil et troubler leur repas ?
Irai-je m'abaisser en mille et mille sortes
Et mettre le siège à vingt portes
Pour arracher du pain qu'on ne me tendait pas ?
Si le ciel ne m'a fait naistre
Pour le plus digne Maistre
Sur qui jamais mortel puisse porter les yeux
Il faut dans ce malheur que mon espoir s'adresse
À la plus charmante maîtresse
Qui se puisse vanter de la faveur des cieux [12]. »

On ne peut être plus clair... En 1646, Tristan est parti, lentement, sur la pointe des pieds, vers d'autres horizons, lui qui a été l'âme de cette littérature libertine développée sous la protection du prince. Son départ est sans doute le témoignage d'une vérité, mais ne soyons pas trop sévère. Il est clair que Monsieur n'a pas toujours décelé le génie de certains de ses protégés. Il a soutenu beaucoup d'écrivains médiocres. Il faut cependant reconnaître qu'il a longtemps été un repère, la référence et la raison d'être d'une littérature qui, sans lui, n'aurait peut-être pas eu le terreau qui lui était nécessaire pour s'émanciper.

27.

Une fin de vie dans la quiétude ?

Le 22 octobre 1652, au matin, Gaston d'Orléans quitta le Luxembourg pour sa terre de Limours. Son intention était de se rendre à Blois. Il avait reçu la veille, de la cour, l'ordre de sortir de Paris. Il partit seul, Madame étant sur le point d'accoucher. Le départ précipité de Monsieur étonna les Parisiens. Il est évident qu'au moment où le roi rentrait dans sa capitale dans l'enthousiasme général, sa présence était indésirable. Son Altesse royale s'était présentée « au palais, pour assurer Messieurs du Parlement qu'il n'avait point de traité fait, et qu'il ne se séparerait point des intérêts de la compagnie ; qu'il périrait avec eux[1] ». Encore un discours, et fi des promesses ! Certes, on lui avait bien conseillé de résister à l'accommodement qu'on lui proposait, mais le bon sens l'emporta et il le signa le 28 octobre, donnant sa promesse « de ne point aller en la ville de Paris sans la permission et le consentement de Sa Majesté ».

Les Parisiens aspiraient à la tranquillité après la guerre condéenne et rendaient Monsieur en partie responsable des exactions des troupes durant l'été 1652. Aussi *La Gazette* de Renaudot pouvait-elle, sans trop choquer, écrire que le départ du prince réjouissait « merveilleusement les peuples et particulièrement les bons bourgeois ». Bien évidemment, si Monsieur n'avait pas consulté Condé, en fuite vers le Nord, pour prendre sa décision, il ne souhaitait pas non plus que sa fille, priée elle aussi de s'exiler, continuât dans cette voie. « Je vous ai envoyé quérir, dit-il, à Préfontaine, secrétaire de Mademoiselle, pour dire à ma fille, de ma part, qu'elle s'en aille au Bois-le-Vicomte et qu'elle ne s'amuse point à toutes les espérances, que M. de Beaufort, Madame de Montbazon et Madame de Bonnelle lui pourraient donner, de servir M. le prince et de faire encore quelque chose de considérable : car il n'y a plus rien à faire. » Et il ajouta : « Si elle ne veut pas aller [à Bois-le-Vicomte] qu'elle aille à quelque autre de ses maisons. »

Mademoiselle choisit son château de Saint-Fargeau en Puisaye qu'elle gagna par petites étapes*. Madame accoucha au Luxembourg le 9 novembre d'une petite fille, Mademoiselle de Chartres. Cette fois, les désirs de Monsieur d'avoir un héritier mâle semblaient dangereusement s'estomper. L'accouchement s'était bien déroulé mais la mère eut de gros problèmes de santé les jours suivants, ce qui retarda d'autant son arrivée à Blois, qui fut reportée à la fin de janvier 1653. La famille se trouva alors réunie. La vengeance de la cour paraissait, somme toute, naturelle. Que Monsieur et sa fille se soient alliés à Condé à un moment si peu opportun avait laissé des traces et le pardon royal ne pouvait être immédiat. Dépendait-il de la régente et du roi, ou de Mazarin retourné en Allemagne ? La décision avait été prise avant le retour de la cour à Paris. Cependant, Anne d'Autriche se rendit vite compte que la présence de Monsieur au Luxembourg aurait eu bien des avantages, en particulier pour assurer un retour du cardinal-ministre dans les meilleures conditions. Elle sollicita Retz, faisant valoir qu'« il ne faut pas laisser Monsieur dans sa solitude, il peut être utile au roi et à l'État ». Mais si Retz l'écouta, il n'agit pas et fut quelques semaines plus tard embastillé. La personne la plus facile à atteindre restait Madame entourée de ses quatre filles, au Luxembourg. La reine lui rendit plusieurs visites et, n'obtenant rien, fit pression sur Goulas pour qu'il sollicite son maître. La réponse de Monsieur fut sans équivoque : « J'ai écrit à Madame ce qu'elle avait à faire en cas que le cardinal vînt à Paris. Pour les propositions que l'on vous a faites pour mon retour à Paris et à la cour, vous devez témoigner que

* Elle ne devait retourner à la cour qu'en 1658.

je n'en veux entendre aucune et que je prétends demeurer chez moi et dans mon gouvernement conformément à ce qui m'a été accordé, que je donnerai toutes les sûretés que l'on désirera pour assurer que je ne veux plus entrer dans les brouilleries... mais pour aller à la cour je ne le ferai pas. Je veux vivre en repos et la reine sait bien que j'avais résolu de me retirer après la majorité [du roi][2]. » Il persista dans son refus lorsque Mazarin, revenu à Paris le 5 février 1653, lui dépêcha l'archevêque d'Embrun. « J'agréerai, lui dit-il, les belles paroles de Son Éminence, lorsqu'elles seront converties en effets et accompagnées de l'exécution des promesses qu'on m'a faites à Limours. Je n'ai point d'aigreur contre sa personne. Elle m'a quasi forcé, contre mon inclination, à rompre avec elle par divers dégoûts, tant sur les premières affaires de Bordeaux [il s'agit de la révolte des Bordelais] que sur les menaces qu'elle m'avait faites de mettre M. le Prince en liberté... pour ce qui regarde la tendresse que la reine a toujours eue pour moi, j'y corresponds par mille soumissions. Dans toute la guerre [celle de la Fronde] je ne me suis jamais séparé du respect que je lui dois. Il est assez public que je n'ai jamais attenté à son autorité, ayant toujours rejeté toutes propositions qu'on m'a faites contre sa régence. »

Monsieur manque là d'un peu de mémoire... Certes, les affaires d'Orléans et des canons de la Bastille sont à mettre au compte de sa fille selon ses ordres. Mais Monsieur nous fera difficilement croire que toute son action en 1652 consista à défendre, à sa façon, la régente*. La bouderie de Gaston d'Orléans dura plus de deux ans et il n'assista pas, le 7 juin 1654, au sacre de Louis XIV à Reims. Cela dut lui coûter car on sait les sentiments d'affection qui le liaient au jeune roi et à son frère Philippe. En eut-il du regret ? Probablement. Mais on ne saura jamais quelles furent ses pensées ce jour-là.

On le voit, la famille royale avait volé en éclats. La réconciliation n'aura vraiment lieu que durant le mois d'août 1656, lorsque Gaston rendra visite à la cour à La

* Il faut reconnaître qu'il n'a conduit personnellement aucune armée contre celles du roi sous la Régence.

Fère, en Picardie. Passant par Paris avant de rejoindre son apanage, Monsieur fut apprécié et reçu à l'Hôtel de Ville, messieurs du parlement, et ce que nous appellerions de nos jours « le Tout-Paris ». Au printemps 1657, il retourna dans la capitale pour régler une affaire de procès avec la duchesse d'Aiguillon à propos de la terre de Champigny-sur-Veude, appartenant au lignage Montpensier, dont Richelieu l'avait dépossédé de manière peu licite et, une fois de plus, il put mesurer que sa gloire avait peu souffert. Alors, retourner à la cour ? Sans doute, la régente et Mazarin auraient accepté, mais il y avait le roi, âgé de dix-neuf ans, qui se contentait fort bien de la situation. Pourtant, Gaston d'Orléans allait une dernière fois servir le roi lors de la révolte des « sabotiers de Sologne ». L'affaire fut sérieuse car le pouvoir craignit un moment qu'elle ne s'étendît à d'autres provinces du royaume. La cause en était, comme pour les grandes crises des nus-pieds et des croquants de 1636 et 1639, la pression fiscale.

Monsieur prit connaissance de la révolte des paysans en sabots* alors qu'il se trouvait en cure à Bourbon-l'Archambault. Rentré immédiatement à Blois le 1er juin 1658, il signifia aux insurgés sa complète désapprobation mais, afin d'éviter que les troupes royales ne commettent un massacre, il négocia avec eux une sorte de pardon contre le retour à l'ordre. Les insurgés ne virent aucune malice dans ces propositions et calmèrent le jeu. Le Conseil suivait de près la médiation du duc d'Orléans qui signalait par courrier, le 24 juin : « Cette révolte a commencé par la misère où ces paysans se sont trouvés réduits à cause de la surcharge des tailles qu'ils n'ont pu payer. » Monsieur préconisait que « l'on se contentât de faire mettre à ces gens-là les armes bas et de les laisser retirer dans leurs maisons... [il était à craindre] que le désespoir et le mauvais traitement qu'ils appréhenderaient de recevoir ne fît augmenter leur révolte et que le mal ne courût dans les provinces voisines ». Dès le 3 juillet, on pouvait constater « la dissipation des révoltés de Sologne ».

Ces négociations pour la paix avec l'Espagne s'étaient

* Ils étaient environ six mille paysans révoltés.

débloquées à la fin de l'année 1659 alors que la cour se trouvait à Lyon pour « les fiançailles » de Louis XIV et de sa cousine Marguerite de Savoie*. L'envoyé du roi d'Espagne, Pimentel, était venu parler paix et mariage du roi de France et de l'infante espagnole. Mazarin tint Monsieur au courant des progrès des négociations qui aboutirent à la paix des Pyrénées le 7 novembre 1659.

Quelle vie Monsieur menait-il à Blois avec sa famille, au milieu de sa petite cour ? Bien entendu, il n'y avait pas l'atmosphère parisienne du palais d'Orléans, du temps de la Régence. Peu à peu, Gaston estompa les fêtes, bals et ballets. Peut-être pour des raisons financières, plus probablement parce que le cœur n'y était plus. Son comportement vis-à-vis de la religion évoluait dans le sens d'une pratique plus régulière et plus profonde, ce qui contribua à éloigner quelques libertins. Monsieur s'interrogeait sur la nécessité de maintenir le train de vie qui était le sien, en particulier l'entretien de ses gardes françaises et suisses, et du grand nombre d'officiers dans son personnel. De tempérament versatile, il doutait, changeait d'opinions, mais savait maintenir un ciment de principes sur lequel il n'y avait pas à revenir. Ainsi, ses collections continuèrent d'être son passe-temps favori et une préoccupation de tous les instants. Ce fut la grande époque des vélins de Nicolas Robert. Il s'adonne aux sciences, en particulier à l'astronomie, et lit beaucoup. Il est probable qu'il passe beaucoup de temps à la chasse bien qu'il ne soit pas vraiment tueur, en longues promenades dans la forêt et le soir à jouer avec ses filles et quelques intimes. La correspondance était pour lui un moment privilégié ainsi que les visites de personnages venus de Paris auxquels il faisait l'honneur de son fameux jardin et de son oisellerie. Née en 1616, Madame atteignait la quarantaine. Déjà peu portée aux mondanités à Paris, il ne fallait pas lui demander à Blois des efforts au-dessus de ses moyens. Légèrement enveloppée physiquement, elle était devenue dans le château blésois qu'elle

---

* Les fiançailles, comme on le sait, n'eurent jamais lieu car la proposition espagnole était trop alléchante.

découvrait, plus dolente, plaintive, empêtrée dans des malaises physiques répétés, réels ou fictifs. Il est vrai qu'elle avait connu au moins sept grossesses en neuf ans. Mademoiselle, dont on peut douter de l'objectivité en l'occasion, écrit : « Elle ne songeait qu'à prier Dieu, à manger pour remédier à ses vapeurs et à entretenir ses femmes lorraines qu'elle trouvait de meilleure compagnie que tout ce qu'il y avait de gens à Blois où il y en avait assez qui étaient de plus agréable conversation. Quoique la cour de Monsieur fût fort diminuée depuis son exil (...) elle ne donnait ordre à rien et ne voyait ses filles qu'un demi-quart d'heure le soir et autant le matin, et ne leur disait rien, sinon "Tenez-vous droites, levez la tête", voilà toute l'instruction qu'elle leur donnait[3]. »

Parmi les Françaises de son entourage, il y avait Anne-Marie de Saujon, aimée jadis par Monsieur et qu'il avait fait sortir du couvent en 1649, dans des conditions assez particulières... Il est facile d'admettre que Madame n'avait pas l'instinct et les sentiments maternels d'une louve. C'était bien là un reproche à peine voilé de la Grande Mademoiselle chaque fois qu'elle se rendait à Blois, regrettant que ses demi-sœurs, « les gueuses », n'eussent auprès d'elles « personne ni de qualité, ni d'autorité pour leur rien dire ». En réalité, les fillettes étaient sevrées d'attention maternelle, bien que leur éducation n'ait jamais été négligée. Jugeons-en : l'aînée, Marguerite-Louise, recevait au château des leçons d'italien, de clavecin, de chant, de danse outre les disciplines normales de grammaire, de calcul et de botanique. Son père devait certainement lui montrer ses collections, lui parler de ses ouvrages et il serait bien étonnant qu'ils n'aient pas ensemble discuté d'astronomie*. À treize ans, on la dit « belle de visage, brune de cheveux », ses yeux sont « bleu turquoise » et elle est d'apparence « très douce ». Selon sa nourrice, elle charmait tous ceux qui l'approchaient car elle avait « le don de gagner le cœur de ceux qu'elle reçoit ». Elle adore ses sœurs et leur fait de nombreux cadeaux. Elle avait surtout

* On l'appelait « la petite reine », car on pensait qu'elle épouserait Louis XIV.

la chance de vivre continuellement auprès de ses parents. Même si elles faisaient de longs séjours à Blois, les deux cadettes, Elisabeth (Mademoiselle d'Alençon) et Françoise-Madeleine (Mademoiselle de Valois), étaient élevées à Paris, au couvent de Charonne, sous l'aimable direction de « mère Madeleine ». Mademoiselle d'Alençon « n'était point belle à la vérité, car elle avait la bouche grande et les joues rouges » qu'elle savait rattraper par une grande vivacité et surtout de très beaux yeux.

La troisième, Mademoiselle de Valois, avait la préférence de Monsieur tout simplement parce qu'elle lui ressemblait dans la forme du visage et l'attitude ; « fort jolie », elle était dotée d'une faconde à « étourdir les gens ». Monsieur refusa toujours de l'envoyer faire son éducation à l'abbaye de Fontevrault ; c'est ce que souhaitait la Grande Mademoiselle pour sa « gueuse de sœur ». La petite dernière, Mademoiselle de Chartres, après être restée à Paris, fut admise à demeurer auprès de ses parents, mais le choix fut un peu tardif puisque la malheureuse fillette mourut le 17 août 1656, à Blois, « d'un flux de ventre accompagné de fièvre ». Après la mort de son fils, le duc de Valois, en 1652, celle de cette innocente enfant atteignit Monsieur au plus profond de son être. Il apprit la nouvelle à Paris où il était passé à son retour de La Fère. Selon certains témoins, il aurait fait la route de Paris à Blois en une journée, hébété par la chaleur et accablé psychologiquement, allant jusqu'à se sentir en partie responsable.

Nous l'avons déjà vu, il en est une, l'aînée de toutes, Anne Marie Louise d'Orléans, duchesse de Montpensier, qui ne manquait pas de se signaler régulièrement au bon souvenir de son père, mais cette fois, les relations prirent une tournure particulière. Depuis 1652, Mademoiselle était majeure et réclamait les comptes de tutelle pour les biens de sa mère. Mais Monsieur, peu pressé, faisait traîner les négociations. Il accusait Préfontaine et Nau, deux personnes influentes dans l'entourage de la princesse et qui s'occupaient honorablement de ses affaires, d'être responsables du retard. Pourtant, ils n'y étaient pour rien. Depuis longtemps, Mademoiselle ne se faisait plus d'illusion sur son père. Alla-t-elle jusqu'à penser que si elle avait été déshéritée dans le testament de la vieille princesse de Guise, la main de Gaston y était pour quelque chose ? C'est vraisemblable. Préfontaine et Nau recevant leur congé à la fin de 1655, Mademoiselle désirait les récompenser. Elle envisagea pour Nau une charge de conseiller au parlement de Metz, créée vingt ans plus tôt, et, pour Préfontaine, celle de maître des comptes, « car n'ayant point étudié, il n'en pouvait prendre une de conseiller à Paris ». Nau accepta et acheta la charge. Fureur de Gaston d'Orléans qui fit opposition au sceau... Préfontaine qui prévoyait la réaction de Monsieur préféra refuser. De Blois, Gaston d'Orléans tirait les ficelles et surveillait les faits et gestes de sa fille grâce à la complicité de certaines dames de compagnie parmi lesquelles Madame de Frontenac, la comtesse de Fiesque et sa fille. L'atmosphère à Saint-Fargeau était détestable. Mademoiselle, à qui son père avait refusé la nomination de Guilloire en qualité de nouveau secrétaire, s'emporta contre la comtesse de Fiesque. L'entrevue fut violente, avec des répliques brutales :

La comtesse : « Vous m'accusez d'avoir été dans les intérêts de Monsieur contre vous. Il est vrai : je vous ai fait tout du pis que j'ai pu, et je le ferais encore s'il était à refaire. C'est moi qui suis cause que l'on vous a ôté Nau et Préfontaine. J'ai dit tout ce que j'ai pu contre eux et il me suffit que vous aimiez les gens pour me les faire haïr. » Mademoiselle accuse le coup et, rassemblant toutes ses forces, retrouve des accents dignes d'Henri IV : « Si vous me déclarez la guerre, vous n'y aurez aucun avantage, car tout ce qu'il y a de princes dans l'Europe me sont si proches qu'ils n'abandonneront pas mes intérêts pour les vôtres. »

Revenons aux comptes de tutelle... Il faudra trois longues années pour aboutir à un résultat. Et quel résultat ! L'attachement filial a des limites, même au XVIIe siècle. Dès 1653, Gaston envoie à Saint-Fargeau le comte de Berny. Les conditions sont draconiennes. Si sa fille ne lui donne pas, de sa propre volonté, tout ce qu'il lui demande, il se mettra en possession de tout son bien et ne lui donnera que ce qui lui plaira. On évitera pourtant le procès, les deux parties se mettant d'accord pour confier à la duchesse de Guise, belle-mère de Gaston d'Orléans et grand-mère de Mademoiselle, le soin de faire un accommodement.

En 1655, Mademoiselle se rend à Blois durant la semaine sainte. C'est l'occasion d'une altercation avec son père... Comme Monsieur s'insurge : « On ne me surprend pas ainsi », Mademoiselle éclate : « Je lui dis les larmes aux yeux... je suis bien malheureuse que toutes les choses que je veux proposer avec la plus sincère intention qu'il se puisse vous les tourniez à mal et que l'on vous ait mis dans une telle disposition pour moi. »

Au bout de quelque temps, Mademoiselle se rendit compte que si son père était contraint de payer toutes les dettes de la maison, comme ayant joui du bien, et de lui verser de copieux arriérés, il s'en sortait très honorablement. Le silence était fait sur des sommes énormes. Une clause prévoyait que la transaction présentée par la duchesse de Guise serait signée sans être lue. Confiance oblige... quelle ne fut pas la stupeur de la princesse lorsqu'elle s'aperçut « qu'elle était conçue en d'autres termes que ce qui avait été résolu... car elle me faisait payer la moitié des dettes que Son Altesse royale devait payer et faisait qu'il ne me devait que 800 000 francs, et qu'il avait 40 000 livres de rentes à prendre sur mon bien [4] ». On avait truqué les chiffres et Mademoiselle avait été tout simplement bernée. L'une des clauses de l'accommodement ne dut pas plaire beaucoup à Monsieur. Elle stipulait que Mademoiselle jouirait de la moitié du palais d'Orléans, « lui tenant lieu de 200 000 écus* ». Compte tenu des relations de la princesse et de sa belle-mère, la délimitation des appartements ne fut pas aisée. Mazarin dut intervenir. Mademoiselle reçut l'aile Est et la duchesse d'Orléans l'aile Ouest. Ceci fut provisoire, car il faudra attendre 1665 et l'intervention personnelle de Louis XIV pour que l'on aboutisse à un « traité » entre les deux parties. « On me donna, écrit la princesse, la moitié du Luxembourg et des rentes et quelques domaines... Ils tournèrent cela de manière que Luxembourg ne pouvait être vendu afin qu'il retournât au roi. » Mademoiselle fit entreprendre aussitôt

* Soit 600 000 livres.

des aménagements sous la direction du sculpteur Le Hongre*.

Toutes ces tractations tendraient-elles à démontrer que Monsieur, qui n'avait plus de charges politiques et donc de pensions, avait des moyens insuffisants pour entretenir sa maison à Blois... Rien n'est moins sûr**. Pour 1655, l'état au vrai des recettes et dépenses fait par Jean Terrat, trésorier général des maisons, domaines et finances de Monsieur le duc d'Orléans est positif[5]. Le voici tel qu'il se présente, simplifié :

1. Recettes

— À cause des 560 000 livres assignées par le roi sur les gabelles du Languedoc pour l'entretien ordinaire de Monsieur : total 620 000 livres.

— À cause des 100 000 livres de pension que le roi donnait chaque année à son frère sur la recette générale des finances d'Orléans : 100 000 livres.

Domaines

— Duché d'Orléans : 5 672 livres, 4 sols.

— Duché de Chartres : 950 livres, 15 sols, 2 deniers.

— Total duché de Valois (avec vente de bois) : 146 207 livres, 17 sols, 6 deniers.

— Duché d'Alençon : 10 378 livres.

— Comté de Blois : 2 000 livres.

— Total Montargis : 8 668 livres, 9 sols, 6 deniers.

— Comté de Limours et Montlhéry : 11 350 livres.

— Comté de Saint-Lô et Carentan : 5 278 livres.

— Baronnie d'Amboise : 3 840 livres.

— À ceci s'ajoutent les revenus de la ferme de Brouage :

* On sait mal ce que fit le sculpteur compte tenu des restaurations du XIXe siècle.

** Peut-être Monsieur voulait-il conserver le patrimoine Montpensier dans l'hypothèse d'un mariage du roi avec sa fille Mademoiselle d'Orléans, sœur cadette de la Grande Mademoiselle.

15 000 livres. Et d'autres revenus importants étant des billets de l'épargne.

La recette totale pour 1655 se monte à 1 601 031 livres, 14 sols, 2 deniers.

2. *Dépenses*

— Les gages des officiers : 150 420 livres, 10 sols.
— Les écuries : 96 417 livres, 6 sols.
— La vénerie : 33 382 livres, 15 sols.
— La fauconnerie : 2 064 livres, 15 sols.
— L'entretien de Mesdemoiselles : 79 416 livres, 10 sols.
— Les officiers du palais d'Orléans : 5 700 livres.
— La musique : 4 800 livres.
— Les comptants « ès mains » de Monseigneur : 252 696 livres.
— Autres dépenses : 158 773 livres, 13 sols.
— Total des dépenses : 1 599 708 livres, 6 sols, 1 denier.

Pour 1657, on note une légère progression : les recettes se montent à 1 846 070 livres, 1 sol, 4 deniers et les dépenses à 1 678 731 livres, 6 sols, 10 deniers.

Bien entendu, le trésorier de Monsieur présente des états positifs justifiant sa gestion. Mais on peut s'interroger sur leur exactitude car d'autres sources tendraient à montrer que les dépenses de Blois dépassaient largement les 2 000 000 livres chaque année. De toute façon, ces capacités financières ne permettaient aucun excès. Ce fut sans doute la raison qui empêcha de continuer l'aménagement intérieur du pavillon de Monsieur au château. Mais Monsieur aimait les Blésois et, en 1657, fut fondé l'Hospice général. Il affectionnait particulièrement l'église Saint-Saturnin bâtie sous Anne de Bretagne, dans le faubourg de Vienne. L'abbaye de Saint-Laumer ne fut pas oubliée ainsi que la nouvelle église des Jésuites[6]. Par lettres patentes du 17 juin 1655, il accordait aux bons pères une coupe de bois d'une valeur de 50 000 livres à prendre dans les forêts de son apanage pour les frais de l'église à laquelle il légua son cœur.

Hormis quelques séjours à Paris de courte durée, le prince quittait peu son comté. Si ce n'est pour aller en cure à Bourbon-l'Archambault où il avait fait construire un pavillon. Encore ces cures n'étaient-elles pas régulières, même si elles semblent avoir eu des effets bénéfiques sur la santé de Son Altesse royale. Les crises de goutte étaient de plus en plus fréquentes et nécessitaient un alitement prolongé. Les problèmes psychologiques ajoutaient à la douleur physique. Dès le printemps 1659, Mademoiselle avait décelé divers signes inquiétants chez son père. Lors d'un séjour d'une dizaine de jours qu'il fit à Paris à la mi-mai, elle avait noté une certaine lassitude dans son comportement, un abattement, un manque de désir de vivre. En un mot, les ressorts qui, durant toute sa vie, avaient mobilisé l'énergie, la volonté, l'enthousiasme étaient usés. L'horizon semblait irrémédiablement obstrué. Monsieur s'était confié à sa fille : « Je suis dans un ennui terrible de me voir ici. J'ai la dernière impatience de m'en retourner. Le monde m'ennuie, je n'y suis plus propre. Si je demeurais ici longtemps, je serais malade de la fatigue que j'y ai [7]. » Monsieur ne se sentait plus ni d'âge ni de santé pour aller aux fêtes et prendre du plaisir. Sur le chemin de Saint-Jean-de-Luz où devait se dérouler le mariage de Louis XIV et de l'infante Marie-Thérèse, la cour s'arrêta à Chambord puis à Blois durant l'été 1659. L'accueil fut moins réussi que sans doute Monsieur l'aurait souhaité. Mademoiselle s'en fait l'écho : « Comme les officiers de mon père n'étaient plus à la mode, quelque magnifique que fût le repas, on ne le trouva pas bon et Leurs Majestés mangèrent très peu. La reine avait une si grande hâte de s'en aller, et le roi, que je n'en vis jamais une pareille... Je crois que mon père fut bien aise d'être défait de nous [8]. » Au petit matin, ayant réveillé sa fille vers quatre heures, il s'était assis sur son lit et lui avait fait part de ses appréhensions et de ses volontés : « Vous allez faire un grand et long voyage, je suis vieux, ainsi je puis mourir pendant votre absence. Si je meurs, je vous recommande vos sœurs. Je sais bien que vous n'aimez pas Madame, qu'elle n'a pas eu envers vous toute la conduite qu'elle eût pu avoir ; ses enfants n'en peuvent mais, pour l'amour de moi ayez-en soin, elles auront bien besoin de vous, car pour Madame, elle ne leur sera pas d'un grand secours [9]. »

Moment fort dans les relations de deux êtres qui n'ont pas, loin de là, été parfaites. Mademoiselle y avait été sensible. Ils ne devaient plus se revoir.

À l'automne 1659, rien ne laissait présager que les jours du prince étaient comptés. Il avait reçu à Blois le prétendant au trône d'Angleterre ainsi que des membres de la famille lorraine de son épouse. En décembre, sa correspondance le signale en parfaite santé. Le mal le prit le 27 janvier, un « grand rhume accompagné d'une oppression dans la poitrine ». Le père de Faverolles rapporte que le prince avait imprudemment, sous la pluie, suivi un prêtre qui allait administrer les derniers sacrements à un mourant et qu'il avait pris froid. Mais Monsieur sait probablement que sa fin est proche et il se recommande à Dieu. Après avoir embrassé son épouse et ses filles, il communia une dernière fois et reçut l'extrême-onction, avant de s'éteindre le 2 février 1660, vers quatre heures de l'après-midi, à l'âge de cinquante-deux ans.

Conclusion

La disparition soudaine du duc d'Orléans avait provoqué, on s'en doute, une profonde douleur parmi les siens. Mais elle n'affecta pas, outre mesure, la famille royale qui, on le sait, était tout occupée aux préparatifs du mariage espagnol. Le corps embaumé quitta Blois pour Saint-Denis le 14 février, mais le cœur resta chez les jésuites de la ville. Pour payer les funérailles, « on avoit esté contraint de vendre pour trente et trois mille livres de vaicelle d'argent ». Le 13 février, un service religieux solennel eut lieu dans l'église des Jésuites de Blois. Dans son oraison funèbre, le père de Faverolles développa un vibrant hommage au disparu : « Quand je nomme notre prince, n'est-il pas vrai que je prononce le nom même de la bonté ? Par toute la France, on ne pouvait entendre le nom du duc d'Orléans qu'on ne sentît aussitôt une je ne sais quelle émotion semblable à celle que sentent les enfants au doux nom de leur père et je suis assuré qu'il y a bien des gens qui à plus de vingt ans d'ici n'entendront jamais celui de leur bon maître que les larmes ne leur viennent aux yeux. »

Ces paroles allèrent droit au cœur des Blésois et des courtisans de Monsieur, tant il est vrai qu'il n'est pas facile de brosser le portrait d'un défunt. L'histoire n'a pas été tendre pour Gaston d'Orléans. Lui qui voulait tant faire pour le « soulagement des peuples » et qui vécut plus de vingt ans « dans une attente presque certaine d'être un jour roi de France » s'en est allé entaché aux yeux de la postérité du crime de lèse-majesté. Les jugements que sa personnalité a suscités sont divers et bien difficiles à résumer. On n'échappe pas au florilège des sentiments et des impressions des contemporains. La Rochefoucauld dit qu'il « était modéré et fort éclairé dans les affaires du monde ». Pour Madame de Motteville, « il était timide et paresseux », mais il savait à l'occasion « être brave et exposer sa personne aux coups de mousquets ». Retz est beaucoup plus dur : « La faiblesse régnait dans son cœur par la frayeur et dans son esprit par l'irrésolution. Il pensait tant et il ne voulait rien, et, quand par hasard il voulait quelque chose, il fallait le pousser en même temps ou plutôt le jeter pour le faire exécuter. »

Retz met le doigt sur l'irrésolution du prince, son manque de dimension politique, l'absence de convictions profondes : « Il y avait très loin de la velléité à la volonté, de la volonté à la résolution, de la résolution au choix des moyens, du choix des moyens à l'application. » Sans doute Monsieur avait-il, à sa décharge, d'avoir été mêlé bien jeune aux affaires de l'État, d'en avoir été détourné, éloigné. Prince attirant les sympathies, regroupant les mécontents dressés contre les cardinaux-ministres, prince sous influence toute sa vie. La Grande Mademoiselle qui l'aima profondément ne décela pas en lui la force qu'elle recherchait chez un Bourbon.

Au XIXe siècle, la littérature romantique ne trouva pas d'écho suffisant dans la vie de ce prince que Victor Hugo décrivait comme « un Bourbon mâtiné de Médicis », et Monsieur échappa à la transfiguration littéraire. Vigny préféra Cinq-Mars, le vaincu supplicié dans la fleur de l'âge. Alors, il reste le mécène, l'ami des poètes et des artistes, le libertin retrouvant sinon une véritable foi, du moins le confort d'une quiétude chrétienne et familiale dans sa retraite blésoise.

Il n'est pas certain que ce soit la véritable image que le duc d'Orléans souhaitait laisser à la postérité.

Généalogie des Bourbons

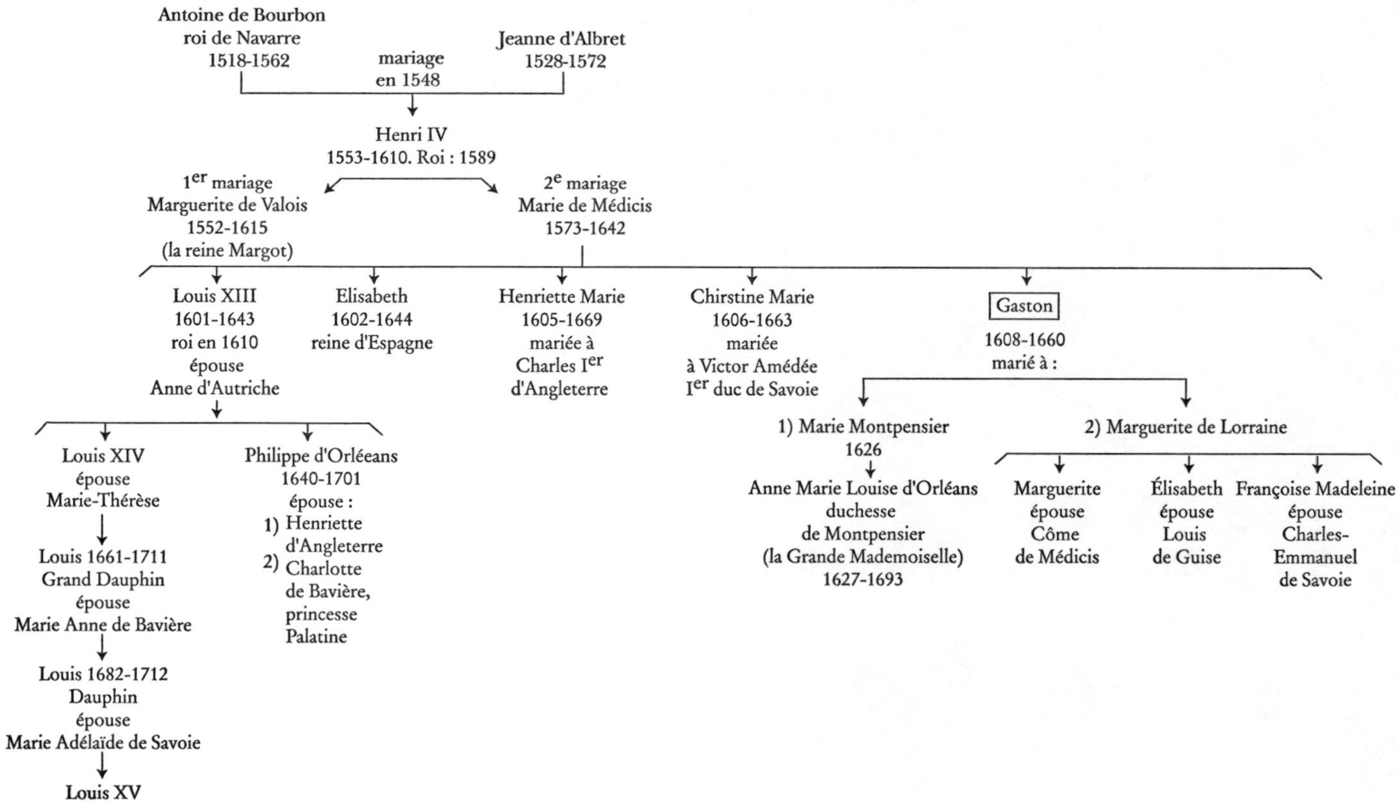

Chronologie

1600, *17 décembre*	Célébration à Lyon du mariage d'Henri IV et de Marie de Médicis.
1601, *27 septembre*	Naissance de Louis XIII.
1602, *22 novembre*	Naissance d'Élisabeth, fille aînée de Marie de Médicis et d'Henri IV, future reine d'Espagne.
1606, *10 février*	Naissance de Christine, deuxième fille de Marie de Médicis et d'Henri IV, future duchesse de Savoie.
1607, *13 avril*	Naissance de Nicolas, second fils d'Henri IV et de Marie de Médicis, premier duc d'Orléans.
1608, *25 avril*	Naissance de Gaston, duc d'Anjou.
1609, *25 novembre*	Naissance d'Henriette, troisième fille d'Henri IV et de Marie de Médicis, futur reine d'Angleterre.
1610, *13 mai*	Sacre de Marie de Médicis à Saint-Denis.
14 mai	Assassinat d'Henri IV.
15 mai	La régence est confiée à Marie de Médicis.
17 octobre	Sacre de Louis XIII à Reims.
1614, *15 juin*	Baptême de Gaston.
2 octobre	Déclaration de majorité de Louis XIII.
1615, *27 mars*	Mort de la reine Margot.
1615, *2 avril*	Marie de Médicis pose la première pierre du palais du Luxembourg.
1615, *28 novembre*	Mariage de Louis XIII et d'Anne d'Autriche à Bordeaux.
1616, *24 novembre*	Richelieu entre au Conseil du roi.

1617, *24 avril*	Assassinat de Concini.
3 décembre	Gaston à l'assemblée des notables de Rouen.
1618, *16 avril*	Richelieu exilé en Avignon.
1619, *22 février*	Début de la « première guerre » entre Marie de Médicis et Louis XIII.
30 avril	Fin de cette « première guerre ».
1620, *juillet-août*	« Seconde guerre » de la mère et du fils.
octobre	Début des guerres « de religion » de Louis XIII.
19 octobre	Rattachement du Béarn et de la Navarre à la couronne.
1621, *14 décembre*	Mort du duc de Luynes.
1622, *5 septembre*	Richelieu devient cardinal.
1624, *29 avril*	Seconde entrée de Richelieu au Conseil.
Mai	D'Ornano éloigné de Gaston d'Orléans.
10 juin	Richelieu chef du Conseil.
1625, *juin*	Affaire Buckingham à Amiens.
1626, *3 mai*	Première participation de Gaston au Conseil d'État.
6 mai	Arrestation d'Ornano, devenu maréchal, gouverneur de Gaston d'Orléans (mort en prison).
13 juin	Arrestation des frères Vendôme, César et Alexandre, fils d'Henri IV et de Gabrielle d'Estrée.
8 juillet	Arrestation de Chalais.
5 août	Mariage à Nantes de Gaston d'Orléans, comte de Blois, et de Marie de Montpensier.
19 août	Exécution de Chalais à Nantes.
1627, *29 mai*	Naissance au Louvre d'Anne Marie Louise d'Orléans, fille de Gaston.
4 juin	Mort de Marie de Montpensier.
22 juin	Exécution de Bouteville et des Chapelles.
12 septembre	Début du siège de La Rochelle ; participation de Gaston d'Orléans.
1628, *28 octobre*	Capitulation de La Rochelle.
1629, *Été*	Première fuite de Gaston d'Orléans en Lorraine.
21 novembre	Richelieu « principal ministre d'État ».
1630, *février*	Retour de Gaston d'Orléans en France.
11 novembre	Journée des Dupes.

1631, *30 janvier*	Rupture de Gaston d'Orléans et de Richelieu.
23 février	Marie de Médicis prisonnière au château de Compiègne.
Mars	Seconde fuite de Gaston, d'abord en Lorraine puis aux Pays-Bas.
31 mai	Manifeste de Gaston d'Orléans contre Richelieu.
18-19 juillet	Évasion de Marie de Médicis, départ pour l'exil aux Pays-Bas espagnols, elle ne reviendra pas en France.
1632, *3 janvier*	Mariage secret de Gaston d'Orléans et de Marguerite de Lorraine.
28 juin	Gaston rentre en France à la tête d'une armée franco-espagnole.
Fin juillet	Union des troupes de Gaston et de Montmorency à Lunel.
14 septembre	Bataille de Castelnaudary.
29 septembre	Gaston d'Orléans signe le traité de Béziers avec Louis XIII.
30 octobre	Exécution de Montmorency à Toulouse.
6 novembre	Gaston et Puylaurens s'enfuient de Tours pour Bruxelles.
1634, *12 mai*	Traité entre Gaston d'Orléans et l'Espagne.
1er octobre	Traité d'Écouen entre Louis XIII et Gaston d'Orléans.
8 octobre	Retour de Gaston en France, réconciliation avec Louis XIII.
Novembre	Gaston est à Blois, il entreprend la restauration du château.
1635, *février*	Arrestation de Puylaurens, il meurt en prison à Vincennes.
19 mai	Déclaration de guerre de la France à l'Espagne, début de la guerre ouverte.
1636, *6 juin*	Début à Blanzac de la révolte des croquants.
Octobre	Gaston à l'armée.
14 novembre	Reprise de Corbie. Échec de l'attentat contre Richelieu. Fuite de Gaston à Blois.
1637, *juillet*	Anne d'Autriche et l'affaire du Val-de-Grâce.
Été	Mademoiselle rejoint son père à Blois ;

		début de la liaison de Gaston avec Louison Roger.
1638		Fin de la liaison de Gaston d'Orléans et de Louison Roger.
	10-14 août	Marie de Médicis quitte Bruxelles pour Spa puis Bois-le-duc en Hollande.
	5 septembre	Naissance de Louis-Dieudonné, fils de Louis XIII et d'Anne d'Autriche, après vingt-trois ans de mariage.
1639,	*16 juillet*	Première révolte des « va-nu-pieds » de Normandie.
	30 novembre	Écrasement de la révolte.
1641,	*6 juillet*	Bataille de La Marfée, victoire et mort du comte de Soissons.
	12 octobre	Marie de Médicis à Cologne.
1642		Conjuration de Cinq-Mars et de François de Thou.
	13 mars	Traité des conjurés et de l'Espagne, participation de Gaston d'Orléans.
	3 juillet	Mort de Marie de Médicis à Cologne.
	12 septembre	Exécution à Lyon de Cinq-Mars et de François de Thou.
	4 décembre	Mort de Richelieu.
1643,	*6 mai*	Consentement du roi au mariage de Gaston.
	14 mai	Mort de Louis XIII.
	18 mai	Gaston lieutenant-général du royaume.
	19 mai	Victoire de Rocroi.
	27 mai	Marguerite de Lorraine revient en France.
	Juin-sept.	Cabale des Importants.
1644,	*janvier*	Édit du Toisé qui provoque des émeutes.
	15 mai	Début de la campagne militaire dirigée par Gaston d'Orléans.
	28 juillet	Capitulation de Gravelines.
1645,	*été*	Gaston d'Orléans aux armées.
	25 juillet	Naissance de Marguerite Louise d'Orléans, fille de Gaston d'Orléans.
1646,	*29 juin*	Prise de Courtrai par Gaston d'Orléans.
	1er août	Prise de Bergues.
	Septembre	Prise de Dunkerque.
	26 décembre	Naissance d'Élisabeth dite Mademoiselle d'Alençon, fille de Gaston.

1647, *juillet*	Particelli d'Emery devient surintendant des Finances.
1648, *13 mai*	Arrêt d'union des cours souveraines.
1er-9 juillet	Délibération de la chambre Saint-Louis, programme des réformes en 27 articles.
9 juillet	Renvoi de Particelli d'Emery.
26 août	Arrestation de Broussel et Blancmesnil.
27-28 août	Barricades à Paris pour le retour de Broussel.
13 septembre	La cour quitte Paris pour Rueil.
29 septembre *4 octobre*	Conférence de Saint-Germain entre la cour et des parlementaires.
24 octobre	Enregistrement de la déclaration royale qui confirme celle du 31 juillet. — Signature des traités de Westphalie.
30 octobre	Retour de la cour à Paris.
18 décembre	Naissance de Françoise Madeleine dite Mademoiselle de Valois, fille de Gaston.
1649, *nuit du 5-6 janvier*	La cour quitte Paris pour Saint-Germain-en-Laye.
8 février	Prise de Charenton par Gaston et Condé.
11 mars	Paix de Rueil.
18 août	Retour de la cour à Paris.
1650, *18 janvier*	Arrestation des princes de Condé, Conti, Longueville.
4 juillet	La cour quitte Paris pour la Guyenne. Gaston reste à Paris.
1er août	Gaston d'Orléans impose la destitution du duc d'Épernon en Guyenne.
12 septembre	Négociations de Gaston d'Orléans avec les envoyés de l'Espagne en vue de la paix.
10 novembre	Réconciliation de Gaston et de Mazarin.
30 décembre	Le parlement demande la libération des princes.
1651, *30 janvier*	Gaston d'Orléans adhère à l'union des Frondes.
2 février	Il rompt avec Mazarin.
Nuit du 6-7 février	Départ de Mazarin en exil.
16 février	Les princes libérés arrivent à Paris.
25 mars	Gaston demande à l'assemblée de la noblesse à Paris de se disperser.
Avril-juin	Toute-puissance de Condé à la cour et au gouvernement.

7 septembre	Proclamation de la majorité du roi au parlement.
27 septembre	La cour quitte Paris pour la province.
12 décembre	Louis XIV rappelle Mazarin.
24 décembre	Retour en France de Mazarin.
1652, *24 janvier*	Alliance de Gaston d'Orléans et de Condé.
27 mars	La Grande Mademoiselle occupe Orléans sur l'ordre de son père.
2 juillet	Bataille du faubourg Saint-Antoine ; affaire des canons de la Bastille.
20 juillet	Le parlement nomme Gaston d'Orléans lieutenant-général du royaume.
31 juillet	Déclaration royale ordonnant le transfert à Pontoise du Parlement de Paris.
19 août	Mazarin part pour un second exil.
21 octobre	Entrée solennelle du roi à Paris.
22 octobre	Gaston d'Orléans quitte définitivement Paris pour Blois. Sa fille part en exil à Saint-Fargeau.
1653, *3 février*	Mazarin entre triomphalement à Paris.
1654, *7 juin*	Sacre de Louis XIV à Reims. Gaston n'y assiste pas.
1656, *6-7 août*	Gaston rencontre la cour à La Fère en Picardie.
17 août	Mort de Mademoiselle de Chartres, fille de Gaston d'Orléans.
1658, *mai-juin*	Révolte des sabotiers de Sologne. Intervention de Gaston d'Orléans.
1660, *2 février*	Mort de Gaston d'Orléans.
8 mai	Mariage de Louis XIV et de Marie-Thérèse.

Notes

Introduction

1. Excepté Georges Dethan, *Gaston d'Orléans, conspirateur et prince charmant,* Fayart, 1959, réédité sous le titre *La Vie de Gaston d'Orléans,* De Fallois, 1992.

1. L'enfance de monsieur d'Anjou

1. Bibliothèque nationale, collection Dupuy, n° 89, p. 280-281.
2. Saint-Simon : *Parallèle des trois premiers rois Bourbons,* éd. Faugère, Paris, 1880.
3. Georges Dethan, *op. cit.*
4. Louis Batifol, *La Vie intime d'une reine de France* : *Marie de Médicis,* Calmann-Lévy, 1931, p. 295-298.

2. Sur les pas du jeune roi

1. Georges Dethan, *op. cit.*, p. 20.

3. Une éducation soignée

1. Lettres patentes nommant M. de Brèves gouverneur de Gaston, duc d'Anjou. Bibliothèque nationale, manuscrit Dupuy 94, f° 34.
2. Georges Dethan, *op. cit.*, p. 35 et 36.
3. Par la même occasion, Tallemant raconte que d'Ornano ne couchait qu'avec des femmes s'appelant Marie, par dévotion pour la Vierge. Tallemant des Réaux (Gédéon), *Historiettes,* « Historiette, LXXXVI, Gaston d'Orléans », éd. Georges Mongrédien, Classiques Garnier.

4. Mariage contre apanage

1. Louis BATIFOL, *La Duchesse de Chevreuse,* Hachette, 1926, p. 87.
2. *Idem,* p. 85.
3. *Idem,* p. 86.
4. Bibliothèque nationale, Manuscrit français, 2747, f° 109.

5. Espoirs et déceptions

1. Georges DETHAN, *op. cit.*, p. 80.
2. *Idem,* p. 87.

6. L'année des dupes

1. La Grande Mademoiselle, *Mémoires,* t. 1, éd. Bouyer, 1985.
2. Claude DULONG, *Anne d'Autriche,* Hachette, Paris, 1985, p. 117.
3. Georges DETHAN, *op.cit.*, p. 93.

7. Monsieur se révolte

1. GASTON D'ORLÉANS, *Memoires,* Paris, 1824, éd. Petitot.
2. RICHELIEU, *Mémoires,* Paris, 1838, éd. Michaud et Poujoulat, t. 2.
3. La Grande Mademoiselle, *op. cit.*, t. 1, p. 23.

8. L'épreuve de force

1. Michel CARMONA, *Marie de Médicis,* Fayard, 1986, p. 496-497.
2. Georges DETHAN, *op. cit.*, p. 133.
3. La Grande Mademoiselle, *op. cit.*, t. 1, p. 25.

9. Le prince et le cardinal

1. En quatre ans (1632-1635), plus de 300 traités financiers sont négociés. Voir Christian BOUYER, *Les Finances extraordinaires de la France (1635-1648),* Paris, 1978, Bibliothèque de la Sorbonne, 2 vol., thèse de 3e cycle.

2. D'après TALLEMANT des RÉAUX, *Historiettes,* « Historiette, CXXX, le maréchal de Gramont », La Guiche se contenta de sa sœur, Melle du Plessis-Chivray, affirmant au cardinal « que c'était Son Éminence qu'il épousait et non ses parentes, et qu'il prendrait celle qu'on lui donnerait ».

3. *Idem, ibidem.*

4. La Grande Mademoiselle, *op. cit.*, t. 1, p. 26.

5. Jean-Marie CONSTANT, *Les Conjurateurs,* Paris, Hachette, 1987, p. 97.

6. *Idem, ibidem.*

7. Georges DETHAN, *op. cit.* p. 216.

8. La Grande Mademoiselle, *op. cit.* tome 1, p. 25-26. L'arrestation eut lieu le 14 février et le décès le 1er juillet. Puylaurens pensait sans doute tenir son rang en prison puisqu'il avait demandé qu'on lui

apportât quatre douzaines de chemises, de la poudre, des sachets de parfum, des chapeaux et des gants. Sa veuve épousera Henri de Lorraine, comte d'Harcourt.

9. *Idem, ibidem.*

10. Jean-Marie CONSTANT, *op. cit.*, p. 99.

11. TALLEMANT des RÉAUX, *Historiettes, op. cit.*, tome 2, LXIX, p. 16, en note.

12. Comte de MONTRÉSOR, *Mémoires,* Michaud et Poujoulat, Paris, 1938, p. 198.

13. TALLEMANT des RÉAUX, *op. cit.*, « Historiette, LXXI, Mme du Fargis ».

14. Michel CARMONA, *op. cit.*, p. 520.

15. Victor-Lucien TAPIÉ, *La Guerre de Trente Ans,* 2e partie, les Cours de Sorbonne, CDU, 1965, p. 232.

10. Un beau domaine princier

1. Archives nationales, archives de la maison de France, 300 API 115.

2. Archives nationales, archives de la maison de France, 300 API 115.

3. Philipon de LA MADELEINE, *L'Orléanais : Histoire des ducs et du duché d'Orléans,* 1845, Édition du Bastion, réédition 1994.

4. *Idem.*

5. R. de WARREN, *Les Comtes de Blois,* Cercle généalogique du Centre, 1971.

6. Bibliothèque nationale, nouvelle acquisition 200, Manuscrit français 18510 et nouvelle acquisition Fr 64.

7. Archives nationales, archives de la maison de France, 300 API 835 et AN KK386-387.

8. Élisabeth d'Orléans, seconde fille de Gaston, en héritera par retrait lignager. GOURHAND-DURGAUD, *Alençon, cité des ducs.*

9. Jean BARBAROUX, *Images de Saint-Lô,* et René LE TENEUR, *Carentan à travers les siècles.*

10. Archives nationales, KK. 275 : Trésorerie de Gaston d'Orléans en 1640.

11. Nombreuses déclarations royales dans Germain PIÈTRE, *L'Apanage de Son Altesse royale le duc d'Orléans,* Paris, 1686.

11. La cour de blois

1. TALLEMANT DES RÉAUX, *op. cit.*, « Historiette, LXXXVI, Gaston d'Orléans ».

2. *Idem, Ibidem.*

3. *Idem, Ibidem.*

4. Christian BOUYER, *Les Finances extraordinaires de la monarchie,* thèse d'histoire, p. 36-37.

5. TALLEMANT des RÉAUX, *op. cit.*

6. TALLEMANT DES RÉAUX, *Historiettes*, « Historiette, CCXC et CCXCI » ; il deviendra l'Hôtel d'Estrées.

7. Jean-Marie CONSTANT, *Les Conjurateurs : le premier libéralisme politique sous Richelieu*, 1987, p. 118-121.

8. Georges DETHAN, *op. cit.*, p. 165.

9. TALLEMANT DES RÉAUX, *op. cit.*, « Historiette, CCCXI, Mme de Choisy », et « CCLIX, la présidente de Lescalopier ».

10. Madame de MOTTEVILLE, *Mémoires*.

11. *Relation sur Cinq-Mars*, coll. Michaud et Poujoulat, 3e série t. III.

12. TALLEMANT DES RÉAUX, *op. cit.*, « Historiette, LXIX, le cardinal de Richelieu ».

12. Au service du roi

1. Jean-Antoine VINCART, *Les Relations militaires des années 1634 et 1635*, Bruxelles, édition 1958.

2. *Idem.*

3. Jean-Antoine VINCART, *op. cit.*

4. Mallet, *Compte rendu de l'administration des finances du royaume de France (1600-1700)*, Paris, 1789.

5. Christian BOUYER, *Les Finances extraordinaires de la monarchie*, p. 86.

6. *Idem*, p. 87.

7. Yves-Marie BERCÉ, *Histoire des croquants*, Genève-Paris, 1974, et Boris PORCHNEV, *Les Soulèvements populaires en France au XVIIe siècle*, Paris, 1966.

8. Georges DETHAN, *op. cit.*, p. 235.

9. La Grande Mademoiselle, *op. cit.*, t. 1, p. 26.

13. La douceur de vivre en pays de Loire

1. Louis BERGEVIN et Alexandre DUPRÉ, *Histoire de Blois*, Blois, 1846, p. 137.

2. François LESUEUR, *Le Château de Blois*, 1922, nouvelle édition 1970, p. 139.

3. André BETGÉ, *Les Constructions de Gaston d'Orléans au château de Blois (1635-1638)*. Mémoire de la Société des sciences et lettres, Loir-et-Cher, tome XXX, 1938.

4. LESUEUR, *op. cit.*, p. 141.

5. *Idem*, p. 142.

6. *Idem*, p. 147.

7. BERNIER, *Histoire de Blois*, Paris, 1682.

8. Goulas, *Mémoires*, t. 1, p. 279.

9. *Idem, ibidem.*

10. *La Possession de Loudun*, présentée par Michel de Certeau, Julliard, coll. Archives, 1970.

11. *Idem*, p. 21.

12. Goulas, *op. cit.*, t. 1, p. 329.

14. Louison, la belle Tourangelle

1. La Grande Mademoiselle, *op. cit.*, t. 1, p. 28.
2. *Idem,* p. 29.
3. *Idem, ibidem.*
4. Louis BATIFOL, *op. cit.*, p. 139-140.

15. Le château du roi François

1. Georges DETHAN, *op. cit.*, p. 206.
2. TALLEMANT DES RÉAUX, *op. cit.*, p. 176-177.
3. Martin DEMÉZIL, *Gaston d'Orléans à Chambord,* Mélanges offerts à René Crozet, t. 2, Poitiers, 1966, p. 1402 à 1405.
4. *Idem.*
5. Minutier des notaires du Loir-et-Cher, dépôt n° 27, cote 280, cité par Martin Demézil.
6. Martin DEMÉZIL, *op. cit.*, p. 1403.
7. *Idem, ibidem.*
8. A. BETGÉ, *Les Constructions de Gaston d'Orléans au château de Blois, op. cit.*

16. Les nouveaux démons

1. TALLEMANT DES RÉAUX, *op. cit.*, « Historiette, LXXXVI, Louis XIII ».
2. Philippe ERLANGER, *op. cit.*, p. 210.
3. Philippe ERLANGER, *op. cit.*
4. Claude DULONG, *op. cit.*
5. Philippe ERLANGER, *op. cit.*, p. 229.

17. La mort passe

1. SAINT-SIMON, *Parallèle des trois premiers rois Bourbons, op. cit.*, p. 334.
2. Philippe ERLANGER, *op. cit.*, p. 287.
3. *Idem,* p. 249.
4. La Grande Mademoiselle, *Mémoires,* t. 1, p. 50.

18. Le conseil de la régente

1. Claude DULONG, *op. cit.*, p. 255.
2. Un lit de justice est alors, au parlement, une séance solennelle dans laquelle le roi, présent, récupère momentanément tous ses pouvoirs de justice. Les décisions qu'il propose à l'approbation des parlementaires, même si elles peuvent être discutées, sont obligatoirement acceptées.
3. Madame de MOTTEVILLE, *Mémoires,* édit. Petitot, 1824.
4. La Grande Mademoiselle, *op. cit.*, t. 1, p. 59.
5. Louis Batifol, *op. cit.*, p. 220.
6. La Grande Mademoiselle, *op. cit.*, t. 1, p. 60.

19. Monsieur entre guerre et paix

1. Christian BOUYER, *Michel Particelli d'Emery*, Hachette, 1974.
2. Christian BOUYER, *Les Finances extraordinaires de la France de 1635 à 1648*, t. 1, p. 16.
3. Georges DETHAN, *op. cit.*, p. 298.
4. La Grande Mademoiselle, *op. cit.*, t. 1, p. 62.
5. *Idem.*
6. *Idem*, p. 66.
7. Christian BOUYER, *Les Finances extraordinaires de la monarchie (1635-1648)*, *op. cit.*, 1978.

20. « Le temps de la bonne régence »

1. Madame de MOTTEVILLE, *op. cit.*
2. *Ibid.*

21. La vie au palais d'Orléans

1. Tallemant des RÉAUX, *op. cit.*, « Historiette, LXXXVI, Gaston d'Orléans ».
2. Voir le portrait d'elle-même dans Christian BOUYER, *La Grande Mademoiselle*, Albin Michel, 1986.
3. La Grande Mademoiselle, *op. cit.*, t. 1, chapitre 4.
4. Georges DETHAN, *op. cit.*, p. 351.

22. Le temps des frondeurs

1. Olivier LEFÈVRE d'ORMESSON, *Journal*, t. 1, p. 389.
2. DUBUISSON-AUBENAY, *Journal des guerres civiles*, Paris, 1883, p. 88.
3. LEFÈVRE d'ORMESSON, *op. cit.*, p. 437, 443, 444, 452, 492, 493, 522, 529, 539, 540.
4. Carnets de Mazarin, V, p. 47, et CHÉRUEL, *Revue historique*, mai-août 1877, p. 103 à 138.
5. Archives nationales, série E 231 B fol. 154.
6. Olivier LEFÈVRE d'ORMESSON, *op. cit.*
7. La Grande Mademoiselle, *op. cit.*, t. 1, p. 104.
8. Pour la description du voyage et la vie à Saint-Germain, *idem*, p. 105 et 106.
9. Registres de l'Hôtel de Ville pendant la Fronde.

23. Le médiateur

1. Michel PERNOT, La Fronde, De Fallois, 1994, p. 149.
2. *Idem*, p. 52.
3. De nombreux Mémoires la narrent dans le détail : « Carnets » de Mazarin, *Mémoires* de Madame de Motteville, déjà cités, du comte de Brienne et quelques autres. Nous suivons ceux de la duchesse de Montpensier, la Grande Mademoiselle.

4. Madame de MOTTEVILLE, *op. cit.*, t. 4, p. 23.
5. *Ibid.*, t. 4, p. 3.
6. Philippe AMIGUET, *Une princesse à l'école du Cid, La Grande Mademoiselle et son temps d'après ses Mémoires*, 1957, p. 168.
7. SAINT-AULAIRE (comte de), *Histoire de la Fronde*, 1827.
8. La Grande Mademoiselle, *op. cit.* La Grande Mademoiselle accompagnait la cour.
9. Guy JOLY, *Mémoires.*
10. La Grande Mademoiselle, *op. cit.*, t. 2, p. 148.

24. La fronde des princes

1. Michel PERNOT, *op. cit.*
2. Voir Ernst KOSSMANN, *La Fronde*, Leyde, 1954.
3. Christian BOUYER, *La Grande Mademoiselle, op. cit.*
4. *Idem*, p. 63-64.
5. Cité par AMIGUET, *op. cit.*, p. 232.
6. Christian BOUYER, *La Grande Mademoiselle*, p. 72-73.

25. L'amateur d'art

1. Père MOLINET, chanoine régulier de Sainte-Geneviève, mai 1719, article dans le *Mercure de France* intitulé « Histoire du cabinet des médailles du roy ».
2. Éd. FOURNIER, *Histoire de la reliure en France.*
3. L. JACOB, *Traité des plus belles bibliothèques publiques ou particulières* ; A. FRANKLIN, *Précis de l'histoire de la bibliothèque du roi*, 1875 ; L. DELISLE, *Le Cabinet des manuscrits de la Bibliothèque impériale : la formation du dépôt.*
4. Cité dans CHABOUILLET, *Recherches sur les origines du cabinet des Médailles.*
5. Bibliothèque nationale, Manuscrit français, 151.
6. Charles DU BUS, *Gaston d'Orléans et ses collections topographiques.*
7. *Mémoires d'un favori de Son Altesse royale Monsieur le duc d'Orléans*, Leyde, 1670.
8. Charles DU BUS, *op. cit.*
9. Brunyer publia en 1655 son ouvrage : *Hortus Regicis Blesensis.*
10. Exposition Gaston d'Orléans, Orléans, 1960, doc. 57.
11. Archives du Loir-et-Cher, Blois, série B, 3 février 1660, d'après Exposition Gaston d'Orléans, 1960.
12. P. CLÉMENT, *Lettres, instructions et Mémoires de Colbert*, t. 1, p. 434.
13. Bibliothèque nationale, Baluze 314.316. Pierres gravées et miniatures.

26. Le prince des poètes

1. Claude Kurt ABRAHAM, *Gaston d'Orléans et sa cour*, Étude littéraire, 1963, Microfiches, Bibliothèque Nationale.
2. BERNARDIN, *Un précurseur de Racine : Tristan L'Hermite, sieur de Solier*, Paris, 1895.

3. Frédéric LACHÈVRE, *Le Libertinage au* XVIIe *siècle*, Éditions Champion, 1924.
4. René PINTARD, *Le Libertinage érudit dans la première moitié du* XVIIe *siècle*, Paris, 1943.
5. Claude Kurt ABRAHAM, *op. cit.*, p. 46.
6. MAGNE, *Gaultier-Garguille*, 1911.
7. Claude Kurt ABRAHAM, *op. cit.*, p. 26.
8. *Idem*, p. 72.
9. Claude Kurt ABRAHAM, *op. cit.*
10. Georges DETHAN, *op. cit.*, annexe 1.
11. Frédéric LACHÈVRE, *op. cit.*
12. Tristan L'HERMITE, *Vers héroïques*, 1648.

27. Une fin de vie dans la quiétude ?

1. La Grande Mademoiselle, *op. cit.*, t. 1, p. 274.
2. Georges DETHAN, *op. cit.*, p. 415.
3. La Grande Mademoiselle, *op. cit.*, t. 2, p. 118-119.
4. La Grande Mademoiselle, *op. cit.*, t. 1.
5. Archives nationales, R4 1062.
6. Louis BERGEVIN et Alexandre DUPRÉ, *Histoire de Blois*, Blois, 1846, t. 2, p. 425 à 518.
7. La Grande Mademoiselle, *op. cit.*, t. 2, p. 108.
8. *Idem*, p. 111-112.
9. *Idem, ibidem.*

Bibliographie

1. SOURCES MANUSCRITES

Archives nationales

Archives de la Maison de France (branche d'Orléans) :
— 300 API 106 : Testament d'Élisabeth d'Orléans, fille de Gaston d'Orléans et duchesse de Guise.
— 300 API 115 : Papiers personnels de Gaston et Philippe d'Orléans. Contrats de mariage des filles de Gaston d'Orléans.
— 300 API 835 : Évaluation de son apanage.
— 300 API 836 : Recueil de pièces concernant Gaston d'Orléans et les autres princes de sang.
— KK 275 : Trésorerie de Gaston d'Orléans en 1640.
— KK 386-387 : Évaluation de l'apanage en 1627.
— R4 1052 à 1096, 1061 et 1062 : États et ordonnances de la tutelle de Melles d'Orléans. Recettes et dépenses de Monsieur, 1er janvier 1660-7 février 1660. État au vrai : recettes et dépenses 1655-1657-1660-1661. Succession Gaston d'Orléans 1667.
— TT 432-434 : Divers documents.

Archives des Affaires étrangères

Abondante documentation dans les fonds : Correspondance politique et Mémoires et Documents.

Bibliothèque Nationale

1. Manuscrits français
— Comptes de la Maison de Gaston d'Orléans (22922).
— Lettres : 22896-22951.
2. Collection Baluze
— Correspondance. Différend avec sa fille. Papiers divers. Propositions d'accommodement faites au roi. Requête au parlement.

3. Cinq-Cents de Colbert

— Gaston, frère de Louis XIII Discours de Molé au parlement à propos de l'enregistrement de la déclaration de Louis XIII contre Gaston. Le généralissime. Apanage. Bannissement de ses domestiques. Fuite en Lorraine. Lettres-Mariage. Négociations avec Louis XIII. Négociations avec Philippe IV d'Espagne. Obsèques.

4. Mélanges Colbert

— Contrat de mariage. Lettres.

5. Collection Clairambault

— Lettres. Mariage. La Cour. Maison de Monsieur.

Bibliothèque de l'Arsenal et de l'Institut

Quelques documents.

2. SOURCES IMPRIMÉES

— Arnauld d'Andilly (P.), *Mémoires*, éd. Petitot, Paris, 1824.
— Bassompierre (de), *Journal de ma vie*, 4 vol., Paris, 1870-1877.
— Bois d'Annemetz (J.D.), *Mémoires d'un favori*, Leyde, 1668.
— Bouillon (duc de), *Mémoires*, Paris, 1692.
— Brienne (H.A. de Loménie, comte de), *Mémoires*, Paris, 1838.
— Campion (H. de), *Mémoires*, éd. Moreau, Paris, 1887.
— Dubuisson-Aubenay, *Journal des guerres civiles (1648-1652)*, éd. Saige, Paris 1883-1885.
— Faverolles (R. de), *Oraison funèbre sur le trépas de feu Mr. le duc d'Orléans*, Blois, 1660.
— Fontenay-Mareuil, *Mémoires*, éd. Michaud et Poujoulat, Paris, 1837.
— Goulas (N.), *Mémoires*, éd. Constant, Paris, 1879-1882.
— Lasseré, *Mémoires de Gaston d'Orléans*, Paris, éd. de 1838.
— Loret (J.), *La Muse historique*, Paris, 1877-1878.
— Marolles (M. de), *Mémoires*, Paris, 1656-1657, 2 vol.
— Molé (M.), *Mémoires*, éd. Champollion-Figeac, Paris, 1855-1857, 4 vol.
— Monglat (F. de), *Mémoires*, Paris, 1838.
— Montrésor (C. de), *Mémoires*, éd. Michaud et Poujoulat, Paris, 1838.
— Motteville (Mme de), *Mémoires*, Paris, 1855.
— Nemours (duchesse de), *Mémoires*, éd. Michaud et Poujoulat, Paris, 1838.
— Neufgermain (L. de), *Les Poésies et rencontres*, Paris, 1630.
— Ormesson (O. d'), *Journal*, éd. Cheruel, Paris, 1860.
— Patin (G.), *Lettres*, Paris, 1846.
— Retz, *Mémoires*, éd. Champollion-Figeac, Paris, 1859.
— Richelieu, *Les Papiers de Richelieu*, éd. Grillon, Paris, 1979 ; *Testament politique*, éd. André, Paris, 1947.

— Tallemant des Réaux, *Historiettes*, éd. G. Mongrédien, Paris, Garnier, 1932-1934, 8 vol.

3. PUBLICATIONS SPÉCIALISÉES

— Abraham (C.K.), *Gaston d'Orléans et sa cour*, Étude littéraire, Thèse, université de Caroline du Nord, Microfiches, Paris, 1963.
— Bergevin (L.) et Dupré (A.), *Histoire de Blois*, Blois, 1846.
— Betgé (A.), *Les Constructions de Gaston d'Orléans du château de Blois*, 1938.
— Chabouillet (A.), *Recherches sur les origines du cabinet des Médailles*, Paris, 1874.
— Certeau (M. de), présentation : *La Possession de Loudun*, Paris, 1970.
— Du Bus (C.), *Gaston d'Orléans et ses collections topographiques*, 1941.
— Franklin (R.), *Les Anciennes Bibliothèques de Paris*, 1875.
— *Gaston d'Orléans*, catalogue d'exposition, Blois, 1960.
— Jacob (L.), *Traité des plus belles bibliothèques publiques et particulières*, Paris.
— Lachèvre (F.), *Tristan L'Hermite, sieur de Soliers, poète chrétien et catholique*, Paris, 1941.
— Lesueur (F.), *Le Château de Blois, Paris, 1935.*
— Martin-Dumezil (T.), *Gaston d'Orléans et Chambord*, Mélanges offerts à René Crozet, t. 2, Poitiers, 1966.
— Nadal (V.), *Blois, son château et ses monuments.*
— Philipon de La Madelaine (M.V.), *L'Orléanais, Histoire des ducs et du duché d'Orléans*, 1845, réédition, Paris, 1994.
— Piètre (G.), *L'Apanage de SAR le duc d'Orléans*, Paris, 1656.
— Pintard (R.), *Le Libertinage érudit dans la première moitié du XVIIe siècle*, Paris, 1943.
— Rodocanachi (E.), *Les Infortunes d'une petite-fille d'Henri IV : Marguerite d'Orléans, grande-duchesse de Toscane*, Paris, 1902.

4. QUELQUES OUVRAGES CONTEMPORAINS

— Bercé (Y.-M.), *La Naissance dramatique de l'absolutisme*, Le Seuil, Paris, 1992.
— Bluche (F.), *Louis XIV*, Fayard, Paris, 1986 ; *Dictionnaire du Grand Siècle*, Fayard, Paris, 1990.
— Bonney (R.), *L'Absolutisme*, Paris, 1990.
— Bouyer (Ch.), *La Grande Mademoiselle*, Albin Michel, Paris, 1986 ; *Les Hommes d'argent : histoire des grandes fortunes de Henri IV à 1914*, Olivier Orban, Paris, 1990 ; *Particelli d'Emery*, microfiches, Hachette, Paris, 1974.

— Carmona (M.), *Richelieu*, Fayard, Paris, 1983 ; *La France de Richelieu*, Fayard, Paris, 1984 ; *Marie de Médicis*, Fayard, Paris, 1983.
— Chevalier (P.), *Louis XIII*, Fayard, Paris, 1979.
— Constant (J.-M.), *Les Conjurateurs*, Hachette, Paris, 1987.
— Dethan (G.), *Gaston d'Orléans comploteur et prince charmant*, Fayard, Paris, 1959 ; réédition, *La Vie de Gaston d'Orléans*, De Fallois, Paris, 1991.
— Dulong (C.), *Anne d'Autriche*, Hachette, Paris, 1985 ; *La Vie quotidienne des femmes au Grand Siècle*, Hachette, Paris, 1984.
— Erlanger (P.), *Cinq-Mars ou la passion et la fatalité*, Perrin, Paris, 1962.
— Goubert (P.), *Mazarin*, Fayard, Paris, 1990.
— Kermina (F.), *Marie de Médicis, reine, régente et rebelle*, Perrin, Paris, 1979.
— Lebrun (F.), *Le XVIIe siècle*, A. Colin, Paris.
— Le Roy Ladurie (E.), *L'Ancien Régime*, t. 1 : 1610-1715, Hachette (Pluriel) Paris, 1993.
— Livet (G.), *La Guerre de Trente Ans*, PUF, Paris, 1972.
— Méthivier (H.), *L'Ancien Régime*, PUF, Paris, 1968, coll. « Que sais-je ? » ; *La Fronde*, PUF, 1984 ; *Le Siècle de Louis XIII*, PUF, 1964, coll. « Que sais-je ? » ; *Le Siècle de Louis XIV*, PUF, 1962, coll. « Que sais-je ? ».
— Mongrédien (G.), *La Journée des Dupes*, Gallimard, Paris, 1961.
— Morice (B.), *Le Palais du Luxembourg et le destin des hommes*, France-Empire, Paris, 1971.
— Mousnier (R.), *Paris capitale au temps de Richelieu et de Mazarin*, PUF, Paris, 1978.
— Pavié (E.), *La Guerre entre Louis XIII et Marie de Médicis*, Angers, 1899.
— Pernot (M.), *La Fronde*, De Fallois, Paris, 1994.
— Ranum (O.), *Les Créatures de Richelieu*, Pédone, Paris, 1966.
— Tapié (V.-L.), *La France de Louis XIII et de Richelieu*, Réédition Fayard, Paris, 1980 ; *Baroque et classicisme*, Paris, 1957.
— Wihlelm (T.), *La Vie quotidienne au Marais au XVIIe siècle*, Hachette, Paris, 1966.

Table

Troisième partie

MONSIEUR, LIEUTENANT-GÉNÉRAL DU ROYAUME

Quatrième partie

LE COLLECTIONNEUR ET LE MÉCÈNE

Édition exclusivement réservée
aux adhérents du Club
Le Grand Livre du Mois
15 rue des Sablons
75116 Paris
réalisée avec l'autorisation des éditions Albin Michel

*La composition de cet ouvrage
a été réalisée par Nord Compo
l'impression a été effectuée
sur presse Cameron dans les ateliers
de* ***Bussière Camedan Imprimeries***
à Saint-Amand-Montrond (Cher)

*Achevé d'imprimer en août 1999.
N° d'impression : 993279/4.
Dépôt légal : avril 1999.*

ISBN : 2-7028-3894-4